W9-AEF-278

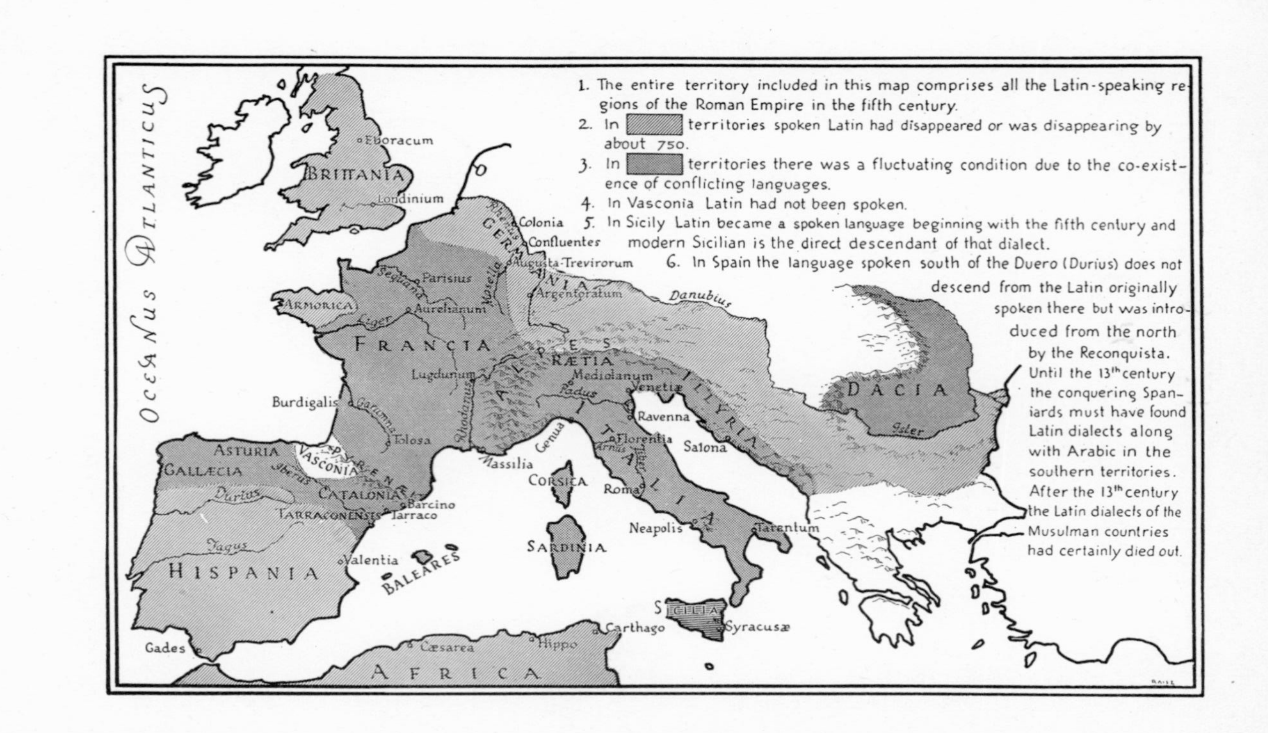
1. The entire territory included in this map comprises all the Latin-speaking regions of the Roman Empire in the fifth century.
2. In [hatched] territories spoken Latin had disappeared or was disappearing by about 750.
3. In [dark] territories there was a fluctuating condition due to the co-existence of conflicting languages.
4. In Vasconia Latin had not been spoken.
5. In Sicily Latin became a spoken language beginning with the fifth century and modern Sicilian is the direct descendant of that dialect.
6. In Spain the language spoken south of the Duero (Durius) does not descend from the Latin originally spoken there but was introduced from the north by the Reconquista. Until the 13th century the conquering Spaniards must have found Latin dialects along with Arabic in the southern territories. After the 13th century the Latin dialects of the Musulman countries had certainly died out.
Oceanus Atlanticus
Britania
Eboracum
Londinium
Armorica
Francia
Parisius
Aurelianum
Lugdunum
Burdigalis
Tolosa
Germania
Colonia
Confluentes
Augusta-Trevirorum
Argentoratum
Danubius
Alpes
Rætia
Mediolanum
Venetiæ
Ravenna
Florentia
Salona
Illyria
Dacia
Ister
Italia
Roma
Neapolis
Tarentum
Massilia
Genua
Corsica
Sardinia
Sicilia
Syracusæ
Carthago
Hippo
Cæsarea
Africa
Asturia
Gallæcia
Vasconia
Pyrenei
Catalonia
Tarraconensis
Barcino
Tarraco
Valentia
Baleares
Hispania
Durius
Tagus
Iberus
Gades
Seguana
Mosella
Rhenus
Liger
Garumna
Rhodanus
Padus
Arnus
Tiber

A CHRESTOMATHY OF VULGAR LATIN

BY

HENRI F. MULLER, Ph.D.
PROFESSOR OF ROMANCE PHILOLOGY
COLUMBIA UNIVERSITY

AND

PAULINE TAYLOR, Ph.D.
ASSISTANT PROFESSOR OF FRENCH
NEW YORK UNIVERSITY

D. C. HEATH AND COMPANY

BOSTON NEW YORK CHICAGO
ATLANTA SAN FRANCISCO DALLAS
LONDON

3 E 2

PRINTED IN THE UNITED STATES OF AMERICA

PREFACE

Because of radical departures in this book from the conventional anthologies, the authors feel called upon to explain their various innovations: the meaning of Vulgar Latin, the divisions made in the Table of Contents, the method of linguistic presentation, the choice of texts, the general composition of the book, etc.

Vulgar and Mediæval Latin are an outgrowth of Classic Latin brought about by different social conditions. When Classic Latin, the Latin of the greatest writers of Rome, was the model for writing and conversation, there existed then, as there always does under similar conditions, a colloquial Latin spoken by those who either did not know how or chose not to follow the rules of the grammarians in their common speech. The growth of this colloquial or ungrammatical Latin was checked by a cultured group which acted in maintaining the purity of the language somewhat as literary and cultured French groups do in France.

Vulgar or non-Classical tendencies can be observed in documents written until the latter part of the fourth century. But they are only sporadic incorrections in a vast mass of correct material. Although, in the fifth century, the new ideals of Christianity and the barbarian invasions were rapidly transforming the language, still, for all purposes, it was the same Latin. The sporadic incorrections had increased but had not changed the Classic Latin so as to make it unrecognizable when preached by the Church fathers to the masses. It was not until the middle of the sixth century that a Latin with a different pronunciation and syntax had evolved from the Classic Latin. This period, lasting until the end of the first quarter of the eighth century, is linguistically the vital and most significant period of Vulgar Latin. In this period the only language was a Latin for the most part unrestrained by grammatical rules, a Latin written as it was spoken and departing increasingly from traditional or Classical ideals towards practical usage.

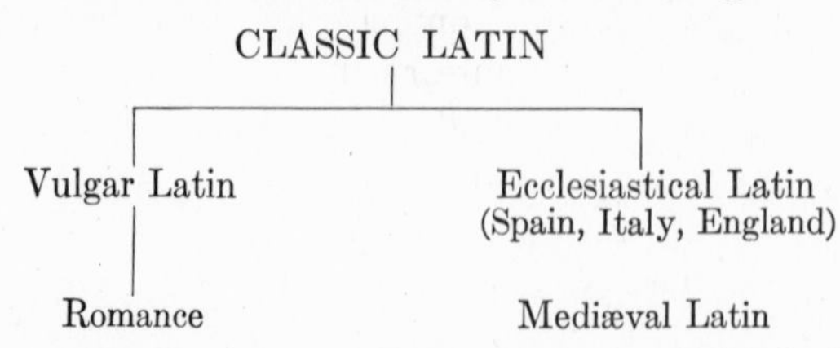

At the end of the eighth and the beginning of the ninth centuries, as a result of the work of Alcuin and Paulus Diaconus, and the restoration of letters by Charlemagne, canonical and liturgical texts which had been written in Vulgar Latin and used for preaching were corrected. But the man-of-the-street no longer understood sermons preached in correct Latin. The complete division at this stage between correct or Classic Latin and the unchecked Vulgar Latin is conclusively shown by the existence of the new language which is seen for the first time in the *Oaths of Strassburg* of 842, the first known document written in Romance. Vulgar Latin, after passing through a stage of differentiation from Classic Latin, had become another language.

Thus, with the beginning of the ninth century Vulgar Latin has disappeared from the scene in France, if not in Spain or Italy, or rather it has become Romance. But Latin continues to be used for serious literature and spoken by learned groups, particularly the clergy. This Latin is a more or less correct Latin, modeled after the greatest writers of Rome and the Church fathers, and

attempting to follow the conventional rules. That is why it is named neo-Classic or, for convenience, Mediæval. Put differently, Classic Latin had developed into Vulgar Latin, which in turn became Romance. Classic Latin was resumed at the end of the eighth and the beginning of the ninth centuries and is called Mediæval Latin.

Whereas Vulgar Latin at its height was written by men ignorant, generally, of sound classical training and writing intentionally for the unlearned masses, Mediæval Latin was written by men grounded in Classical letters and grammar and for a more or less learned group. The former wrote the only language they knew and spoke; the latter wrote a learned language different from the spoken language of the man-of-the-street. That is why writers after Charlemagne's reform not only correct Vulgar Latin documents of previous centuries, but write a more or less correct Latin themselves; and that is why few selections from post-Romance Latin figure in the Appendix of this book. This does not mean that all Latin written after the Edicts of Charlemagne is grammatically correct. But obviously it has little linguistic value from the point of view of the development of Romance when compared with the deviations appearing in Latin when Latin was the only language spoken and written.

Before Charlemagne's reform of letters one common language existed, the Vulgar Latin spoken by the man-of-the-street and written for him by a man not much more learned who, in order to be understood, wrote the language he spoke and heard and who, as a matter of fact, knew no other way of expressing himself. Writers of Mediæval Latin (at least in French territory) wrote one language, Mediæval Latin, and spoke another, French. The former was no longer understood by the people, the latter being the spoken tongue for the masses.

Part I of this Chrestomathy corresponds approximately

to the period preceding the barbarian invasions, when Classic Latin was the spoken and written language of the day, but when colloquial or vulgar expressions existed and could be observed. Part II corresponds to the period when Vulgar Latin was predominantly the spoken and written language. Part III contains texts written after the differentiation between Vulgar and Classic Latin was officially recognized and made, and Romance appeared.

It will be seen that the number of texts in Part I is 16, in Part II, 21 and in the Appendix, 9. In view of what has been said above, the reason for such a proportion becomes apparent. The second half of the sixth, the seventh and eighth centuries, when Vulgar Latin flourished unchecked, are by far the most significant for an understanding of the language and conditions which led to the formation of Romance. These centuries have been called the Dark Ages. Leaving aside their spiritual, social, and economic activity, it is clear that these centuries contain the most basic information on the development of phenomena of the Romance languages. No philological theories can be set up and supported without an investigation of the documents of those years.

Until Max Bonnet, a Latin scholar, wrote his epoch-making study, *Le Latin de Grégoire de Tours*, Romance scholars had solved the question of the linguistic Dark Ages, especially in regard to morphological and syntactical incorrections, in a simple and convenient fashion: they merely stated that the ignorant scribes made 'mistakes.' But when these mistakes assume a regular form which can be defined, like **domno** instead of **domini** or **dominum,** these mistakes indicate a tendency in the language proper: in the case of **domno** they show the victory of the substitution of one oblique case for the five of the Classic Latin, the Vulgar Latin oblique case, which eventually produced the Romance oblique case.

That, briefly, is why there has been effected in this Chrestomathy the innovation of including the greatest proportion of texts from the period most vital in Vulgar Latin and all-important in explaining the development of the Romance languages. And that is why in the Grammatical Survey the authors have attempted to present the main phenomena observed in the Vulgar Latin period and to draw their examples from the texts given in this book. Their method is inductive, i.e. every general grammatical statement is drawn from phenomena observed in the available texts. This method is somewhat different from that which reconstructs Vulgar Latin by starting from the Romance Languages and only seeking in the texts confirmation of theories built on the known final results.

The choice of texts and the inclusion of certain authors have been made according to the principles expressed above. The texts have been chosen and arranged to illustrate the most significant and characteristic linguistic deviations from Classic Latin, as seen in documents ranging from the first to the eighth centuries, both in prose and in verse. They have, in addition, been selected with an eye to interest; and it will be noted that scientific, legal, historical, religious, and humorous extracts appear here, as well as those containing literary and linguistic points of interest. Attention is called to the fact that only such excerpts as illustrate the existence of social and linguistic currents contributing to the evolution of Vulgar Latin, figure in this Chrestomathy; in other words, only texts showing tendencies in the pre-Romance period towards the formation of a Romance tongue. That is why authors who still adhere to the Classic Latin tradition are not represented among our authors, although they may have written at the same period as writers included here. Their works have no significance in this book and do not contribute to its *raison d'être.* This explains the absence in the texts of selections from men like Ausonius (310–394), Sidonius Apollonaris (430–489), Cassiodorus (486–560), Boethius (475–524), Symmachus (340–416), Dracontius (5th century), Claudianus (365–408), the *Pandects* or *Digest* of Justinian (6th century), Jordanes (6th century), and Paulus Diaconus (8th century).

It may be stated that this Chrestomathy is the first, to the knowledge of the authors, to follow a systematic presentation and development of the entire field of Vulgar Latin literature, chronologically and linguistically. Several isolated Vulgar Latin texts have been made available by W. Heræus and H. Morf in their *Sammlung Vulgärlateinischer Texte* (Heidelberg, Carl Winter); and F. Slotty has printed a *Vulgärlateinisches Übungsbuch* (Bonn, Marcus und Weber, 1918), in which selections from seven authors are given, Fortunatus (6th century) being the latest in date. Anthologies of Mediæval Latin are more numerous. There have appeared within the last few years several excellent studies of this field: *Mittellateinisches Lesebuch*, by P. Alpers (Gotha-Stuttgart, Perthes, 1924); *A Primer of Mediæval Latin*, by C. H. Beeson (Chicago, Scott, Foresman & Co., 1925); *Mediæval and Late Latin Selections*, by C. U. Clark & J. B. Game (Chicago, Mentzer Buch & Co., 1925); *Mediæval Latin*, by K. P. Harrington (Boston, Allyn & Bacon, 1925); *An Anthology of Mediæval Latin*, by S. Gaselee (New York, Macmillan & Co., 1925). These Mediæval anthologies, however, have for their purpose particularly an introduction to the non-Classic Latin literature, the linguistic study being very much subordinated and even sometimes almost totally absent. Moreover, the field covered includes mostly documents written after the ninth century.

In the Introduction of this book will be found an interpretation, literary, philosophical, and sociological, of the period of Vulgar Latin extending from the first to the eighth centuries.

In the Grammatical Survey, and to some degree in the Introduction, is given a rapid review of the main linguistic changes in the Vulgar Latin Period, with examples chosen from the various phenomena observed in the texts.

The extracts are preceded by a brief note giving, when significant and known, the date of the manuscript and the date and place of composition of the work, some facts about the author, the literary importance of the work and the subject of the extract. The spelling of the edition consulted has been retained in every case, although changes in punctuation have been made, notably in the *Vetus Latina* to suit the needs of the student. In this text, as well as in the *Glosses of Reichenau*, the *Glosses of Cassel* and the *Oaths of Strassburg*, it has seemed wise to transcribe certain paleographical signs in order not to confuse the student with material which pertains to a study of manuscripts.

In the Glossary are included words not found in Harper's *Latin Dictionary*, those words whose phonology and syntax need explanation, notes of interest (exclusive of footnotes in the text), and proper names.

In the Bibliography will be found the titles of works from which the extracts have been taken (in the order in which they appear in the Table of Contents and in the Texts), with page and volume references; Latinities and general studies, including articles on special linguistic and literary points; and a list of the more important philological reviews in this field. For further studies of the language of each author quoted the student is referred to the edition which frequently offers long lists of works on the author and manuscript discussed. All other bibliographical matter is arranged alphabetically according to the author's name.

For reasons of space it has been thought best to omit the complicated and often unsettled problem concerning the numerous manuscripts found for each work. If the student desires a detailed account of these, the Bibliography of the Texts and the Latinities will afford ample information on a question which, properly speaking, belongs to the realm of paleography.

The authors wish to express their appreciation to Professor C. H. Grandgent for his encouragement when this work was started and to Professor A. A. Beaumont for various suggestions.

While this Chrestomathy as a whole is the product of joint collaboration, the Introduction has been drawn up in particular by H. F. Muller and the Grammatical Survey by P. Taylor.

H. F. M.
P. T.

February, 1931

CONTENTS

PART TWO: TEXTS POSTERIOR TO 550

LITERARY AND HISTORICAL

SATIRICAL

LEGAL

TECHNICAL

VITÆ SANCTORUM

APPENDIX

INTRODUCTION

THE PERIOD which extends from the latter part of the fourth century to the last quarter of the eighth may properly be called the period of Vulgar Latin. It is marked by the uninterrupted progress and final triumph of the linguistic tendencies already apparent in the preceding period, that of Classical Latin, where they had been held in check and practically ignored.

I. SOCIAL CONDITIONS FAVORING THE ADVANCE OF VULGAR LATIN

This change was due to the spiritual and social revolution in the western Roman empire which took a decisive turn with the victory of Constantine (312), and especially after the reign of Julian († 363), under Theodosius the Great († 395) and the great fathers of the Latin church, Ambrose († 397), Augustine († 430) and Jerome († 420).

The social mission which Rome, under the guidance of its aristocracy, had been fulfilling was bound to bring about a complete shifting of forces and interests with its direct counterpart, a linguistic revolution. Under the domination of Rome the distribution of mankind into numberless races, tribes, nations, each with its gods, creeds, and social order, under which man as such completely disappeared, was gradually obliterated in a large part of the known world. In its stead rose the almost universal notion of Roman and the Roman citizen. A gradual smoothing over of differences, the introduction of common and fundamental principles of law and the assimilation of divinities, were component elements of this unification. And while this important social movement was going on, it was accentuated and given its full spiritual value by the advent of Oriental religions, especially Christianity, which gave to the common man thus risen politically and socially, an inner consciousness, a divine soul, existing even in slaves, for which the son of God had died, — a religious equality tending to eliminate all exterior distinctions, those of Roman and barbarian, freeman and slave, patrician and commoner, rich and poor.

Thus the Christian revolution outdid the Roman, continued it, and destroyed it. The Christian supplanted the Roman. From the end of the fourth century the crumbling down of the Roman entity accompanies the rising of the Christian. The invasions of the barbarians, after 406, contribute greatly to this movement, being in part both the effect and the cause of it. Augustine expressed the general opinion when he said that it mattered not if the barbarians conquered, provided they were Christians. Yet the elements of Roman culture were not suppressed; rather, they were transformed and made Christian, thus losing their original character. The Pope of Rome inherited a great part of the Emperor's prestige and authority after the last western emperor (476); the bishops of the provinces assumed many functions of the former governors and prætors; pilgrimages, shrines and sacred springs, having become Christian, lost their pagan significance. Indeed, such a use of the Roman material at hand made the destruction of its primitive form all the more certain. The pagan temple whose columns and marble are built into a Christian basilica is all the more thoroughly ruined.

With the advent of Charlemagne (768–81) this work is evidently complete. Indeed, so entirely has the Roman idea been eradicated and its elements turned into the very substance of Christianity that it can be referred to historically and a Roman empire created without any danger of reaction against the new order. The modern world is born.

II. The Relation of these Conditions to Linguistics

The relation of the social and political history to the linguistic and literary is direct and significant. Latin, with its fine balance between accent and quantity, with the morphological and syntactical qualities intimately associated with, and dependent on this phonology, was, above all, the language of Rome, the head of the world, *caput mundi*, and that of its ruling class. It was the language of a victorious aristocracy, recruiting itself, to be sure, in part from below, but preserving through the various stages of its evolution its essential character as aristocracy, as a leading class, the depositary of the spirit of the race, insuring the maintenance of its identity throughout the ages. The language of aristocracy, Latin, had had a history exactly parallel to that of its speakers. Its evolution from prehistoric and archaic stages had only reinforced its typical characteristics, partly through an unconscious and partly through a conscious effort. For instance, the use of **s** for case endings, the presence of a post-tonic interior vowel (the **i** in **dominus**), syllabic·quantity (all syllables long or short, with little reference to accent or position) as the most prominent element in rhythm, all such features which had been affected variously in the pre-literary period were restored, giving to Latin its symmetry, majesty, deliberate "proconsular" enunciation, and making it the worthy expression of the *Urbs Æterna*. Latin alone among the Italic dialects had consciously developed these traits which had been more or less discarded several centuries before Christ by the other dialects. The fine phonetic equilibrium, image and expression of this great social aristocracy, was maintained through education and tradition long past the period when its effectiveness and the spiritual supremacy of the aristocratic class had ceased to hold true.

After the first century of the Christian era, the democratic movement (if we may thus name the rise of the inferior classes to the dignity first of a 'Roman,' then of a 'man') is being advanced either by men of the lowest strata of the population, or by others so democratically minded that they would willingly sacrifice, like Tertullian († 230), the other objects and advantages of society, — wealth, glory, culture, the fatherland itself — for that single achievement. Such men as Tertullian, Cyprian († 258), and especially Minucius Felix (*ca.* 170), have, however, some regard for good Latin. But that is apparently the last tie which connects them with the past of Rome, a tie which will, however, continue to bind together the upper classes for centuries to come.

The first leaders of democracy and, in general, the majority of them were evidently of lowly origin, without pretension to, or care for, fine language. And what is more, the whole movement was essentially for the benefit of the masses, from whose aspirations it drew all its strength and value. It exalted the inner consciousness of the individual, making him feel his own worth, doing away with that sense of inferiority which the knowledge of his social insignificance would naturally have induced in him. It made him speak and write with assurance and self-satisfaction. A first result is the advent of these men into the literary world. As Augustine said, almost any man who knew a little Greek (and considering the permeation of the Roman empire by the omnipresent Greek, such practical knowledge could not have been uncommon even among the uncultured) dared translate the Gospel into Latin. *And thus is born Vulgar Latin literature,* in the early translations of the Bible, in Africa in the second century, known under the generic name of *Vetus Latina.* A little later, people of comparatively mediocre education like Sylvia (380 or 540) will not hesitate to relate their experiences as pilgrims to the Holy Land.

Already pagan commoners of all description, soldiers, bakers, fullers, masons, carpenters, in the consciousness of their Roman dignity, had commemorated on their tombstones their life's activity, just as the Scipios had done for their exploits in republican times. See, for instance, the remarkable and very pretentious mausoleum of Eurysaces the baker, at the very junction of the via Prenestina and the via Labicana in Rome. An officer in Cæsar's army, evidently risen from the ranks, had told in uncouth language his story of the war in Africa, *De bello africano.* Still more did the consciousness of their Christianity give to the Christians the full assurance, the unhesitating self-expression which often rose to the heights of martyrdom. This self-assurance must evidently have been apparent in their daily speech, even though in proportion as the upper classes accepted the new religious doctrine, they disciplined the literary activity of the lower classes to a certain extent.

Even the pagan Latin inscriptions alluded to before show, among downright incorrections which have no great significance, a certain tendency that, in the light of other facts which have come to our knowledge, is of the greatest importance. The stress or expiratory accent, whose existence in archaic Latin is to be inferred from various changes and which gives a distinctive character to the other Italic languages far back into the prehistoric period, is the most constant characteristic among a fluctuating mass of others with which the Vulgar Latin inscriptions teem. It had had a repressed existence during the classical period; for this hammering of one syllable produced presumably an inelegant effect in good Latin pronunciation. But, from the regularity of the syncopation of the post-tonic vowel in various kinds of words found in these inscriptions, we can see that it must have been prevalent among the people. The growing importance of the commoner gives him more assurance in the use of his speech peculiarities. This accentuation of the stressed syllable answers his innermost feeling; and he indulges it with less and less restraint from the standard pronunciation of his betters. In fact, this rhythmical way of speaking must have crept gradually into the educated classes; for a grammarian of the third or fourth century, writing presumably for the children of the aristocracy (the *Appendix Probi*), feels the necessity of correcting repeatedly such a widespread syncopation corrupting evidently even the speech of the educated.

If such was the case in pagan Rome, what must it not have been among the Christians, when the Latin masses joined the faith, despite the fact that the educated among them, by a natural reaction, were anxious to correct the impression of coarseness and ignorance which the Christians gave?

A bishop of the beginning of the third century in Africa, Commodianus, with less regard for this opinion, introduces into religious poems frequent irregularities, short accented syllables being counted long, and long unaccented being counted short. In these irregularities he only reflects, very inartistically, the natural outcome of an undue increase of stress.

III. First Stage of the Vulgar Latin Period

The definitive success of Christianity (312) did not at once bring about either the social or the linguistic revolution that would have been expected. On the contrary, it toned down all such subversive tendencies, and this for two reasons: the leaders now belonged for the most part to the upper classes, and Christianity ceased to be a doctrine of revolt against the authorities — it became a subject-matter of general teaching. It is under these new conditions (hardly before the fourth century) that the Christianization of the Latin masses in the West begins in all seriousness. The new era of intensive conversions is typified in St. Martin, bishop of Tours. To the timeliness of his endeavors he owed the glory that made him the transcendental saint of the age. But a period of learning is evidently not conducive to linguistic evolution. There is a marked slowing-up for nearly two centuries. A work as little classical as the *Peregrinatio Sylviæ* has been variously dated 380 and 540, with no help from linguistics to date it more accurately. Yet progress towards the transformation of Latin will be made, or at least prepared, in a curious way.

The fathers of the Church are now less interested than heretofore in impressing the distinguished pagan world. The strengthening of the faith and morals of their flocks becomes the main object of the activity of Ambrose, bishop of Milan, and Augustine, bishop of Hippo, in North Africa. Jerome corrects and completes all the popular translations of the Bible, preserving in the Vulgate, however, the flavor of common speech due to their uneducated authors. Ambrose, wishing to guard his people against heretic opinions concerning Christ, composes poems in which the true doctrine is expounded. The people singing them are both inspired and instructed; they are also less tempted to indulge in idle conversation during the divine ceremony. But in order that these hymns should be effective, they must be suited to the average faithful. The rhythm must be right and popular. Ambrose, a distinguished statesman and orator, could have composed in classical verse, and must have been strongly tempted to do so, but he chooses an octosyllabic line with rhythm depending on accent, not on quantity, although his quantity is right also; that is to say, the ictus always falls on a long syllable (or two short ones), as in this verse sung by Cæsar's soldiers at his triumph: *Ecce Cæsar triumphat qui subegit Gallias.* And thus Ambrose creates modern versification.

Augustine, with a similar preoccupation, composes a long doctrinal poem, the *Abcdarius*, to be sung and actually memorized by his congregation; in this poem, written a whole generation after Ambrose and for a rougher community, no regard at all is paid to classical quantity; accent and a curious rhyme of the final unaccented vowel are the rhythmic elements. Consideration for the sentiments of his flock is so great with Augustine that he, a classical scholar, will consciously use incorrect forms (future of the second conjugation **floream** instead of **florebit,** a future still mentioned by that last and indescribable Gallo-Roman grammarian of the eighth century, Virgilius Maro); will continue to use the old versions of the Bible (*Vetus Latina*, *Itala*), linguistically more incorrect, instead of the new Vulgate of his friend Jerome; and will abstain even from reading in church any other narrative of the Passion of Christ than that of St. Matthew, because the people like it so much better than that of Luke or Mark.

The reason for such a change of attitude towards classical style on the part of these literati is that the language they use must not seem strange to the people. We have there the first real specimen of popular literature, of vulgar literature, *ad usum vulgi* (for the people). This is the beginning of the Vulgar Latin period, the period during which the spiritual aims and needs of the Latin masses are the definite reasons for (and their tastes and expressions, the elements of) literary activity. The naïve, more or less stereotyped, halting and desultory expressions of the inscriptions and such satirical representations as the *Satyricon* of Petronius, are but either limited fragments or sophisticated parodies for the use of the élite.

But, besides the reasons given above to account for the slackening rate of the linguistic evolution, it must be remembered that the structure of Latin had been so perfected, its parts were so well knit together, its foundation in a glorious world of literature was so powerful, and the Roman spirit had given expression in that language to so complete a system of thought, morality, laws, had so thoroughly permeated and moulded mental habits that, although the masses were literally hammering at it, transforming its phonetic soul (the accent), overthrowing its learned equilibrium, giving extra emphasis to the accented syllables, reducing the unaccented in spite of their original quantity, — the outward appearance of the language, its morphology and its syntax, were to all practical purposes still intact. Although the pronunciation had undergone great changes, especially in regard to that most subtle and important point, the accent, Latin, as is evident from all this vulgar literature (*ad usum vulgi*) was still Latin. Heretofore this has been doubted but, as has been remarked, — and let this suffice here, — had the structure of the speech of the masses been different, Jerome, Ambrose, Augustine, Martin, or the Church in general at that period would have doubtless used that different idiom and not the language they actually employed.

IV. The Triumph of Vulgar Latin Literature

Although, in the fifth century, representatives of classical or aristocratic literature are not unknown, nor unimportant, like the Gallo-Roman Sid. Apollinaris († 482), the Italian, by adoption, Claudianus († 408) or the African Dracontius († 485), by the sixth century, vulgar (*ad usum vulgi*) literature tends more and more to predominate almost to the exclusion of all other, at least in Gaul. This literature is not artistic because the period is not one of *épanouissement*, of unfolding and delight in one's achievement, but of transformation, of thorough recasting of all the elements of civilization; and its literature is the expression and means of this intensive work. It has, exclusively, a moral (religious) and social purpose; it is what might be called utilitarian. We find it first in sermons like those of Saint Germain, bishop of Paris (576) or Saint Cæsarius of Arles (543), or Saint Eloi (Eligius) of Noyon, or Saint Ouen (Audœnus) of Rouen in the seventh century, etc. It is therefore part of the work of the bishops of Gaul, and it is the form which their work assumes. For these bishops, in proportion as the political and administrative ties of the Roman empire become looser and finally severed, acquire more and more functions, authority and power, even though they subordinate these acquisitions to their religious and moral mission. The conversion, care, and thorough Christianization of the masses, of the inhabitants of the remotest regions, remain their first object; and all this political authority is assumed by them principally so that their superior mission should not be jeopardized in the somewhat lawless conditions attendant upon the breaking up of the empire.

One of the direct consequences is that the Latinization of the country receives a new impetus. Celtic, which was still spoken in many parts of Gaul, is gradually eliminated, to disappear entirely by the beginning of the seventh century, except in Armorica (Brittany), whither the invasions of the Angles and Saxons in Great Britain during the same period sent a new Celtic-speaking population which has preserved its speech to this day. In Spain and Italy, Iberian and Greek respectively are also generally driven out by the victorious advance of Latin Christianity. To understand this, let us remember that this Christianization was an immense work, amounting to giving a new soul to man and society, overhauling the whole mentality of the people and substituting a Christian counterpart for every element of a complex and inveterate paganism implanted in every detail of life and nature. The whole energy of the hierarchy is taken up by that task.

It creates a new genre of literature, the lives of the saints. With admirable instinct, Christianity, destroying or transforming the old ideals of antiquity, incorporated its own in heroes or saints who exemplified them. This new genre, which had perhaps begun as an imitation of the lives of heroes of antiquity, with a rather aristocratic intent, i.e. to present to cultured paganism Christian counterparts of its great men (compare for instance, the *De viris illustribus* of St. Jerome with the *De viris illustribus* of Cornelius Nepos or those of Plutarch) took on, from this new turn in the missionary activity of the clergy, a definite, specific character and purpose: these lives of the saints would create for the people a mystic world full of secret power, to take the place of the old miracle-workers of pagan origin; they would also exemplify the rarest, almost unattainable virtues of Christianity, and thus satisfy the two most potent cravings of the masses, to be protected and to admire. These lives of saints are written to be read to the people. That is their only purpose. Fortunatus, bishop of Poitiers († 600), an Italian who started life as a court poet in Italy and France, and, carried away by the spirit of the times, devoted his later efforts to this missionary work; Gregory, bishop of Tours († 594); and even as late as Charlemagne, Alcuin († 804), will write them with this exclusive object in view. It is plain that they are Vulgar Latin literature, the most important kind of the period, and bear to the

later *Chansons de geste* of feudal France a relationship which needs further investigation.

Gregory of Tours in his preface to the *Miracles of Saint Martin* brings out clearly the popular character of these writings, when he tells us how his scruples at undertaking them, because of his ignorance of good Latin, vanished when his late mother, appearing to him in a vision, pointed out that precisely because he wrote and spoke like the vulgar he would be all the better understood by them.

Unfortunately for us, however, their usefulness caused them to be constantly modernized, with the subsequent loss of the original version, so that we have relatively few texts of that period. Most of them in their available form belong to the period posterior to Charlemagne, when manuscript writing became one of the definite duties of the monks. By that time, Mediæval Latin reigned supreme, and all idiosyncrasies of speech of the earlier period were carefully weeded out.

The historians of that period have fully recognized the value of the moral and religious improvement in the masses that took place as a consequence of this religious labor, which was continued with similar impetus by the monks who, organized by St. Benedict († 543), swarmed over Romania after 550 and during the seventh and eighth centuries, and carried Christianity and civilization into the remotest and wildest corners of the Romance regions and even far beyond their limits.

Although some vague centers of culture, in the south of France and still more in Italy, at the courts of the Lombard princes, as well as in Spain, continued to exist, vitality of speech had practically withdrawn from such places, and their influence over the masses was negligible. The expression of the spiritual activity we have described, by the side of which attempts at correct speaking for correction's sake in these culture centers appear feeble and ineffectual, was all in the vulgar speech. Yet socially, at the time, this élite may have believed itself very important and was ready, with the new period inaugurated by Charlemagne, to play an important part in the development of the vulgar tongue, even though it ignored the latter as long as possible, centuries after the language had become official in France.

In the vulgar tongue, therefore, all this Christianization, with all that the term implies, appears: lives of saints, sermons, the narratives of those strange and momentous events which, without destroying Romania, seem to relegate the Roman empire farther and farther away to the point of annihilation, such as the history of the Franks by Gregory of Tours and his continuators in the seventh and eighth centuries, Fredegarius, and the *Liber Historiæ Francorum*, all of which give the basis of a new historical and epic point of view; in the vulgar tongue also appear regulations for the adjustment of property with the settler barbarian along feudal lines, the publication of the new laws made imperative by the co-existence of various races and by the overthrow of the old administration which caused a new social necessity, viz. that everybody must know the law. Of the texts of law, the most typical is the Salic law, whose importance for the people at large was so great that Charlemagne republished it in the form it had assumed through the centuries of linguistic evolution without attempting to re-write it in good Latin, although one of the main and most persistent preoccupations of his reign was to correct "grammatical" mistakes. In the vulgar tongue, too, are written the various appeals to the population, decrees of kings trying to keep the country in order, like the capitularies of the Frankish kings; likewise, the numerous trials, judgments which, due to the lack of higher and more dignified civil business, become the principal occupation of the administration in which all the inhabitants participate. This vulgarization of the trials and court actions entails the composition of formularies without which such activities would be impossible; formularies of Marculfus, of Angers, of Tours, etc. In the vulgar tongue, finally, are written the handbooks in which the artisans write down the recipes of their trades or industries for their own benefit and the guidance of their apprentices.

All this was not written with the artist's desire to build for eternity or for æsthetic satisfaction; it was meant for actual and immediate use. However, its scanty artistic value must not mislead us into overlooking its powerful social and moral effect and consequently its direct bearing on the evolution of language. Although a good deal of it perished or was transformed from generation to generation, there is enough left for us to form an idea of its genres, of its spirit, import, and expression.

V. The Evolution of Vulgar Latin down to 750

Such a considerable development of Vulgar Latin life, i.e. social life expressed in all its branches directly in the vulgar tongue with a minimum of restraint from learned or puristic influence, was accompanied by a linguistic evolution in keeping with the importance of this social transformation and in direct relation to it. If down to 550 the structure of Latin had held good in spite of the great change which pronunciation and accentuation had undergone, after that date the situation changes. The restraining influence of classical literature and grammar dwindles away with the growing absorption of Roman culture by Christianity and the suspicion which attaches to all paganism. The singleness of purpose of literature and language all directed towards practical ends, of a high moral and social but not æsthetic order, does away with puristic tradition. May we not, then, look upon the growing intensity of religious feeling, of mystic fervor (cf. the deep devotion with which the people of Tours and its environs carried the columns destined for the new basilica of St. Martin at the end of the sixth century) as irresistibly increasing the force of the stress accent in creative linguistic moments?

At any rate, henceforth the natural consequences in morphology of this new rhythm in speech appear with all clarity. The unaccented syllable definitely loses its quantity and becomes short, and the accented syllable generally becomes long. Gregory of Tours, for instance, is very conscious of this: he acknowledges his deficiencies, his inability to distinguish cases, genders, quantity. For, many points of Latin morphology are dependent on the quantity of the final (unaccented) vowel, e.g. **rosă**, nominative, and **rosā**, ablative. Besides, just as the short accented **ĭ** and **ŭ** in becoming long changed to long **ē** and **ō**, so did unaccented **ĭ** and **ŭ** become **ĕ** and **ŏ**. There was still greater confusion of endings: dative **bovī** and accusative **bovĕm** became **bovĕ**, plural **bovēs** and singular **bovĭs** both became **bovĕs** or **bovĭs**. In the passive infinitive **amarī** became confused with **amarĕ**, the active form. The confusion between case endings contributed greatly to a general recasting of the declension system, which is one of the most important phenomena of that period. The oblique cases of Latin had their individual functions invaded by a composite one whose endings were for the first three declensions (the fourth and the fifth being respectively merged in the second and first or third) **a, o, e** in the singular, and in the plural **as, os** (perhaps **is**) and **es** or **is**. In fact the first declension had already but one case for nominative and oblique in the singular, and one also in the plural. And thus the two-case system of Old French makes its appearance.

The loss of the characteristic ending of the passive

infinitive brings about, in the course of two centuries, the disappearance of the passive voice, but not before the second half of the eighth century.

This weakening of unaccented endings must also have prompted the substitution of a new expression for the future, composed of the infinitive of the verb plus **habere**; for the classical endings became, in this rhythmical way of speaking, too colorless for such an important meaning.

Thus is the Latin language remodeled according to an intuitive force which gives organic direction to the movement and which may perhaps be defined as follows: the niceties of thought and expression obtained by means of the fine Latin morphology depending on quantity and the careful pronunciation of endings give way to a forcible phonetic utterance more suited to the impulse for direct expression.

Still another principle, restrictive in force, directed this evolution, namely, ease of intelligibility, in reference not only to the practical affairs of life, but still more to the religious and moral doctrine and Christian spirituality in general. Language as a tool, to be serviceable, had to develop *pari passu* with popular understanding.

This explains why the discovery that a two-case declension system, for instance, was almost as serviceable as the six-case Latin declension, itself reduced from an eight-case system, was made slowly and gropingly. From Gregory of Tours (*ca.* 580) through Fredegarius (*ca.* 630) to the *Liber Francorum* (*ca.* 730), through the sealed documents of Tardif, the progress is certain and clear but slow. Genitives, so useful to indicate personal relation, survive quite a long time. The use of the oblique case is not due to "ignorance"; a writer, and very likely a speaker, though to a lesser extent, will try one form then the other, unconsciously but not haphazardly. It is a vital phenomenon: "a will that wants to realize itself."

And even by the end of the seventh century, a further attempt at eliminating all declension, already practically realized in the first declension, is carried on to the second, but does not go much beyond proper names, which "advance," by the way, will be abandoned later: in Old French, proper names, like common nouns, have a direct and an oblique case.

The reason for this slowness and hesitation is the necessity to keep the essentials of the spiritual treasure of civilization open and available to all. A complete religious doctrine, covering the whole field of spirituality and morality, based on a profound conception of the world, man and God, a legal order, a complex condition of property, personal and real, the arts and industries of an advanced civilization, all this had to be transmitted, taught, vulgarized: the fundamental elements of morphology and syntax must remain intact or be shifted with great care. The two-case declension system, in allowing the normal, traditional Latin order of words to subsist, was indispensable. Although the modern Romance word order is to be met with sporadically, in fact had appeared even in classical times, it was still too exceptional, too much untried to be made general just then. (The Romance future is formed according to it, **amare habet** not **habet amare,** and the Romance order has reigned supreme in France only since the sixteenth century; the *Oaths of Strassburg* know only the Latin order.) All this lore of culture had been conceived and expressed mostly in the Latin order of subject, object and verb, and its variations. Its subject matter was inseparable from its form.

Charlemagne's restoration of correct Latin in church and school made this two-case declension still more solid in the vulgar tongue, because the latter was at once (813) reinstated as a cultural language used to carry the Christian doctrine to the people. Even proper names which, as we have seen, were almost reduced to one case, were restored to this two-case declension system. Language is at all times at the service of intelligibility, which may be needed for a narrow and low material life or for a profound spiritual culture. The latter was the case in this period, in spite of the common prejudice which has called it the Dark Ages. But the great specialists and first-hand investigators, such as Hauck for Church history, Heyd, Inama-Sternegg for commerce and industry, Engel and Serrure, Planchet and Dieudonné, von Ebengreuth for monetary conditions, Gregorovius, Flach for civil and political history, have long ago exploded this superficial judgment which continues to live in most of our schoolbooks.

VI. Have We any Texts of the Living Language up to Charlemagne's Reform?

It is unreasonable to imagine a mysterious living language for that period, without any written texts, as is usually claimed by philologists, without much documentary or philological evidence. A living language which had to carry all this social and spiritual culture had to be written. The evolution of such a language must needs be slow and more conservative than would otherwise be expected. Gropingly, hesitatingly, it must have been in a constant process of adaptation; the *Glosses of Reichenau* may give us, on a small scale, an idea of such a process. But the texts exist.

These texts are the ones enumerated before as constituting the specimens of the genres of that period: the histories of Gregory of Tours, of Fredegarius and his successors, the Salic laws, the formularies, the lives of saints, the homilies, the various documents like those of the Tardif collection. These, indeed, could easily, in spite of their manifold barbarisms, be corrected into almost acceptable Latin, by just improving their spelling — and this is, unfortunately, what has been done to too many of these texts, mostly the homilies and the lives of the saints, from the time of the Carolingians on. But that is in keeping with what was said above, i.e. that the written vulgar tongue, to fulfill its part as a cultural language during a period so active spiritually, must always have proceeded slowly in its evolution, in order to carry from generation to generation the full import of culture. Yet some very important phonetic, morphological, and syntactical developments are easily ascertained and followed: sonorization of intervocalic explosives; vowel changes like short ĭ and ŭ to **e** and **o**; creation of the two-case declension; disappearance of the Latin synthetic passive, and its replacement by the Romance; creation of new locutions like those with **facere**; new idioms and vocabulary, etc.

Of course, these documents originate in cultural activities and will not contain all the idiosyncrasies of pronunciation and morphology which the oral language knows; but this is the case with most writings. We know, and it is generally admitted (except by those who see the implications of such admissions and fear them) that Gregory of Tours wrote for the people and that the authors of homilies and lives of the saints wrote so that their writings should be read to the people. Max Bonnet bases his findings and the importance of his research on the proposition that the language of Gregory's writings was his living language and his people's, not an artificial Latin or *latin de cuisine.* But this Latin of Gregory, which bears all the earmarks of reality, is of the same order only more correct than the Latin of the other documents, which being posterior, and written by men more ignorant of grammatical rule, naturally shows in many cases a greater approximation to Romance.

This "bad" Latin was such a live speech that, as soon

as Charlemagne and his scholars started to correct it, and to take it back three centuries, as soon as the clergy ceased in church ceremonies to use it, the lack of intelligibility of this corrected speech for the masses became evident and intolerable; important councils had to modify Charlemagne's order and to allow a return to the *lingua romana*, then called *rustica*, for the preaching of the doctrine; and this in spite of the fact that such a curtailing of his reform was a confession of failure on the part of the great emperor, whose ambition had been the restoration of grammatical Latin for the whole nation.

This "bad" Latin was such a cultural speech that the councils of 813 ordered the preaching of the doctrine in that language. The difference between the current speech and the grammatical cannot have been so very great, even in 813 after thirty years of efforts on the part of Charles to increase the difference between them; for the order of the 17th canon of the Council of Tours says: "Et ut easdem omelias quisque aperte transferre studeat in rusticam Romanam linguam aut Thiotiscam quo facilius cuncti possint intellegere quæ dicuntur," in which the word "facilius" refers only to a greater degree of intelligibility: these homilies will be better understood in Romance than in Latin; thus corrected Latin was not yet absolutely incomprehensible to the people. We see, therefore, in those texts something more than a poor attempt by uneducated at writing correct Latin.

The emperor's endeavor to separate the spoken and written language, for that is what it amounted to, was the first of its kind, and receives therefrom much of its significance. But it was too late to do very much harm by imprisoning culture in an esoteric language (as happened in China and the Arabic countries): the essentials of it had already been vulgarized and found separate linguistic expression.

VII. Reasons for the Non–Appearance in the Texts of Important Signs of Dialectalization

It is a well-known fact already noticed by Muratori, confirmed by Schuchardt, unconvincingly denied by Sittl, that the language of the documents of this period, corrupt from the point of view of Latin though they may be, does not differ in its essentials, whether the documents originate from one region, Northern France or another, Italy. The differences are, for all practical purposes, unimportant although interesting and useful in ascertaining the origin of a document; for instance the use of the preposition **da** in Italy, that of **apud** in France with the meaning of **cum**, the dropping of final **t** in the third person of verbs somewhat more frequent in Italy, the occasional use of first declension **rosæ** for the oblique case **rosas**, etc.

Considering that the language was in progress of thorough evolution and moving away from traditional standards, it is remarkable that the cases should be so few. They do not change the character of general uniformity in the texts. Moreover, we never hear of a Roman, an inhabitant of Romania, having had difficulty in understanding or in making himself understood anywhere.

The regional peculiarities must have consisted mostly of colloquial expressions, local terms, which the written language had little occasion to record. In the domain of phonetics there were also various ways of accenting the tonic syllables and slurring over the unaccented ones. All this, naturally, could very rarely be recorded in texts. The significant testimony of our texts, therefore, is found mostly in the appearance of great morphological changes; and these, evidently, have been common to great parts of Western Romania, if not always common to all.

In addition to the fact that written language does not reflect all the phenomena of the spoken, we must also take into account that there were quite a number of movements making for relative unification in Romania.

The colonization of these regions by the invading barbarians was one and the same over the West: the Germanic tribes occupied the more thinly settled parts, were assimilated and Latinized, creating thousands of new villages and places, mixing so well with the inhabitants that, in France for instance, as early as the time of Gregory of Tours, it was impossible to tell the race of a man from his name. In countries like Italy, where there was still greater difference between the regions as to the number of barbarian settlements, the customs and manners were so equalized that it would have been difficult, in the seventh century, to tell which had and which had not been so occupied and settled. The Germans gave up their original language so completely as to have little influence on the evolution of Latin. Their dialectal differences are only to be detected in some individual words which have survived in the various regions.

But the most important general activity making for the slowing down of dialectalization was evidently the complete Christianization of Romania, which was extended to the remotest villages, where in many cases, Latin, as its language, superseded for the first time the native pre-Roman languages, Celtic, Iberian or Greek. This also helped the amalgamation and Latinization of the barbarians. This work, begun by the hierarchy during the fourth century and intensified in the fifth and sixth, was characterized by its uniformity all over the former Western Empire, receiving its impulse from the whole body of the Church, being kept up and directed by innumerable councils and synods, being in other words the work of the whole Church, necessarily having for its instrument a language essentially identical, kept practically uniform by this organic life and the incessant circulation.

During the second period beginning in the second half of the sixth century, coincident with the organization of the Benedictine order of monks, a powerful flood of monasticism swept over Romania from Italy, recruiting itself everywhere, building convents around which colonists settled, creating innumerable centers of religion and culture. Perhaps we can estimate for France alone the number of new settlements, future villages and towns during that period, at ten thousand.

Then, when by the middle of the seventh century, the complete success of this Christianization was becoming more and more apparent, a feeling of love and gratitude rose in the hearts of the people for that Church, symbolized by Rome, to which they owed everything. A centripetal movement of pilgrimages to Rome set in from the provinces, taking thousands and thousands of people to the Eternal City, whence they returned home magnifying its glory and sanctity (not however without some discordant voices from the newly converted Germans of the eighth century).

Thus was the Latin world as unified as it had once been, and even perhaps more thoroughly than under the Roman empire. For let us not forget that all this exterior, physical movement, so to speak, had for its object the complete transformation of what is transformable in man, in every one, to the last serf in the remotest place; never had such a thorough overhauling of mankind taken place before.

By the side of these powerful causes for spiritual and therefore linguistic unity, the political causes for separation, the division of Romania into several kingdoms of Franks, Burgundians, Goths, Lombards, etc. with fluctuating frontiers, were less decisive than might have been the case otherwise. No real national life could yet exist, although there was plenty of racial and military pride.

The reconstitution of the Roman empire in 800 was the political recognition of this Latin Christianity transformed into Christendom. With it, however, its activity ceases: the work is accomplished, and from then on the various regions will proceed towards their respective destinies. The causes for separation will outweigh those for unification. Dialectalization will set in more powerfully. The success of Charlemagne in restoring grammatical Latin as the language of the Church released the Romance (French) and gave it its official existence. This certainly helped the languages of other regions to reach a consciousness of their own. The various nationalities could thus build for themselves languages in which their social personality reflected itself. On the other hand, Latin as the language of the Church and of the intellect preserved the linguistic unity of Christendom, no longer wholly concentrating on one important mission, as had been the case in the preceding period. Whereas the numerous dialects reflected the multiple forms of social life, the uniformity of philosophical and religious thought in the Middle Ages was expressed in the singleness of its learned language, Mediæval Latin.

This explains why, although conditions of literary culture were so different, — practically negative in Gaul, while quite high in Italy and Spain, where there was a relatively important educated élite, — the living language of Christianization, of practical civilization, was probably similar enough everywhere to retard dialectalization. The cultured groups, whose activity later will greatly influence the respective development of the Romance languages in the various regions, appear to have had no effect then on the evolution of the vulgar speech, because, as has been said, their aristocratic tendency was offset by the democratic bent of the time: thorough Christianization of the masses, regrouping of society and its adaptation to the new conditions of the social order. All of this was carried on necessarily in the vulgar tongue.

This speech, the instrument and vehicle of all this fundamental and cultural activity was felt to be, although evolved, the language of the Romans, Romana Lingua, which name remained attached to it after Charlemagne's reform, while Latin, which had been synonymous with it until then, was finally applied to the restored grammatical language.

Let us also remark that if Christianization eliminated the last remnants of Celtic and Iberian, it did so only in places where people had already become bilingual. The native tongues, like our patois, must have been used only in connection with the most lowly acts of life and the oldest superstitions. All-permeating Christianity put an end to this bilingualism. Where, however, the native languages were intact, Christianization was carried on in them and not in Latin, as in the Basque country and in Brittany, — which again shows that the sole interest of the Church had been the spiritual welfare of the people, and to attain its purpose it had used the language which was most intelligible to the masses, Celtic or Iberian here, Vulgar Latin there.

VIII. The Importance of France during this Period

France must have been an important center of linguistic development during the Vulgar Latin period. It is there that the concentration of purpose, in intellectual and literary activity, upon the complete Christianization and amalgamation of races and the readaptation of society to new conditions was more thorough and decisive than anywhere else. In Northern France, especially, there is no other object in view: there, the new settlements, both Germanic and monastic, are more numerous; there, the unification of all classes on one level of culture more evident;

there, in short, the recasting of all social elements into a new mould more thorough, and the break with, or dissolution of, antiquity more final. Since the building-up of Romance took place in conjunction with these social changes and found in northern France the least hindrance to its progress, it may be conjectured that linguistic evolution there set in more determinedly, spread into and favored that of the other regions, with which there was a strong and constant intercommunication.

And, in fact, only in France do we see Vulgar Latin deliberately adopted by writers like Gregory of Tours. While the latter writes more or less as he speaks, i.e. like a man of the people, his contemporary in Italy, Pope Gregory the Great tells us that, had he wished to relate the story of a miracle in the exact terms used by his peasant informer, he could not have done so, so ungrammatical were they. Only in France were practical lawbooks (formularies) written in that language. Even texts of laws, like the Salic law, are clearly vulgar. There, also, the whole spirit of literature has more exclusively the people in view. Compare with it the theological, musical, encyclopedic activity of Gregory the Great or of Isidore of Seville!

The famous councils of 813 gave official recognition to this fact when they ordered the use of the new language in church apparently for France alone.

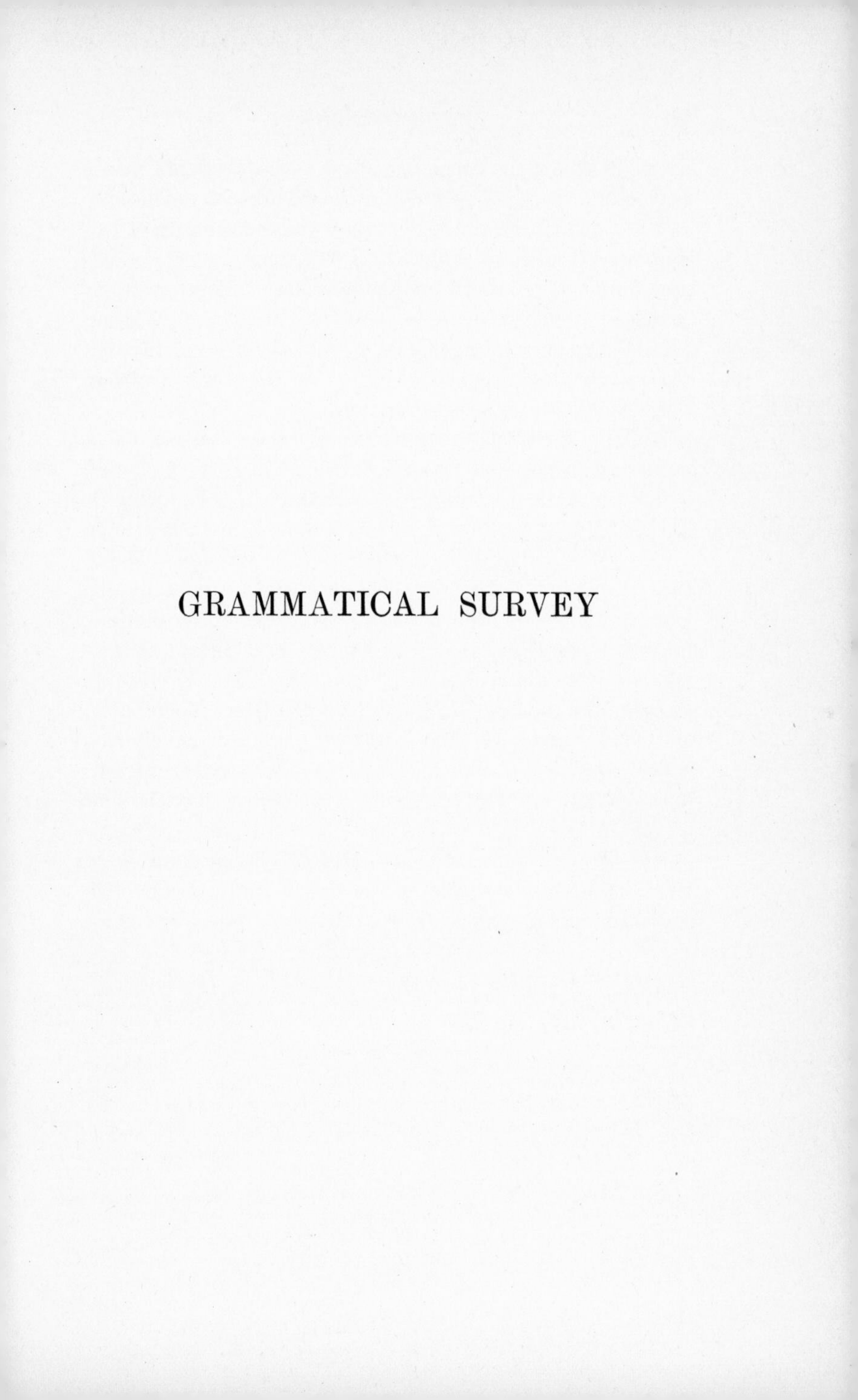

GRAMMATICAL SURVEY

LIST OF ABBREVIATIONS

(The numbers are those of the texts.)

AP Appendix Probi (5)
Aug Saint Augustine (13)
Ben Saint Benedict (17)
Cap Capitularia Merowingica (26)
Cassel The Glosses of Cassel (43)
CF Capitulare Francicum (40)
Chrod Saint Chrodegangus (38)
CI Christian Inscriptions (7)
Comm Commodian (2)
Comp Compositiones (32)
CV Capitulare de Villis (41)
Euf Vita Eufrosine (37)
Examen Examen Testium (31)
FA Formulæ Andecavenses (27)
FM Formulæ Marculfi (28)
Fred Fredegarius (21)
FS Formulæ Senonenses (29)
Greg Gregory of Tours (20)
Ind Frodebertus and Importunus (24)
Leud Passio Leudegarii (33)
Lex The Salic Law (25)
Liber Liber Historiæ Francorum (23)
Mem Passio Memorii (35)
Mul Mulomedicina Chironis (8)
Per Silviæ . . . Peregrinatio (14)
Petron Petronius (1)
PI Pagan Inscriptions (4)
Reich The Glosses of Reichenau (42)
Tardif Cartons des Rois de Tardif (30)
Ved Vita Vedastis (36)
VL Vetus Latina (6)
Wand Vita Wandregiseli (34)

I. PHONOLOGY[1]

ACCENT AND QUANTITY[2]

The predominance of the stress accent and the consequent absorption by the tonic syllable of the quantity distributed in Classic Latin among all the syllables of the word is characteristic of texts ranging from the fourth to the eighth centuries. As a consequence, all unaccented syllables tend to become short and all accented syllables long.

There results from this phenomenon:

1. Syncopation, or the disappearance of the vowel in a weak position (cf. also pp. 36, 37 and 46):

[1] Reference has been made, whenever possible, to *An Introduction to Vulgar Latin* by Professor C. H. Grandgent, which first summarized the various phenomena of the field of Vulgar Latin. This Grammatical Survey, however, attempts particularly in the morphology, syntax, and vocabulary to emphasize those phenomena characteristic of the sixth, seventh and eighth centuries and interesting from the point of view of their development into the Romance Languages, rather than to repeat what has been presented in Professor Grandgent's book. The student is urged to supplement his grammatical investigations by referring to the pages of Grandgent quoted in the notes. Syntactical notes at the bottom of various pages of the excerpts which follow the Grammatical Survey have been added to clarify obscure grammatical points, many of which, in addition, are discussed in the Glossary. Attention is called to the fact that with practically every divergence from Classic Latin or innovation in Vulgar Latin, the classical usage of a particular phenomenon is, with rare exceptions, regularly found in these excerpts. When Romance developments are given, only the three major Romance groups, French, Italian or Spanish, are referred to.

[2] Grandgent, pp. 61–77, 91–96.

posita > posta *PI*
stabulum > stablum *AP*
oculum > oclu *CI*
depositione > depossone *CI*
aspalatho > aspalto *Mul*
domino > domno *FA*
stipulatione > extiblacione *Tardif*
venditores > vintores *Tardif*
sortiarius > sorcerus *Reich*
ungula > uncla *Cassel*

2. Absorption of the iod or **u** (cf. also p. 37):

quattuor > quator *PI*
battue > batte *Comp*
impromutuatum > inpruntatum *Reich*

3. Palatalization of **e** before a vowel (cf. also p. 37):

habeat > habiat *PI*
teneatur > teniatur *Cap*
idoneo > etunio *FS*
habeas > abias *Tardif*
calceamenta > calciamenta *Chrod*

On the whole, however, syncopation and the evolution of the accent progressed slowly in the seventh and eighth centuries. A strong learned current seemed to check this movement, as well as to act in retarding the otherwise normal process of disintegration of the morphological endings. This learned current was probably a result, for the most part, of the intense Christian preaching which, based on written Latin and drilled into the ears of the layman, contributed to retaining the grammatical endings.

By the end of the sixth century the evolution of the accent seems complete. Where, however, as in Italy, a higher degree of culture existed, a complete loss of feeling for classical quantity was prevented.

VOWELS [3]

1. **Accented** [4]

The changes of long **e** > **i** and **o** > **u** are the most significant noted for accented vowels. Several examples are found of the change of accented short **i** > **e**, **u** > **o**. It may seem strange that the classical spelling **ĭ** and **ŭ** should have been preserved fairly regularly in the texts, inasmuch as the change of **ĭ** > **ē** and **ŭ** > **ō** is common to most of the Romance languages. But the shifting of sounds from **ĭ** > **ē** and **ŭ** > **ō** is probably indicated by the more common spelling of **ē** > **i** and **ō** > **u**. Examples of other sporadic changes [5] are also found. Probable nasalization is noted in several examples.

[3] The lists given below for vowels and consonants represent the testimony of our texts in regard to pronunciation. It must, however, be remembered that spelling is traditional and discloses only exceptionally the evolution of pronunciation. Moreover, a given symbol adapts itself readily to changing pronunciation. The French symbol **oi**, for instance, has passed through four or five stages of phonetic value since the 12th century. This explains why, in the course of six or seven centuries, although the changes in pronunciation may be great and even somewhat regionalized, the spelling will be modified only accidentally. However, by referring to the date of the oldest texts in which the occurrence of certain changes is manifested, the student may form an idea of the phonetic evolution, always bearing in mind Menéndez Pidal's remark that such changes often take centuries to be completed. It is for this reason that the authors of this Chrestomathy have purposely refrained from giving set dates for these various changes.

[4] Grandgent, pp. 82–87, 127–132.

[5] All these changes listed below have not the same value, but they show the fluctuating condition of the language. The following irregularities are particularly interesting:

jacto > **jecto** has survived in French, *jeter;* Italian, *gettare.*

probatu > **provitu** indicates an irregular shifting of accent and change of conjugation.

Normal Changes

Long Accented Vowels

e > i, y

crescit > criscit *CI*
serico > sirico *Per*
baptisterii > baptistirii *Greg*
baptisterium > baptistyrium *Liber*
feci > fici *FA*
cedo > cido *FA*
vero > viro *Tardif*
strenuus > strinuus *Leud*
mercedem > mercidem *Wand*
Sequanæ > Siquane *Mem*

o > u

amore > amure *CI*
cognosceret > cognusceret *Greg*
victoriam > victuriam *Greg*
responsis > respunsis *FA*
cognoscite > cognuscite *FM*
nobis > nubis *Tardif*
consue > cuse *Comp*
territorio > terreturio *Wand*
ostium > ustium *Euf*

Short Accented Vowels

i > e

minus > menus *CI*
sine > sene *CI*
illo > elo *CI*
ille > elle *Fred*
basilicas > baselicas *Wand*
discant > descant *Ved*

u > o

avunculo > avonculo *PI*
cum > con *CI*
iubes > iobis *Fred*
studeat > stodeat *FA*
tunicas > tonecas *FA*
voluntas > volomtas *FA*
cupis > coves *Examen*
urbem > orbem *Mem*

---

crescit > criscit recalls the forms: **savir < *sapēre** and **podir < *potēre** of the *Oaths of Strassburg.*

deliras > deleras and **dimicans > demicans** bring to mind the statement concerning the rustic pronunciation of **vīlla, i.e. vella.**

amore > amure; cf. **amur** of the *Oaths of Strassburg.*

Irregular and Sporadic Changes

a > e

jacto > jecto *Lex*
adæquatur > adequetur *Comp*

e > o

iecur > iocur *PI*

e > a

compescere > compascere[6] *CI*
Gessemani > Gessamani *Per*

i > e

dimicans > demicans *Fred*
deliras > deleras *Liber*
si > se *Tardif*

a > i

probatu > provitu *PI*

Probable Nasalization (cf. also pp. 48, 49 and 50):

sum > so *PI*
inferi > iferi *PI*
Septembris > Septebris *CI*
mansu > maso *Tardif*
consue > cuse *Comp*
nuntiet > nuciet *Mem*

2. Unaccented[7]

In unaccented syllables confusion between **i** and **e** and **u** and **o** is frequent and due to the shifting condition of the vowel system at this period. The prefixing of a prothetic vowel is not infrequent. In the interior unaccented syllable the most significant and common change is the syncopation of the vowels **e, i, o, u** and occasionally **a** and the disappearance of the iod or **u** in hiatus. The palatalization of **e** before a vowel and the development of a palatal are noteworthy changes. Sporadic changes of other vowels in initial, interior and final position are noted. Very rarely a final vowel is dropped.

[6] Observe this incorrectly reconstructed compound, **cum + pascere.**

[7] Grandgent, pp. 91–104, 114–118.

Frequent Changes

Initial

e > i

vesica > visica *PI*
denarios > dinarios *VL*
energiam > inergiam *Greg*
delego > dileco *FA*
despumata > dispumata *Comp*
desperata > disperata *Euf*

i > e

idoneo > etunio *FS*
dimidium > demedium *Tardif*
vicinus > vecinus[8] *Examen*
dimicata > demicata *Leud*

o > u

dolore > dulure *CI*
cortina > curtina *Greg*
montaneus > muntaneus *Wand*

u > o

frumentum > formentum *Ind*
rudore > rotore *Ind*
iugale > iocali *FA*
iubemus > iobemus *FM*
cumulandum > commulandum *Leud*

Interior

e > i

effeminatus > effiminatus *AP*
facere > facire *FM*

i > e

genitor > genetor *CI*
archetypam > archiotepum *Per*
moritur > moretur *Fred*
opprimens > oppremens *Liber*

[8] **vīcīnus > vecinus** is a regular case of dissimilation.

genitores > genetoris *Ind*
discaricaverit > discaregaverit *Lex*
civitate > civetate *FA*
hominibus > hominebus *Tardif*
basilica > baseleca *Tardif*
depilatam > depelatam *Comp*
supplico > suppleco *Wand*
capite > capete *Mem*

o > u

diabolo > diabulo *VL*
involaverit > imbulaverit *Lex*
consobrino > consubrino *Examen*
diabolus > diabulus *Mem*

u > o

famula > famola *CI*
educasti > edocasti *Greg*
annulis > anolis *Fred*
avunculo > avuncolo *Liber*
ambulare > ambolare *Tardif*
matutinas > madodinos *Examen*
matricula > matricola *Leud*
cellulam > cellolam *Ved*
ambulabat > ambolabat *Euf*

Final

e > i [9]

eques > equis *PI*
capsaces > capsesis *AP*
milites > militis *VL*
semper > sempir *CI*
vides > vidis *Ben*
mortales > mortalis *Greg*
iubet > iobit *Fred*
iubes > iubis *Ind*
valet > valit *Lex*
daret > darit *FA*
comes > comis *Tardif*
ipse > ipsi *Tardif*
edoceret > edocerit *Ved*
bone > boni *Euf*

[9] Cf. also *Morphology*, p. 54, note 36, pp. 55–57 and 67. Throughout the Vulgar Latin period and particularly in the 6th, 7th and 8th centuries the endings **i** and **e**, **o** and **u** of nouns, pronouns and adjectives and the **i** and **e** of infinitive endings were confused.

i > e[10] or **æ**

ubi > ube *PI*
dicit > dicet *Per*
indui > induæ *Fred*
peculiaris > peculiares *Tardif*
fuit > fuet *Examen*
cæsari > cæsare *Wand*

o > u[10]

nepos > nepus *Liber*
annulos > annolus *FA*
servos > servus *Wand*
imperator > imperatur *Euf*
solidos > solidus *Euf*

u > o[10]

tuus > tuos *Ind*
suus > suos *Euf*

* * *

Prothetic Vowels

sponsae > ispose *PI*
schola > iscola *PI*
sponsa > esponsa *CI*
stabularius > æstabolarius *Fred*
stratus > estratus *Fred*
sterco > isterco *Ind*
spoliatis > expoliatis *Lex*
stipulatione > extiblacione *Tardif*
stetit > istetit *Ved*
Smaragdo > Ismaracdo *Euf*

Syncopation of interior unaccented **a**, **e**, **i**, **o** and **u** (cf. also pp. 29 and 46). The reverse phenomenon is noted in the addition of an interior vowel.

posita > posta *PI*
umbilicu > ublicu *PI*
agniculus > agneglus *CI*
domina > domna *CI*
iterum > itrum *CI*
stipulatione > extiblacione *Tardif*
domini > domni *Examen*
colaphus > colpus *Reich*
ungula > uncla *Cassel*
aspalatho > aspalto *Mul*

[10] See footnote on p. 35.

Addition of an Interior Vowel (Reverse phenomenon of above):

Before a consonant

omnes > omines *PI*
digna > digina *PI*
fratres > frateres *PI*
libri > liviri *CI*
offertur > offeritur *Per*
libra > libera *Tardif*

Before another vowel

vetare > veteare *VI*
loca > logua *FA*

Disappearance of the iod or the **u** in hiatus, i.e. before a vowel (cf. p. 30):

diebus > debus *PI*
filiæ > filæ *PI*
quattuor > quator *PI*
coquus > coqus *AP*
fatuum > fatum *VL*
duodecim > dodece *CI*
requiescunt > requiscunt *CI*
sacerdotium > sacerdotum *Greg*
homicidium > homicidum *Ind*
obiicit > obicit *Cap*
convenientia > convenencia *Tardif*
consue > cuse *Comp*
battue > batte *Comp*
liquore > ligore *Ved*
impromutuatum > inpruntatum *Reich*
laboravit[11] > laborait *PI*
vivo > vio *PI*
sevir > seur *PI*
refrigidaverit > refrigdaberit *Comp*

Palatalization of **e** before a vowel (cf. also p. 30):

dolium > doleus *AP*
Oceanum > Ocianum *Fred*
consentaneus > consentanius *FA*
extranea > extrania *Tardif*
tenalea > tenalia *Comp*
nausea > nausia *Reich*
teneo > tenio *FA*

[11] **V** in intervocalic position is to be considered as a semi-consonant (or a semi-vowel).

Development of palatal (cf. also pp. 30, 37, 41 and 46):

dolentes > dolientis *CI*
fecerunt > ficierunt *CI*
pago > paygo[12] *Liber*
lamina > lacmina *Comp*
fefellerit > falierit *Comp*

trahentes > tragentes *Mem*
lamentare > lagmentare *Euf*
lamentationis > laimentationis *Euf*

Sporadic Changes

Initial

a > e

Ianuarias > Ienuarias *CI*

i > a

silvaticus > salvaticus *Reich*

e > a

mercatantes > marcadantes *Tardif*
metropolitani > matropolitani *Tardif*

geniculorum > ianiculorum *Reich*
pergamina > pargamina *Comp*

e > o

telonium > tolonium *AP*
presbyterum > prosbiterum *CI*

y > e and y > u

synodale > senodale *Tardif*
myrrhatum > murratum *VL*

Interior

a > e

capsaces > capsesis *AP*
cellalario > cellelario *Ben*
monachas > monechas *Euf*

e > a

malefacta > malafacta *Ind*
Atrebatum > Atrapatum *Ved*

[12] This form **paygo** seems to prove that the evolution of e.g. **fago** > O.F. **foü** has been **fago** > **fayo** > **faō** > **foü,** the stage **fayo** having been reached by the 8th century.

ee > y

eleemosina > elymosina *CF*

o > e

holosericus > oleserico *Per*
xenodochia > senedochia *CF*

i > u

manibus > manubus *Tardif*

u > i

fortunatus > fortinati *CI*

Final

a > e

quinquagenta > quiquagente *PI*
possidebat > possidebet *Greg*
annona > anone *Ind*
parochia > parocie *Wand*

a > i

habeas > abiis *Tardif*
vindicat > vindicit *Tardif*

i > ii

hi > hii *Leud*

* * *

Dropping of final vowel

annis > anns *CI*
sæpissime > sepissim *Mul*

3. Diphthongs [13]

The diphthong **æ** became **ę** and **œ** became **ẹ** before the fourth century. The writing of **æ** and **œ** as **e** is frequent and without particular significance in our texts. Examples in the Grammatical Survey are therefore omitted. **A, o, œ** and **u** are rarely written for **au.**

au > a

paupertate > papertate *PI*
Augustæ > Aguste *PI*

au > œ

mausoleum > mœsoleum *PI*

[13] Grandgent, pp. 88–90.

au > o	**au > u**
claudam > clodam[14] *Ved*	cautis > cutis *Greg*

CONSONANTS[15]

1. Initial[16]

In initial consonants the confusion of **b** and **p,** **v** and **b,** **g** and **c,** **c** and **qu,** as well as possible indication of the change of **w** > **g** are noted. The transformation of **x** > **s** is indicated by the misuse of **x** for **s.** Palatalization of initial vowels occurs. For prothetic vowels, cf. page 36.

b > p	**v > b**
blasta > plasta *AP*	vivo > bibo *PI*
blasphemare > plasphemare *Reich*	vis > bis *PI*
barba > parba *Cassel*	venite > benite *VL*
	violare > biolare *CI*
	vaccinas > baccinas *Chrod*

g > c	**c > g**
genua > cenua *PI* (probably purely orthographic)	craticulatim > graticulatim *Mul*
	crassi > grassi *Reich*

c > qu	**qu > c**
coinquinat > quoinquinat *Ind*	quotidie > cottidiæ *PI*
coadunatum > quoadunatum *Ved*	quinque > cinque *CI*
	quondam > condam *Tardif*

[14] **claudam** > **clodam** is a word of rustic pronunciation and is not connected with the Romance evolution of **au** > **o** which does not occur in France before the end of the 8th century.

[15] Cf. p. 31 note 3.

[16] Grandgent, pp. 91–98, 107–114, 132–137, 139, 142–143.

x > s

xenodochia > senedochia *CF*

s > x

sanctissimo > xantissimo *PI*
stipulatione > extiblacione *Tardif*

* * *

Possible indication of **w** > **g** (cf. also p. 47):

Vuicberto *Tardif* (Guibert)

Vualthario *Tardif* (Gauthier)

Palatalization (cf. also pp. 30, 37 and 46):

g + **e** or **i** as well as **di** + a vowel become a yod, which is sometimes written **z** or **g**.

germano > iermano *Leud*
gemitum > iemitum *Leud*
geniculorum > ianiculorum *Reich*

Ianuarias > genoarias *CI*
diebus > zebus *PI*
Ioviano > Zoviano *PI*

2. **Medial** [17]

The sonorization of intervocalic consonants or of these consonants + **r** or **l** is frequent: **p** > **b**, **p** > **v**, **b** > **v**, **c** > **g**, **c** > **gu**, **qu** + vowel > **g** + vowel, **t** > **d**, **pr** > **br**, **cr** > **gr**, **thl** > **dl**. This phenomenon is also indicated by reverse spelling.[18] Sporadic cases of the dropping of intervocalic consonants or of the addition of these consonants and the change of **r** > **l** are noted. Cases of assimilated consonants are less numerous than would be expected from the results in the Romance languages. This infrequency is due to traditional spelling. Reverse phenomena for assimilated consonants are observed as well as the dropping of **b** or **r**. The reduction of a double consonant

[17] Grandgent, pp. 69–70, 74, 105, 107–129, 132–137, 142–143, 177–180.

[18] For interpretation of the term 'reverse spelling,' cf. pp. 45 and 46, note 23.

into a sort of stressed consonant is frequent as well as the reverse phenomenon.

The reduction through assimilation of two syllables with the reverse phenomenon, the addition of an interior syllable as well as the loss of the **v** of the perfect of verbs occur.

Palatalization is quite a frequent phenomenon and is indicated by changes of **g**, **i** or **di** + vowel > **i**, often written **z** with reverse spelling (cf. also pp. 38 and 46).

Two forms have been found which may indicate the change of **w** > **g**. The palatalization of **gn** occurs. The labialization of **g** before **m** is noted.

Sibilation is an important phenomenon and is indicated by the change of **ti** + vowel > **ci** + vowel, **ssi**, or **si** and the reverse spelling of **ci** > **ti**; **tti** + vowel > **ci** + vowel; **c** > **s**, **x** > **s**.

In the group of nasals the texts, in addition to curious departures in spelling (some of which are listed below) show cases of **m** and **n** dropped before **s** and other consonants. There is also noted the production of an epenthetic **p** and the absorption of **b** into the preceding **m**. The group **reddere** offers an interesting example of the insertion of **n** before **d** with the simplification of the double consonant.

Sonorized Consonants

p > b	**p > v**
deposita > debosita *CI*	cupis > coves *Examen*
crepat > crebat *Ind*	capanna > cavanna *Reich*
accipimus > accibimus *Tardif*	

b > v [19]

habitat > avetat *PI*
omnibus > omneuos *CI*
rebellantes > revellantes *Fred*
rebellationis > revellacionis *Tardif*

[19] Cf. p. 43, note 22.

c > g

agniculus > agneglus *CI*
mica > miga *Ind*
discaricaverit > discaregaverit *Lex*
publico > publigo *Tardif*

c > gu

loca > logua *FA*

qu + vowel > g + vowel

liquore > ligore *Ved*

t > d

digito > digido [20] *Ind*
matutinas > madodinos *Examen*
at ille > ad ille *Mem*

pr > br

proprio > probrio *Tardif*

cr > gr

consecratus > consegratus *Examen*
macriores > magriores *Reich*

thl > dl

athleta > adleta *Leud*

Reverse Spelling [21]

b > p

Atrebatum > Atrapatum *Ved*

v > b [22]

vivo > bibo *PI*
oves > obes *VL*
civitate > cibitate *CI*
auunculus > habuncolus *Tardif*
lavas > labas *Comp*
exivit > exibit *Wand*
captivavit > captavabit *Euf*

[20] **digido** was pronounced **deyedo.**

[21] Cf. pp. 45 and 46, note 23 for interpretation of the term 'reverse spelling.'

[22] The labial consonants **v** (pronounced in Classical Latin somewhat like English **w**) and **b** demonstrate some of the most important fluctuations throughout the period of Vulgar Latin. In this period the labial consonants are undergoing changes of articulation and appear to be interchangeable. The sound becomes somewhat like the modern pronunciation of **b** and **v** in Spanish. The confusion of sounds resulting accounts for the fluctuating spelling of **v** and **b** in these examples. Cf. also p. 42, **b > v** and p. 40 **v > b.**

g > c

denegabat > denecabat *FA*

d > t

cauda > cauta *Ind*
alode > alote *FA*

gm > cm

pigmentum > picmentum *Comp*

rg > rc

virginio > vircinium *CI*

* * *

Dropping of **b, p, g, d, c**:

fecit > feit *PI*
Augustæ > Aoste *PI*
laudabilis > laudaelis *CI*
fidei > fei *Ind*
nuberet > nuerit *Fred*
upupa > upua *Ind*
alaudarii > aloariæ *FS*

Adding of **d** or **c**:

lamina > lacimina *Comp*
quo usque > quodusque *Leud*

r > l

peregre > pelegre *VL*

Assimilated Consonants

nv > mb

involaverit > imbulaverit *Lex*

pt > tt

scriptum > scrittum *VL*

dqu > tqu

quidquam > quitquam *PI*
quidquid > quitquit *Tardif*

dqu > cqu

quidquam > quicqua *PI*

Reverse Spelling

gd > cd

amygdala > amycdala *AP*
Smaragdo > Ismaracdo *Euf*

tqu > dqu

atque > adque *PI*

th > ct

plethoria > plectoria *Mul*

Dropped Consonants

obst > ost

obstaverit > ostaverit *Lex*

urs > us

sursum > susu *Per*

pri > pi

propria > propia *CI*

Reduction of Double Consonant

(probably into a sort of stressed consonant)

annis > atnis *PI*
bucca > buca [23] *PI*
pinnam > pitnam *VL*
gessisti > gesisti *CI*
annulis > anolis *Fred*
commentum > comentum *Ind*
annona > anona *Lex*
quattuor > quatuor *Examen*
innocuam > inocuam *Leud*
dimittere > dimitere *Euf*

Reverse Spelling [23]

imo > immo *Comm*
quotidie > cottidiæ *PI*
manus > manni [23] *VL*
opopanax > oppopanaco *Mul*
renuerunt > rennuerunt *Fred*
preserit > prisserit *Lex*
defensor > deffensor *FA*
volueris > vollueres *Tardif*
oculis > occulis *Leud*
galeam > galleam *Wand*
abstulit > abstullit *Mem*
redundaret > reddundaret *Ved*
valido > vallido *Euf*

[23] The term 'reverse spelling' is used here in a particular sense. It generally indicates, in spite of the seeming contradiction, the normal change. In this instance the simplification of double consonants, the normal development, is indicated by an example such as **bucca > buca** and also by the reverse spelling of an example like **manus > manni.** This fluctuation in spelling is due to the uncertainty in the scribe's mind caused by the confusion in the current pronunciation.

That the reduction of **cc > c** in **bucca > buca** is considered to be the regular development is testified to by the French word, *bouche*

Reduction Through Assimilation

(of two syllables into one; cf. also pp. 29 and 36.)

de ab > da *CI*
depositione > depossone *CI*
egentum > ettum *CI*
quadraginta > qarranta *CI*
qui uixit > quixit *CI*
dare habes > daras *Fred*
concacatum > concatum *Lex* (Fr. *conchié*)
cohorte (corte) > curte *Tardif*
venditores > vintores *Tardif*
ambulatus > alatus *Reich*

Reverse Phenomenon (Addition of Interior Syllable)

callisto > cacalisto *PI*
suboles > subulele *PI*
antistes > antestetis *CI*
menses > mesesis *CI*

Dropping of **v** *of Perfect Tense*

transivit > trasit *CI*
educavisti > edocasti [24] *Greg*
petivit > petiet *Leud*
replevissent > replessent *Leud*
definivisse > definisse [24] *Tardif*

Palatalization

g + **e** or **i** and **di** + vowel > **i**, written **i**, **z** or **g** with reverse spelling. Cf. also pp. 30 and 37.

---

or Spanish *boca;* whereas the reverse spelling: **manus** > **manni** does not indicate a normal doubling of consonants, a phenomenon rarely found in the Romance languages. As evidence of the reduction of a double into a single stressed consonant observe: **bucca** > Fr. *bouche*, Sp. *boca*, but **amica** > Fr. *amie*, Sp. *amiga*. The regional character of this reduction still needs a study. The survival of *bocca* in Italian shows either that the reduction of double consonants was not always universal, or that double consonants had been restored by learned influence.

[24] **Edocasti** and **definisse** are to be met with in all periods of the history of Latin.

in die > in ie *PI*
maias > madias *CI*
magicis > maicis *PI*
Pompei > Pompegi *Fred*
inodiat > anoget (anoiet) *Reich*

Possible indication of **w** > **g**:

Euangelia > Euguangelia *CI*
reguardant > rewardant *Reich*

Palatalization of **gn**:

quadraginta (quadra'gnta?) > qarranta *CI*
signacula > senacula *FA*

Labialization of **g** before **m**:

sagma > saumas *Tardif*

Sibilation

ti > ci

corruptionem > corupcionem *Mul*
ditione > dicione *Fred*
initium > inicium *Liber*
patiatur > paciatur *Lex*
palatio > palacio *FA*
notitia > noticia *FS*
donationes > donaciones *Tardif*
conditionem > condicionem *Examen*
lætitia > leticia *Leud*
malitia > malicia *Wand*
nuntiet > nuciet *Mem*
substantiam > substanciam *Euf*
linteolo > linciolo *Reich*

ti > ssi

patiens > passiins *CI*

ti > si

sapientiæ > sapiensie *CI*

ci > ti

(Reverse spelling of above phenomenon)

internecione > internitionem *Greg*
amicitias > amititias *Ind*
mendacium > mendatium *Leud*
sagaci > sagati *Leud*

tti > ci

pettia > pecia *Tardif*

c > s

capsaces > capsesis *AP*
decessit > dissessit *CI*

x > s

exposuerunt > esposuerunt *CI*
uixit > bisit *PI*

With dropping of initial **e**, perhaps felt to be prothetic:

excaldato > scaldato *Comp*
capillatura (excapillatura) > scapilatura *Comp*
exprehendunt > sprėndunt *Reich*

Nasals and Nasalization

(Cf. also pp. 33, 55 and 65)

n > m (before **t** and **v**)

tentabatur > temptabatur *VL*
involat > imbolat *Ind*
involaverit > imbulaverit *Lex*
voluntate > volumtate *FA*

m > n (before **p**)

componat > conponat *Tardif*
complacuit > conplaguit *Tardif*
compesceret > conpesceret *Leud*
imprimitus > inprimitus *Wand*

n is dropped (before **f, t, qu, s**):

inferi > iferi *PI*
mentum > metu *PI*
quinquagenta > quiquagente *PI*
mansu > maso *Tardif*
consue > cuse *Comp*
conchylium > coquilii *Comp*
nuntiet > nuciet *Mem*

n is added

ipse > inse[25] *PI*
epilepticus > epylenticus *Greg*

m is dropped (before **b**)

umbilicu > ublicu *PI*
Septembris > Septebris *CI*

[25] **ss** and **pt** were being assimilated: thus **ipse > ise**

Production of an epenthetic **p**:

tentabatur > temptabatur *VL*
hiems > hiemps *Greg*
damnare > dampnare *Ind*
condemnavit > condempnavit *Liber*

Reverse Spelling

contempserit > contemserit *PI*
emptore > imtoris *Tardif*

Absorption of **b** into the preceding **m**:

concambio > concammio *Tardif*
concambiasset > concamiassit *Tardif*
membra > memra *PI*

The verb **reddere**:

reddis > rendis *Ind* (cf. French *rendre;* Italian *rendere;* Spanish *rendir*).

3. **Final** [26]

Since final consonants have a morphological value, most of the irregularities will be listed in the chapter on Morphology. Of purely phonetic value are the changes given below.

d > t

quid > quit *PI*
numquid > numquit *AP*
sed > set *VL*
ad > at *Tardif*

t > d

caput > capud *Fred*
reliquit > reliquid *Wand*

m > n [27]

quem > quen *CI*
cum > con *CI*

d dropped

ad lumen > a lumen *Examen*
quid devenit > quidivinit *Euf*

t dropped

post > pos *CI*

[26] Cf. Grandgent, pp. 127–132.
[27] Cf. page 48.

s dropped

statilius > statiliu *PI*
valentes > valente *FA*

m dropped [28]

sum > so *PI*
collum > colu *PI*
tredecem > tredeci *PI*
cerebrum > cerebru *PI*
quarum > quaru *PI*
oculum > oclu *CI*
nequam > nequa *VL*
sursum > susu *Per*

m added [29]

ope > opem *CI*

n added

mente > menten *PI*

Final syllable added

referre > referrere *Ind*

4. Aspiration [30]

The restoring in certain words, in Frankish territory at least, of an aspirate **h**, which had almost disappeared from Latin, is characteristic of the last centuries of Vulgar Latin and was evidently due to the influence of the Germanic languages. However, most of the irregularities of that nature to be found in our texts are purely orthographic.

Dropping of **h**:

humeros > umeros *PI*
hospes > ospes *VL*
honor > onor *CI*
aspalatho > aspalto *Mul*
hymnos > ymnos *Per*
cothurno > coturno *Greg*
cohortans > coortans *Liber*
hos > os *FA*
redhibeo > redibio *FS*
habeas > abeas *Tardif*
hodie > odie *Examen*
conchylium > coquilii *Comp*
athleta > adleta *Leud*
hortamine > ortamine *Wand*
hac > ac *Ved*
hauriens > auriens *Ved*

[28] Cf. page 33, page 54, note 36, pp. 55–57, 65–66.
[29] Cf. page 54, note 36, pp. 55–57, 65–66.
[30] Grandgent, pp. 61–62, 106–107.

Addition of **h**:

ave > have *PI*
canones > chanones *CI*
caritas > charitas *Aug*
abundare > habundare *Per*
ostiariis > hostiariis *Fred*
aderant > adherant *FA*
auunculus > habuncolus *Tardif*
urina > hurina *Comp*
adorant > adhorant *Mem*
eremo > heremo *Wand*
orans > horans *Mem*
onerari > honerari *Ved*
ac > hac *Euf*

Addition of **c** before **h**:

mihi > michi *Per*
nihil > nichil *Per*

c > **h** (before **l**)

sepulcro > sepulhro *CI*

A shifting of the accent is noted in one word:[31]

posuerunt > posurunt *PI*

A metathesis of consonants occurs occasionally:[32]

trado > tradro *PI*
frumentum > formentum *Ind*
crocodilus > corcodrillus *Reich*

5. Recomposition

The "recomposition" (cf. Grandgent, pp. 15–16) of the prepositions **ad, con** and **in** generally with verbs is a frequent phenomenon. The prepositions **ob** and **sub** are also found in recomposition (cf. also page 73, note 53). Yet a great many cases are but semi-learned reconstructions without any real bearing on pronunciation (cf., for instance, in fifteenth- and sixteenth-century French the reconstruction of etymological letters: **digito** > O.F. *doit* > M.F. *doigt*).

[31] Grandgent, pp. 61–62.

[32] Grandgent, pp. 104, 122, 124.

With **ad**

adceperunt *VL*
adfici *Greg*
adsumerit *Fred*
adprobatum *Lex*
adlegare *FA*
adcresceret *Leud*
adtonitus *Ved*

With **con**

conroboranda *Greg*
conmater *Liber*
conpendio *FM*
conponat *Tardif*
conlucutionem *Mem*
con > **cum**: cumcubito *Fred*

With **in**

inridens *Liber*
inpinxerit *Lex*
inluster *FA*
inponere *Leud*
inlex *Wand*
inpleta *Mem*
inlibata *FM*

With **ob**

obpræssos *Greg*
obprimere *Leud*

With **sub**

sublecetavit *CI*

II. MORPHOLOGY[33]

1. GENDER OF NOUNS AND ADJECTIVES[34]

The absorption of the neuter into the masculine and the confusion in the use of the plural neuter and feminine as well as the occasional confusion of the masculine and feminine and masculine and neuter are the noteworthy changes here.

Neuter > Masculine

dolium > doleus *AP*
judicium > judicius *FA*
latrocinium > latrocinius *Cap*
teloneum > telloneos *Tardif*
oraculum > oraculus *Examen*
stercora > stercos *Comp*
cœlum > cælus *Mem*
cœnubium > cenubius *Wand*

Neuter and Feminine

suppetiæ > suppetium *Comm*
lustrum > lustra *CI*
exemplaria > exemplarias *Ind*
rete > retem *Lex*
sponsalia > sponsaliciæ *FA*
sagma > saumas *Tardif*

Masculine and Neuter

capillos > capilla *PI*
molina > molino *Lex*
illum fontem > illam fontem *Wand*

[33] In the divisions *Morphology* and *Syntax* it will be seen that the evolution of the phenomena listed can be followed much more easily than the phonetic evolution listed in the previous chapter. The most important of the changes which tend to overthrow a large part of Latin grammar occur, as indicated in each individual case, between 550 and 775.

[34] Grandgent, pp. 144–147.

2. DECLENSION OF NOUNS AND ADJECTIVES [35]

Sporadic creation of new declensions is noted. There exists a general confusion in declension. With the frequent dropping of –**m**, the uncertainty in the endings –**us** and –**os**, the confusion of final –**i** and –**e**,[36] the growth in the use of prepositions along with genitive, dative and ablative constructions, the uncertainty in the use of cases after verbs and prepositions, there develops by the eighth century what can be called a two-case declension to replace the Classic six-case declension. Occasionally a one-case declension, the oblique Vulgar Latin case, is found superseding even the nominative. The latter is true particularly for proper names. The formation of nominatives of the third declension from the oblique case is also illustrated.

New Declensions

Ælianeti (*dative of* Æliane) *PI* Cassanete (*dative of* Cassana) *CI*
Ioleni (*dative of* Iole) *PI*

Confusion in Declensions

dis > diibus *PI* pluribus > pluris *PI*
mensium > mesoru *PI* martyrum > martyrorum *CI*

[35] Grandgent, pp. 147–159.

[36] For dropping of –**m**, cf. pp. 49 and 50. For confusion in –**o** and –**u**, –**i** and –**e**, cf. pp. 35 and 36. Cf. also pp. 65–67. Too much emphasis cannot be placed on the following fact for the understanding of the chapters on *Syntax* and *Morphology:* whereas the occasional dropping of –**m**, the confusion of –**u** and –**o**, –**i** and –**e** were originally phenomena of a phonological nature, the continued use of a form in –**o** for the genitive as well as the Latin dative, accusative, and ablative functions proves this form in –**o** to have become of morphological value and syntactical importance. The same is true for the form –**e** which superseded the Classical genitive, dative, accusative, and ablative endings, and for the infinitive form ending in –**e** which eventually was used for the active and passive forms.

manus > manni *VL*
diaconi > diacones *Per*
accolis > accolabus *FM*
patroni > patronis *Tardif*
villis > villabus *Tardif*

The Two-case Declension

CASES	CLASSIC LATIN			VULGAR LATIN		
	I	II	III	I	II	III
Gen.	–æ	–i	–is	–æ –a	–o	–e
Dat.	–æ	–o	–i	–æ –a	–o	–e
Accus.	–am	–um	–em	–a	–o	–e
Abl.	–a	–o	–e	–a	–o	–e

The above tables demonstrate the reduction of the singular oblique case in Vulgar Latin by the eighth century. The endings for the singular of the three declensions were reduced practically to –**a** (–**e**), –**o** and –**e** respectively. These endings were found after prepositions as well as verbs. Often the Classic endings will be found by the side of the new oblique forms. Occasionally the oblique form is found for the nominative, particularly in proper names, the six-case declension thus being reduced to a one-case declension. The plural oblique case endings tended towards an ending in –**s**: –**as**, –**is** (–**es**), –**os** (–**us**).

The Oblique Case

MASCULINE AND FEMININE SINGULAR

Genitive

recordatus suæ promissione *Fred*
Leudesio filio Erchonoldo . . . elegunt *Liber*
regnum domni nostri Childeberto reges *FA*
Chramlinus filius Miecio *Tardif*

agentes sancti Dionisii super agentes inlustri viro Grimoaldo *Tardif*
per percepcione domno et geneture nostro Theuderico *Tardif*
in somnis Maximiano subdiacono *Mem*

Dative

suæ dicione potuisset subiugare *Fred*
reddebat enim que cæsari cæsare et quod Dei Deo *Wand*

Accusative

Priamo primo regi habuerent *Fred*
nefanda rem fecisti *Liber*
domina sua Audovera regina decepit *Liber*
Chlothario parvolo rege in brachia vehitans *Liber*
non similas tuo patre vere nec tua matre *Ind*
interpellabat alico homino *FA*
dedit . . . lui locello *FM*
viro petiit *Tardif*
ipsa ecclesia tenui *Examen*
monasterio fundavit *Wand*
verbo Dei psallentes *Mem*
timeo genitore meo *Euf*

After Prepositions

ad caballo *Lex*
contra hanc cessione ista *FA*
per mandato suo *FA*
per hunc loco sancto *FS*
ad nostro palacio *Tardif*
ad ipsa basileca *Tardif*
post hunc die *Tardif*
ad Dei servicio *Wand*

Neuter

de flumen *Lex*
de uno latus *Tardif*

Oblique Case for Nominative

id sunt Milone, Helmegaudo, Hildegario, Chrothardo, Drogone, etc. *Tardif*
Dedit . . . ille venerabile lui *FM*
donec sumatur ipse humore *Comp*

Formation of Nominative from Oblique Case

ullus eredis meus *Tardif* sal > sals *VL*

Plural

Accusative and Dative

consilium dedit Francos *Liber*
portantes socii . . . ramis silvarum *Liber*
ramis . . . cernerent *Liber*

After Prepositions

de dentes *Ind*
cum uxores et liberos *Fred*
cum Landerico et reliquos Francorum duces *Liber*
inrueruntque Franci . . . super Austrasiis et Burgundiones dormientibus *Liber*
cum gentes *Ind*
de suos consimiles tres *Cap*
contra parentis meus *FA*
ante os annis *FA*
cum innocentes *Mem*

3. DEMONSTRATIVES[37]

The nominatives of **ipse** and **ille** were frequently found as **ipsi** and **illi.** A new demonstrative form **lui** (and **lei**) has been created. The form **ipsius** is found used for emphasis in an accusative function. This indicates the formation of a series of stressed pronouns unknown in Latin but characteristic of the Romance languages.

ipse > ipsi	**ille > illi**
aut ego ipsi *FA*	vir laudabilis illi defensor *FA*
ipsi Drogus *Tardif*	illi diaconus *FA*
ipsi vir *Wand*	illi . . . glorificavit Deo *Wand*

[37] Grandgent, pp. 163–164.

New Demonstrative Forms

de alode lui *FM*
dedit . . . ille venerabile lui locello *FM*
plubs obteneat me ad habere quem ipsius lue *FS*
inferat partibus prefatæ lei tantum *FM*

Emphatic use of **ipsius** (cf. also page 63, note 48)

interrogatum est ipsius [38] viro Drogone *Tardif*

4. POSSESSIVES [39]

An example of the double series of possessives **meus** > **mus**; **tuus** > **tus**; **suus** > **sus** mentioned by grammarians and which have survived in the Romance languages is found: **suo** > **sɔ** *Ind*

5. INTERROGATIVE AND RELATIVE PRONOUNS [40]

Aliquis, quid, quisque are found to have changed their forms in several expressions.

aliquis

iuvenis aliquis > iuvenis aliqui *Fred*
homo aliquis > homo alicus *FS* (O.F. *auque*)

quid

quid devenisset > quidevenisset *Euf* (*ce qu'elle était devenue*)

quisque

unumquemque (?) > unumquisquo *Lex* (**quis** seems to be invariable)

[38] Cf. *supra* example given of the emphatic use of **ipsius** on this page.

[39] Grandgent, pp. 34, 68.

[40] Grandgent, p. 165.

6. VERBS [41]

Rare irregularities in the personal endings of verbs, change of conjugation, great uncertainty in regard to deponent verbs and the production of new forms are found in verb inflections.

Irregularities in Personal Endings

occidi > occidit *VL*
purga > purgat *Comp*

Change in Conjugation

probatu > provitu *PI*
descendunt > descendent *Per*
vadunt > vadent *Per*
custodiunt > custodent *Per*
tenentur > tenuntur *FA*

Confusion in Deponent Verbs (cf. also p. 67)

sequeris > sequis *Ind*
furatus sit > furaverit *Lex*
præsumat > præsumatur *Tard*
egredi > egredere *Leud*
morati essent > morassent *Leud*
persequi > persequere *Leud*
conaretur > conarit *Wand*
deprecabatur > deprecabat *Mem*
dominaretur > dommenaret *Mem*
miraretur > miraret *Euf*
ulcisci > ulciscere *Reich*
morentur > morent *Reich*

New Forms

falsus > fefellitus *Petron*
laboravit > laborait *PI*
fit > facitur *Per*
dare habis (dabis) > daras *Fred*
fefellerit > falierit *Lex* (Fr. *faillir*)
prehenderit > preserit *Cap* (Fr. *pris*)
occidi > occisi *FA*
occidisset > occessisset *FA*
(ap)propriavi > proprisi *FS*
poterat > potibat *Tardif*
battita > battuta *Comp*
vult > volit *Euf*

[41] Grandgent, pp. 166–173.

III. SYNTAX[42]

1. DEMONSTRATIVES[43]

The demonstratives **ille** and **ipse** are occasionally used as articles by the eighth century.

Unus also is found used as an article.

Hoc and **id** are used as neuter singular demonstratives before plural verbs.

ille used as an article:

Et illas cappas, et illos sarciles et illa calceamenta de illos teloneos . . . et de illo calciatico, quod ille episcopus . . . ad ipsum clerum reddere consuevit *Chrod*

ipse used as an article:

ad ipso monasthirio fuerat concessa, ipsi agentis memorato Drogone . . . de potestati ipsius Magnoaldo *Tardif*

Intendebat æcontra ipsi Magnoaldus . . . apud ipso Berchario habuisset ut ipsa inter se conmutassent . . . nec de ipsa curte ipsi Bercharius *Tardif*

unus used as an article:

uno infantulo *Examen*

hoc and **id** before plural verbs:

hoc sunt *Tardif* (Fr. *ce sont*)
id sunt *FA* (Fr. *ce sont*)

[42] Cf. p. 53, note 33.
[43] Grandgent, pp. 33, 36.

2. INTERROGATIVE AND RELATIVE PRONOUNS [44]

Que is used for **quod, quæ, quam,** and **quo; quem** is used for **quod, quas** and **quos** frequently in the documents of the eighth century. **Quam** is found for **quod. Qualis** is found with a Romance meaning.

que = quæ, quam, quod, quo

in loco que dicitur ille *FS*
ea que cognoverimus *Tardif*
de istam tristiciam . . . que . . . inparuit *Euf*
ipse beatus abbas cum que pater . . . cælebraverat *Euf*

quem = quod, quas, quos

mandato quem . . . fici *FA*
illas porciones meas quem . . . obvenit *FA*
racione per quod *Tardif* (cf. colloquial French, *la raison pourquoi*. Note however that **quoi** < **quid**).
eos quem odisset *Leud*

quam = quod

mandatum quam . . . fici *FA*

qualis = Fr. *quel* (interr.)

qualis lupus *Euf*

3. PERSONAL PRONOUNS [45]

Suus and **eius (eorum)** are confused. **Unde** with the meaning of *dont* and *ce dont*, **exinde** with the meaning of *en*, **ibi** used as *y* are found.

suus and **eius**

consortes eorum *FM* (*leurs consorts*)
ut non præsumant iudices nostram familiam in eorum servitium ponere *CV* (*à leur service*)

[44] Grandgent, pp. 36–37.
[45] Grandgent, p. 34.

unde

conmutacio unde duas inter se . . . conscribserunt *FM* (*la lettre d'échange dont ils écrirent deux copies*)
unde me ille homo in mallo publico malabat *FS* (*ce dont cet homme me poursuivait en justice*)
legem unde inculpatur *Cap*

exinde

conlocucione . . . exinde apud . . . Berchario habuisset . . . se talis epistulas conmutacionis exinde inter se ficissent *Tardif* (*qu'ils en avaient parlé avec Bercharius et qu'ils s'en étaient fait des lettres d'échange*)
exinde fui vestitus *FS* (*j'en fus investi*)

ibi

nam et miles ibi sedet. *Per* (*car le soldat y est en garnison*)
mitte̩ ibi *Comp* (*mets-y*)

4. ADVERBS [46]

Double negation is sometimes found:

numquam ibidem habui nulla dominationem nec numquam vidi *Examen*

5. PREPOSITIONS [47]

There is an extensive use of the prepositions **ad** and **de** in various functions and combinations. Other prepositions: **in, a, ad** are also found in new combinations. **Ab** is found with the meaning of **apud,** and **apud** and **ab** are found with the meaning of **cum. Per** is found with the meaning of **ab.**

ad

1. to indicate place:
   reponis ad solem *Comp*

[46] Grandgent, p. 39. [47] Grandgent, pp. 39–41.

2. to distinguish or limit the use of an object:
   retem ad anguillas *Lex* (*filet à anguilles*)
   pedica ad caballo *Lex* (*piège ou entrave à cheval*)

3. to replace a gerund:
   plubs obteneat me ad habere quem ipsius lue [48] . . . ad reddere *FS*

4. to form certain combinations or locutions:
   idipso *Tardif* (cf. It. *adesso*, O.F. *ades*, which may however come from **ad id ipso**)

5. to indicate possession: terra ad ipsus imtoris *Tardif*

6. to express the dative of the agent of passive verbs (**ad** = **ab**):
   vindicione ista at me fácta *Tardif*

7. to express any dative construction:
   ad unoquemque hominem ingenuo . . . dinarius quattuor . . . exactabant *Tardif*
   ait rex ad sancto *Mem*

de

1. with partitive meaning:
   ipsa picia de maso *Tardif*

2. to indicate means or instrument:
   de clauso pugno percusserit *Lex*
   de fuste percusserit *Lex*

3. to indicate place from which:
   de caballo . . . ascensu *Lex*

4. to indicate place to which or at which:
   de ambas partes *Comp* (Fr. *des deux côtés*)
   tam de latum quam de longum *Comp* (Fr. *tant de large que de long*)

[48] **ipsius lue** = **ipsius lui** = **ipsius illui** = **ipsi illi.** Cf. p. 58 and p. 58, note 38.

5. to express any genitive construction:
   ullus de heredibus meis *FA*

6. to form combinations with other prepositions:
   da (de ab) *CI* (It. *da*)
   de sub *Mul*
   de foris casa *Lex* (Fr. *dehors*)
   de intro *Comp* (It. *dentro*)

in, a, ad in new combinations

in giro mensa *Per* (*autour de la table;* literally, *environ la table*)
in foras *Comp*
in hodie *Per*
a semel *Per*
ad subito *Per*

ab with the meaning of **apud**

ab oculis humanis *Leud* (*in the eyes of men*)

apud and **ab** with the meaning of **cum**

ab invicem *Fred* (*with each other*)
conlocucione ad convenencia exinde apud ipso Berchario habuissit *Tardif* (apud . . . Berchario = *with Bercharius*)
tene illud eum tenalea ferrea . . . et a forfice recides *Comp*

per with the meaning of **ab**

per prosbiterum *CI*

6. CONJUNCTIONS [49]

An infinitive construction is frequently replaced by **quod** and **quia.**

quod

Cum dedicisset quod nimis esset exercitus *Liber*
dicebant quod . . . dare fecissent *Tardif*
vidi quod . . . pertinuissent *Examen*
quid tibi fuit quod . . . hac rem non devulgasti *Wand*

[49] Grandgent, pp. 41, 50.

quia

credidit . . . quia esset . . . filius Dei *Per*
memoro quia erat . . . Magnus Episcopus *Examen*
scias . . . quia . . . volo tradere *Wand*

7. INFLECTION [50]

The prepositions **de** with the oblique case, **ad** with the oblique case and various other prepositions were used respectively to replace the Classical genitive, dative and ablative cases (cf. also pp. 62–64). The most important innovation in the inflection of nouns is the use of the oblique case for the Classical genitive, accusative, dative, and ablative cases, and even for the nominative (cf. also pp. 54–57).

Note, however here as elsewhere in the Grammatical Survey, that Classical forms are by no means extinct, existing often in the same construction and exercising the same functions as the new forms. Occasionally but rarely, the substitution of the oblique case causes a reverse construction — the use of the accusative for other oblique cases.

de + noun = genitive

domina mea regina conmater est de filia tua *Liber*

ad + noun = dative

dicens ad Iustinianum *Fred*

in, etc. + noun = ablative

in consuetudine miserunt *Tardif*

Oblique Case for the Genitive:

recordatus suæ promissione *Fred*
eos suæ dicione potuisset subiugare *Fred*

Oblique Case for the Dative:

regnum domni nostri Childeberto reges *FA*
carus Dadone pontefice *Wand*

[50] Grandgent, pp. 42–48.

Oblique Case for the Accusative:

redde muliere nostra *Fred*
interpellabat alico homino *FA*
parentis interfecissit *FA*

Oblique Case for the Nominative:

Domino magnifigo fratri Ægefredo et cojovis mea Archesidane *Tardif*
omnes magias suas tibi iniuriam præparaverunt *Mem*

Accusative Oblique Cases:

populum a quem recepti sunt *Fred*
ab eum *Lex*
nunciavit regem quæ factum fuerat *Mem*
qui orbem Tricassium morabantur *Mem*

Oblique Case for the Ablative:

The oblique case endings in the singular: **–a, –e, –o** coincide with those of the ablative. Therefore no examples are given here. This is also true for the dative ending **–o** of the second declension which corresponds to the oblique case ending **–o** of that declension.

8. VERBS [51]

The most important innovation in the syntax of verbs is the gradual assimilation of the active and passive infinitive forms. At the end of the sixth century the active infinitive of the first, second and fourth conjugations was already being substituted for a passive infinitive form, the active form still retaining, however, the passive meaning. By the eighth century the active infinitive form of the third conjugation likewise generally replaced the passive infinitive form (with the exception of **fieri,** which was not affected). This loss of distinction between the active and

[51] Grandgent, pp. 51–59.

passive infinitive forms was the main factor which led to the breaking up of the synthetic Classical passive voice and the development of the new analytical Romance passive voice. New reflexive constructions appear. **Habere** with the perfect participle is found used for the perfect, etc., this use having existed for several centuries. The new Romance future is found. New verbal locutions appear and a confusion of tenses, characteristic of Vulgar Latin, is noted. For other tenses and moods, especially the subjunctive, the student is referred to Grandgent, pp. 52–59. Cf. also p. 29, note 1 of this Chrestomathy.

Deponent Infinitives with Active Forms (cf. also p. 59):

prosequi > prosequere *FA*
egredi > egredere *Leud*
refragari > refragare *FM*
exhortari > exortare *Leud*
sectari > sectare *Wand*

Active Infinitive Forms with Passive Meanings:

lugeri > lugere *Greg* (consolari debemus . . . ut suspici magis debeat quam lugere, *we must be consoled . . . so that she should be rather venerated than mourned*)

indui > induere *Liber* (rogavit eam sacro velamine induere, *he caused her to be covered with the sacred veil*)

interfici > interficere *FA* (parente eorum . . . interficisse aut interficere rogasse, *that I killed their relative or caused him to be killed*)

affirmari > atfirmare *Tardif* (ad bonis hominebus atfirmare rogavimus, *we caused it to be confirmed by worthy men*)

dari > dare *Tardif* (ad illos necuantes vel marcadantes . . . dinarius quattuor dare fecissent, *they caused four deniers to be given by those business-men or merchants.* We have in this and the preceding example from *Tardif* the first cases of the Romance locution of the type *faire faire quelque chose à quelqu'un.*)

sanari > sanare *Mem* (qui a nullo sacerdote sanare potuit, *who could not be cured by any priest*)

Signs of a New Analytical Passive (last quarter of the 8th century):

Ut familia nostra bene conservata sit *CV* (conservetur)
ad alterius ecclesiam nostra decima data non fiat *CV* (detur)
pultrellæ . . . separatæ fiant *CV* (separentur)

Reflexive Verbs:

1. To replace passive:

   ubi se humor morbi demonstraverit *Mul*

2. New Use:

   sedete vobis *Per*   uadent se *Per*
   sexta hora se fecerit *Per*

Compound Tenses

The use of **habere** + past participle results in the creation of new past tenses equivalent to the Romance past indefinite, etc.

. . . domum Dei . . . habes ornatam . . . decoratam *Ved*
(*you have adorned and decorated the house of the Lord*)

Future

By the end of the seventh century the construction: infinitive + **habere** is found used to express the future, although the Classical future form is still prevalent. The only instance of a pre-Romance analytical future already amalgamated has been found in the seventh century. The lack of any other evidence of such a synthesized form leads to the inevitable conclusion that by the side of the Classical future the analytical with both elements separated still prevailed.

Analytical Future (amalgamated):

Et ille respondebat: non dabo. Iustinianus dicebat: Daras *Fred*

Infinitive + **habere:**

si interrogatus fueris, quomodo dicere habes *Examen*
si interrogatus fuero veritatem dicere habeo *Examen*
quod ipse in auribus sanctitatis vestræ habet mugire *Alcuin*

Verbal Locutions

One of the striking innovations of the Vulgar Latin period is the creation of stereotyped verbal expressions.

With **debere:**

eos . . . judicavimus debere stare *Ben* (cf. *nous avons jugé qu'ils devaient rester*)

With **rogare, facere,** or similar verbs:

Ego Formusanus condam una cum coniuge mea Sufua sepulchrum istu fieri rogabimus *CI* (cf. *nous avons fait faire un tombeau*)

Through frequent use these verbs sometimes lose much of their normal meaning and serve only to intensify the main verb:

Cautinum . . . indignum . . . qui sacerdotium debuisset adipisci *Greg* (*Cautinus unworthy 'that he should' receive priesthood*)
ut ipsum . . . vos recipere faciatis *FM* (recipere faciatis = recipiatis. Cf. O.F. *Fai ma parole oïr* = *hear me*)

Mixed Tenses

A confusion in the use of past and present tenses is common. This confusion is likewise characteristic of Old French.

dixit . . . dixerunt . . . dicit *Per*
congregat . . . ditavit *Liber*
vidit . . . rogat . . . dixit *Euf*

IV. VOCABULARY[52]

In general the Vulgar Latin vocabulary remained essentially the same as that of the Classical Latin. Important innovations are: the greater use of words of Greek, Celtic and Germanic origin. There are also found words of Greek and Latin formation and words of uncertain origin. Classic words are found which have taken on a new meaning announcing the Romance tongue. There are found, as well, various new combinations and formations. New adverbial locutions and new prepositions appear; words are rewritten according to their etymology; abstract nouns are found in a concrete sense; adjectives are found used as substantives; there is an increase in the use of diminutives and augmentatives; the use of the plural for the singular appears; the verbal noun makes its appearance. There again, as regards the chronology of these innovations, it may be said that they reach their greatest importance in the Merovingian period.

1. Greek Words

cata (κατά) *Per* (Sp. *cada*)
monazontes (μονάζοντες) *Per*
fleummas (φλέγμα) *Ind* (Latin *phlegma*)
parabola (παραβολή) *Ind* (Fr. *parole;* It. *parola;* Sp. *palabra*)
colpus (κόλαφος) *Lex* (Latin *colaphus.* Cf. Fr. *coup;* It. *colpo;* Sp. *golpe*)
saumas (σάγμα) *Tardif* (Latin *sagma.* Cf. Fr. *somme;* It. *soma*)
crisma (χρίσμα) *Examen* (Latin *chrisma.* Cf. Fr. *crème,* It. and Sp. *crema*)
coquilii (κογχύλιον) *Comp* (Latin *conchylium.* Cf. Fr. *coquille;* It. *cochiglia*)

[52] Grandgent, pp. 6–29.

senedochia (ξενοδοχεῖον) *CF*
laici (λαικός) *CF* (Cf. Fr. *lai;* It. and Sp. *laico*)
eleemosyna (ἐλεημοσύνη) *CF* (Cf. Fr. *aumône;* It. *limosina;* Sp. *limosna*)
plasphemare (βλασφημία) *Reich* (Latin *blasphemare.* Cf. Fr. *blâmer;* It. *biasimare;* Sp. *lastimar*)

2. Greek and Latin Formations

apoculamus (ἀπό + *culare*) *Petron*
apostare (ἀπό + *stare*) *Ben*

3. Celtic Words

petiæ *Comp* (Celtic *pettia.* Cf. Fr. *pièce;* It. *pezza;* Sp. *pieza*)
brolium *Mem* (Celtic *brogilos.* Cf. Fr. *breuil;* It. *broglio*)
ortigas *Cassel* (Latin *articula;* Celtic *ordiga.* Cf. Fr. *orteil*)
camiseles *Chrod* (Celtic *camisia.* Cf. O.F. *chainsil*)

4. Words of Uncertain Origin

auseria *Men* (Fr. *osier*)

5. Words of Germanic Origin

bruti *PI* (Germanic *brutis.* Cf. Fr. *bru*)
bracco *Ind* (Germanic *brakko.* Cf. Fr. *braque;* It. *bracco;* Sp. *braco*)
trapa *Ind* (Germanic *trappa.* Cf. Fr. *trappe;* It. *trappola;* Sp. *trampa*)
ambasia *Lex* (Germanic *andbahtjan.* Cf. English *embassy*)
sunnis *Cap* (Germanic *sunnea.* Cf. Fr. *soin;* It. *bisogno*)
raciniburdis *FA* (Cf. *Rachembourg*)
graffionibus *Tardif* (Cf. German *Graf*)
rewardant *Reich* (Germanic *wardan.* Cf. Fr. *garder, regarder;* It. *guardare, reguardare;* Sp. *guardar, reguardar*)

6. Words of Hebrew Origin

sabbato *CI* (Fr. *samedi;* It. *sabato;* Sp. *sábado*)

7. Latin Words, with New Meanings

plicare *Per* (The meaning here is 'to approach.' Cf. Sp. *llegar*)
septimana *Per* (Fr. *semaine;* It. *settimana;* Sp. *semana*)
sedere *Per* (The meaning here is *esse*)

quadragesima *Ben* (Fr. *carême;* It. *quaresima;* Sp. *cuaresma*)
prior *Ben* (Fr. *prieur;* Sp. *prior*)
curtina *Greg* (Latin *cortina.* Cf. Fr. *courtine;* It. *cortina;* Sp. *cortina*)
comes æstabolarius *Fred* (Latin **comestabulus.* Cf. Fr. *connétable;* It. *connestabile;* Sp. *condestable*)
conmater *Liber* (The meaning here is 'god-mother.' Cf. Fr. *commère;* It. *comadre*)
hostem *Liber* (The meaning here is 'army.' Cf. Sp. *hueste;* English *host*)
oblata *Ind* (Fr. *oublie;* Sp. *oblea*)
caballicaverit *Lex* (Fr. *chevaucher;* It. *cavalcare;* Sp. *cabalgar*)
placitum *Cap* (Fr. *plaid;* It. *piato;* Sp. *pleito*)
mercidis *Tardif* (Fr. *merci;* It. *mercè;* Sp. *merced*)
breve *Examen* (The meaning here is 'letter'; Ger. *Brief*)
laxas *Comp* (Fr. *laisser;* It. *lasciare;* Sp. *dejar*)
matricularius *Alcuin* (The 'registered poor of a church.' Cf. Fr. *marguillier*)
cavanna *Reich* (Latin *capanna.* Cf. Fr. *cabane;* It. *capanna;* Sp. *cabaña*)

8. New Romance Formations and Combinations

domine Alexandre *CI* (Fr. *dame A.;* It. *donna A.;* Sp. *doña A.*)
se recollocet *Ben* (Fr. *se recoucher*)
scuria *Lex* (perhaps from Latin *scutarius.* Cf. Fr. *écurie*)
marcadantes *Tardif* (Fr. *marchand;* It. *mercatante;* Sp. *mercadante*)
omnem annum *Exam* (It. *ogni anno*)
sapit *Examen* (Latin *scit.* Cf. Fr. *sait;* It. *sa;* Sp. *sabe*)
tenalea *Comp* (Fr. *tenailles;* It. *tanaglia*)
ab oculis *Leud* (Fr. *aveugle*)
anoget *Reich* (for **anodiet,** from Latin *inodiare.* Cf. Fr. *ennuyer;* It. *annoiare;* Sp. *enojar*)
calves sorices *Reich* (Fr. *chauve-souris*)
sorcerus *Reich* (*sortiarius?* Cf. Fr. *sorcier*)
sprendunt *Reich* (Latin *exprehendunt.* The meaning here is 'to take fire.' Cf. Fr. *éprendre*)
manaria *Reich* (Fr. *manière;* It. *maniera;* Sp. *manera*)

9. New Adverbial Locutions

ad præsens *Liber* ('at hand')
adplene *Leud* (It. *appieno*)

10. New Prepositions

da *CI* (Latin *de ab.* Cf. It. *da*)
cata *Per* (Latin *cata quisque uno* > Fr. *chacun;* It. *ciascuno;* Sp. *cada uno*)
fine *Exam* ('until')

11. Recomposition [53]

assumturus > **adsumturus** *Greg*
irruamus > **inruamus** *Liber*
supplemento > **subplimento** *Ved*

12. Abstract Nouns with a Concrete Meaning

ponderatio *Per* ('weight')
sanctitas vestra *Aug* (Cf. Fr. *votre sainteté*)

13. Use of the Adjective as a Substantive

capitale *Lex* ('cattle' or their value)
carrale *Tardif* (The meaning here is 'carload.' Cf. Sp. *carral*)
mutatico *Tardif* ('tax on merchandise')
rotatico *Tardif* ('tax on roads')
viaticum *Wand* (Fr. *voyage;* It. *viaggio;* Sp. *viaje*)
calciatico *Chrod* (Fr. *chaussure*)

14. Diminutives and Augmentatives

loculus *CI* ('coffin')
Politta *CI* (Cf. Fr. *Paulette*)
domuncellas *Per* (from *domuncula*)
murone *Ind* (from *mus*)
talone *Ind* (from *talus.* Cf. Fr. *talon;* It. *tallone;* Sp. *talon*)
buticulam *Reich* (Fr. *bouteille;* It. *bottiglia;* Sp. *botella*)

15. Use of the Plural for the Singular

gallicinia for **gallicinium** *Petron*

16. Verbal Nouns

rogum *Examen* (from *rogare*)

[53] Cf. also page 51. This phenomenon is probably a demonstration of the popular etymological tendency to shift the accent in some cases in compound words. Cf. Fr. *retient* < **retinet.**

After a review of this Grammatical Survey it must be borne in mind that the language of the Vulgar Latin period is still Latin in a state of fluctuation and that side by side with the new forms we must expect to find many remains of the old. For instance, by the side of the very clear examples of the Vulgar Latin oblique case (cf. pp. 55–57 and 65–66) we will observe many instances of Classical Latin endings. This seemingly contradictory and confused state of affairs exists because the language is still Latin, and although it is developing into Romance it is not yet Romance. When the vestiges of the old language will have disappeared the language will be Romance and not Vulgar Latin. Those who use this Grammatical Survey to interpret the Vulgar Latin texts which follow must never lose sight of this fluctuating linguistic condition characteristic of a new language emerging from an old.

TEXTS

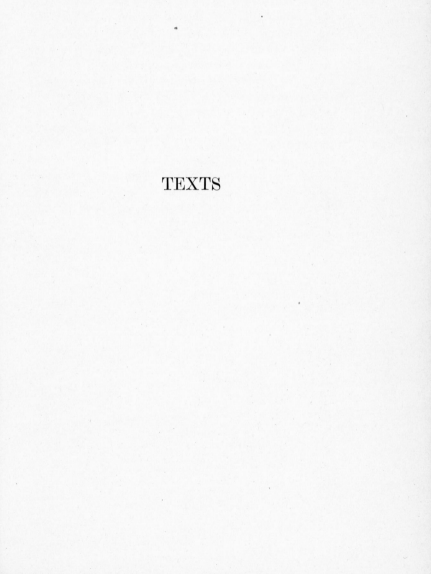

[illegible]

[illegible]

[illegible]

[illegible]

[illegible]

[illegible]

[illegible]

[illegible]

[illegible]

[illegible]

Diploma Theodorici III

De Chramlino episcopo Ebredunensi in Synodo publica deposito, anno 677, die 20 Septembris

Lines 1–3. (Cf. page 197 of this *Chrestomathy*.)

PART I*

[*Texts Prior to 550*]

FORERUNNERS OF THE VULGAR LATIN PERIOD

I

PETRONIUS ARBITER

The *Satiricon*, of which the *Cena Trimalchionis*, from which these passages are taken, is perhaps the best known part, is a satire of the time of Nero, written in the first century by a contemporary, and existing only in the form of extracts from a lost original. The manuscripts range from the tenth to the fifteenth centuries. In the *Werewolf*, told by Niceros, we find valuable folk-lore material, also in the *Matron of Ephesus*, a story used by Voltaire for the episode of Azora and Cador in *Zadig* and by La Fontaine in one of his *Contes*.

FROM THE *SATIRICON*

1. *The Werewolf*

"Cum adhuc seruirem, habitabamus in uico angusto; nunc Gauillæ domus est. Ibi, quomodo dii uolunt, amare cœpi uxorem Terentii coponis: noueratis Melissam Tarentinam, pulcherrimum bacciballum. Sed ego non mehercules corporaliter aut propter res uenerias 5
curaui, sed magis quod benemori*a* fuit. Si quid ab illa petii, nunquam mihi negatum; fecit assem, semissem habui; in illius sinum demandaui, nec unquam fefellitus sum. Huius contubernalis ad uillam supremum diem

* For abbreviations used in footnotes, cf. page 260.

obiit. Itaque per scutum per ocream egi aginaui, quemadmodum ad illam peruenirem: < nam, ut > aiunt, in angustiis amici apparent.

Forte dominus Capuæ exierat ad scruta scita expedi-
5 enda. Nactus ego occasionem persuadeo hospitem nostrum, ut mecum ad quintum miliarium ueniat. Erat autem miles, fortis tanquam Orcus. Apoculamus nos circa gallicinia; luna lucebat tanquam meridie. Ueni-mus inter monimenta: homo meus cœpit ad ste*l*as
10 facere; sed*eo* ego cantabundus et ste*l*as numero. Deinde ut respexi ad comitem, ille exuit se et omnia uestimenta secundum *u*iam posuit. Mihi anima in naso esse [1]; stabam tanquam mortuus. At ille circumminxit uesti-menta sua, et subito lupus factus est. Nolite me iocari
15 putare; ut mentiar, nullius patrimonium tanti facio. Sed, quod cœperam dicere, postquam lupus factus est, ululare cœpit et in siluas fugit. Ego primitus nesciebam ubi essem; deinde accessi, ut uestimenta eius tollerem: illa autem lapidea facta sunt. Qui mori timore nisi ego?
20 Gladium tamen strinxi et in tota uia [2] umbras cecidi, donec ad uillam amicæ meæ peruenirem. In laruam intraui, pæne animam ebul*l*iui, sudor mihi per bifurcum uolabat, oculi mortui; uix unquam refectus sum. Me-lissa mea mirari cœpit, quod tam sero ambularem, et:
25 'Si ante, inquit, uenisses, saltem nobis adiutasses; lupus enim uillam intrauit et omnia pecora tanquam lanius sanguinem illis misit. Nec tamen derisit, etiamsi fugit; seruus enim noster lancea collum eius traiecit.' Hæc ut audiui, operire oculos amplius non potui, sed luce
30 clara *Gai* nostri domum fugi tanquam copo compilatus, et postquam ueni in illum locum, in quo lapidea uesti-menta erant facta, nihil inueni nisi sanguinem. Ut

[1] Cf. English 'my heart was in my mouth.'

[2] **matauitatau** found for **in tota uia** in some manuscripts is unintelligible.

uero domum veni, iacebat miles meus in lecto tanquam bouis, et collum illius medicus curabat. Intellexi illum uersipellem esse, nec postea cum illo panem gustare potui, non si me occidisses. Uiderint qui*d de hoc* ali*i* exopinissent; ego si mentior, genios uestros iratos 5 habeam."

2. *The Matron of Ephesus*

Matrona quædam Ephesi tam notæ erat pudicitiæ, ut uicinarum quoque gentium feminas ad spectaculum sui euocaret. Hæc ergo cum uirum extulisset, non contenta uulgari more funus passis prosequi crinibus 10 aut nudatum pectus in conspectu frequentiæ plangere, in conditorium etiam prosecuta est defunctum, positumque in hypogæo Græco more corpus custodire ac flere totis noctibus diebusque cœpit. Sic adflictantem se ac mortem inedia persequentem non parentes potue- 15 runt abducere, non propinqui; magistratus ultimo repulsi abierunt, complorataque singularis exempli femina ab omnibus quintum iam diem sine alimento trahebat. Adsidebat ægræ fidissima ancilla, simulque et lacrimas commodabat lugenti, et quotienscunque defecerat posi- 20 tum in monumento lumen renouabat. Una igitur in tota ciuitate fabula erat, solum illud adfulsisse uerum pudicitiæ amorisque exemplum omnis ordinis homines confitebantur, cum interim imperator prouinciæ latrones iussit crucibus affigi secundum illam casulam, 25 in qua recens cadauer matrona deflebat. Proxima ergo nocte, cum miles, qui cruces asseruabat, ne quis ad sepulturam corpus detraheret, notasset sibi [et] lumen inter monumenta clarius fulgens et gemitum lugentis audisset, uitio gentis humanæ concupiit scire quis 30 aut quid faceret. Descendit igitur in conditorium, uisaque pulcherrima muliere primo quasi quodam monstro infernisque imaginibus turbatus substitit. Deinde ut et corpus iacentis conspexit et lacrimas considerauit faciemque unguibus sectam, ratus scilicet id quod erat, desiderium extincti non posse feminam pati, attulit in 5 monumentum cenulam suam, cœpitque hortari lugentem ne perseueraret in dolore superuacuo, ac nihil profuturo gemitu pectus diduceret: omnium eundem esse exitum [sed] et idem domicilium, et cetera quibus exulceratæ mentes ad sanitatem reuocantur. At illa 10 ignota consolatione percussa lacerauit uehementius pectus, ruptosque crines super *corpus* iacentis imposuit. Non recessit tamen miles, sed eadem exhortatione temptauit dare mulierculæ cibum, donec ancilla uini certe ab eo odore [3] corrupta primum ipsa porrexit ad 15 humanitatem inuitantis uictam manum, deinde refecta potione et cibo expugnare dominæ pertinaciam cœpit et: "Quid proderit, inquit, hoc tibi, si soluta inedia fueris, si te uiuam sepelieris, si antequam fata poscant, indemnatum spiritum effuderis?

20 Id cinerem aut manes credis sentire sepultos? [4]

Vis tu reuiuiscere? Vis discusso muliebri errore, quam diu licuerit, lucis commodis frui? Ipsum te iacentis corpus admonere debet, ut uiuas." Nemo inuitus audit, cum cogitur aut cibum sumere aut uiuere. Itaque 25 mulier aliquot dierum abstinentia sicca passa est frangi pertinaciam suam, nec minus auide repleuit se cibo quam ancilla, quæ prior uicta est.

Ceterum scitis quid plerumque soleat temptare humanam satietatem. Quibus blanditiis impetrauerat 30 miles ut matrona uellet uiuere, isdem etiam pudicitiam eius aggressus est. Nec deformis aut infacundus iu-

[3] **ab eo odore = ab odore. Eo** is used very much like an article, **ab** meaning instrumental 'by.'

[4] This line is from *Æneid*, IV, 34.

uenis castæ uidebatur, conciliante gratiam ancilla ac subinde dicente: "Placitone etiam pugnabis amori? (Nec uenit in mentem quorum consederis aruis? [5])" Quid diutius moror? Nec hanc quidem partem corporis mulier abstinuit, uictorque miles utrumque persuasit. 5 Iacuerunt ergo una non tantum illa nocte, qua nuptias fecerunt, sed postero etiam ac tertio die, præclusis uidelicet conditorii foribus, ut quisquis ex notis ignotisque ad monumentum uenisset, putassent expirasse super corpus uiri pudicissimam uxorem. Ceterum delectatus miles 10 et forma mulieris et secreto, quicquid boni per facultates poterat, coemebat et prima statim nocte in monumentum ferebat. Itaque unius cruciarii parentes ut uiderunt laxatam custodiam, detraxere nocte pendentem supremoque manduauerunt officio. At miles circum- 15 scriptus dum desidet, ut postero die uidit unam sine cadauere crucem, ueritus supplicium, mulieri quid accidisset exponit: nec se expectaturum iudicis sententiam, sed gladio ius dicturum ignauiæ suæ. Commodaret ergo illa perituro locum, et fatale conditorium 20 familiari ac uiro faceret. Mulier non minus misericors quam pudica: "Ne istud, inquit, dii sinant, ut eodem tempore duorum mihi carissimorum hominum duo funera spectem. Malo mortuum impendere quam uiuum occidere." Secundum hanc orationem iubet ex 25 arca corpus mariti sui tolli atque illi, quæ uacabat, cruci affigi. Usus est miles ingenio prudentissimæ feminæ, posteroque die populus miratus est qua ratione mortuus isset in crucem.

[5] **Placitone . . . aruis.** These lines are from *Æneid*, IV, 38–39.

II

COMMODIAN

The theme of this poem is the Day of Judgment, the *dies iræ,* a favorite theme of the Middle Ages which inspired numerous sculptors. The manuscript is of the eleventh century. Commodian is said to have been an African bishop or church elder. This poem, by its structure, is important in the evolution of accent in Latin. It is written in would-be hexameters in which quantity and accent alternate to supply the rhythm, the whole giving the impression of utter lack of literary taste. It is one of the eighty *Instructiones.* Commodian also wrote a *carmen apologeticum* in 1053 lines which contains the first mention of the Antichrist legend (*post* 260). In judging his language we must not forget that although Latin was probably his mother tongue, his disregard of quantity and grammar is especially typical of his ignorance and that of his class.

DE SÆCULI ISTIUS FINE

(*Doomsday*)

D at tuba cælo signum sublato leone,[1]
E t fiunt subito tenebræ cum cæli fragore.

S ummittit oculos Dominus, ut terra tremescat,
A cclamat ut et audiant omnes in orbem:
5 E cce diu tacui sufferens tanto tempore uestra!
C onclamant pariter plangentes sero gementes,
U lulatur, ploratur, nec spatium datur iniquis:
L actanti quid faciet mater, cum ipsa crematur?
I n flamma ignis Dominus iudicabit iniquos:

[1] **sublato leone,** *the sun being suppressed.* The sun-god Mithra was worshipped in the form of a lion. Observe the curious use of this term on the part of a Christian.

I ustos autem non tanget ignis, sed immo delinquet.
S ub uno morantur, sed pars in sententia flebit.
T antus erit ardor, ut lapides ipsi liquescant,
I n fulmine coeunt uenti, furit ira cælestis,
U t, quacumque fugit, impius occupetur ab igne; 5
S uppetium nullum erit, nec nauticæ puppes:

F lamma tamen gentes Medi Parthique [2] feruent
I n annis mille, ut feruunt corpora sanctis.[3]
N am inde post annos mille gehennæ traduntur,
E t fabrica cuius erant cum ipsa cremantur. 10

[2] The Medi and Parthi were worshippers of Mithra, rival of Christ.

[3] **sanctis** = **sanctorum,** the dative being used for the genitive.

III

OLD LATIN INSCRIPTIONS [1]

When the date of composition is not given, it may be assumed, for the sake of convenience, that the inscriptions were composed not later than the second century B.C. When known, the place of composition appears.[2]

1. honce loucom | ne qu(i)s uiolatod | neque exuehito neque | exferto quod louci || siet, neque cedito, | nesei quo die res deina | anua fiet. eod die, quod rei dinai

[1] Information for the volume references given for the inscriptions in the CIL (*Corpus Inscriptionum Latinarum*) follows: I, Archaic; II, Spain; III, Orient; Illyria, etc.; IV, Pompei; V, Northern Italy; VI, Rome; VII, Britain; VIII, Africa; IX and X, Southern Italy, Sicily and Sardinia; XI, Central Italy; XII, Provence; XIII, remaining territory in Gaul; XIV, Ancient Latium.

[2] These archaic inscriptions often anticipate in their phonology, morphology and syntax late Vulgar Latin linguistic de-

cau(s)a | [f]iat, sine dolo cedre || [l]icetod. sei quis | *on the reverse side b* uiolasit, Ioue bouid | piaclum datod. | sei quis scies | uiolasit dolo malo, || Iouei bouid piaclum | datod et a. CCC | moltai suntod. | eius piacli | moltaique dicator [ei] || exactio est [od].

CIL I [2] 366, Spoleto.

2. L. Betilienus L. f. Vaarus | hæc quæ infera scripta | sont de senatu sententia | facienda coirauit: semitas || in oppido omnis, porticum qua | in arcem eitur, campum ubei | ludunt, horologium, macelum, | basilicam calecandam, seedes, | [l]acum balinearium, lacum ad || [p]ortam, aquam in opidum adou. | arduom pedes CCCX, fornicesq. | fecit, fistulas soledas fecit. | ob hasce res censorem fecere bis, | senatus filio stipendia

---

velopments. Some characteristic phonological and syntactical phenomena can be noted:

1. The great number of diphthongs which Classical Latin had discarded: **ou** > **u, abdoucit** = **abducit; ei** > **i, sei** = **si; oi** > **u, coiravit** = **curavit; ai** > **æ, aide** = **ædem.**

2. The use of **o** for **u, sont** = **sunt; e** for **i, soledas** = **solidas; -is** for **-es** for plural endings, **omnis** = **omnes.**

3. Double consonants are not written: **anua** = **annua, violasit** = **violasset,** etc.

4. Final **d** in the imperative or dative: **bouid, datod.**

5. The dropping of **n** before **s: scies** = **sciens, cosol** = **consul,** etc.

6. The syncopation of the unaccented medial vowel: **piaclum** = **piaculum, cedre** = **cedere,** etc., or rather the non-production of the epenthetic vowel: **piaclum,** later **piaculum.**

7. The dropping of final **m: omne Loucanam** = **omne Lucanam; duonoro optumo fuise uiro** = **bonorum optimum fuisse virum** (the archaic form **duonus** for **bonus** is noteworthy in understanding the development **duonus** > **bonus).**

8. The use of the present tense together with the past: **Taurasia Cisauna Samnio cepit, subigit omne Loucanam opsidesque abdoucit,** *He captured Taurisca and Cisauna in the Samnium, he subdues all Lucania and carries away hostages.*

mereta || ese iousit, populusque statuam | donauit Censorino.

CIL I[1] 1166, Aletri, bet. the years 130 and 90 B.C.

3. [L. Corneli]o Cn. f. Scipio
Cornelius Lucius Scipio Barbatus
Gnaiuod patre | prognatus, fortis uir sapiensque,
quoius forma uirtutei parisuma | fuit,
consol censor aidilis quei fuit apud uos,
Taurasia Cisauna | Samnio cepit,
subigit omne Loucanam opsidesque abdoucit.

CIL I[2] 6. 298 B.C.

4. L. Cornelio L. f. Scipio | aidiles, cosol, cesor.

CIL [2] I 8. 259 B.C.

5. honc oino ploirume consentiont R[omane]
duonoro optumo fuise uiro,
Luciom Scipione. filios Barbati
consol censor aidilis hic fuet a[pud uos].
hec cepit Corsica Aleriaque urbe,
dedet Tempestatebus aide mereto[d].

CIL I[2]. 259 B.C.

IV

PAGAN INSCRIPTIONS [1]

When the date of composition is not given, it may be assumed that the inscriptions were composed not later than the fourth century. When known, the place of composition appears.

1. d.m.s. Nampha | mo Homul | li fil. sibi || et uxori | mœsoleum | [fecit] usque | ad murum | [p]ublicum || et [s]emitam vi | cinalem.

CIL VIII 688. From the province of Byzacena.

[1] For volumes references in CIL, cf. *OLI* note 1.

2. pontem, portas aquiduct., quaru r[erum] | usus longa incuria et vetustate co[rrue] | rat civitati restauravit ac reddi[dit] | et ad præturianam Gall. prefect[uram] || iudicio Aguste remuneratio[nis causa] | evect[us est].

CIL XII 4355. Narbo, fourth century.

3. [. . .] sacta vixit. | liberta ex sua | papertat, | digina.

CIL VI 25741.

4. Præcipio | libertis liber | tabusq. meis, | ne quis vestr. || in hunc monu | ment. corpus | aut ossa exteræ | inferat. si quis | contemserit, tunc || conlibertis dare | devebet pœnæ | nominæ milæ.

CIL III 9450, Salonæ.

5. Marcia Tertia | sibi filiisque suis et | libertis libertabusque posterisque eorum. | hoc monumentum sive ariam sive parietem venderi nulli licebit.

CIL VI 22163.

6. d.m. L. Abuccius Aqui | la et Lucceia Felici | tas hoc loco [2] sacra || runt, ube posta est, | Abucciæ vernæ nos | træ bene merenti | Fortunatæ annorum | XVIII dieb. XXIII. si qui || huic loco manus in | tulerit habiat dolorem | meum, quem ego habui.

CIL VI 10458.

7. d.m. | Ioleni filæ dulcissime | Lolianus et [E]ycenia parents | con Cacalisto coiuce iius. || q.v.a. XVI meses VIII d. V.

CIL VI 19688.

[2] hoc loco = hunc locum.

8. [Au]r(e)liius Iustinus equis i lig. | XI Cl., provitu annoro X[V]II et | militavit munifix annis VII, eiqus | annis IIII, militavit in corte || statu posteriore. ex pluris | maicis derisus ipsius in ipso | titulo XCI.

CIL V 896. Aquileia, before 300 A.D.

9. C. Bruttio Præsnte [I]I Sext | o Quintilo Condiano | cos. P. Popilius Priscinu | s sevr sol. se vio posurunt. f(ili) e || t neptes pos(uerunt). P. Pop(ili) Pri(scine) ave. be | ne voleas, quisq(ue) es, viator. | [ne]qe vale(at), qui me amover(it).

CIL V 7465. Vardagate, year 180.

10. [Eu]genio Eucisi f. | eq. ala. Frontoni. | an. XL stip. XX. | Nemis Sige h.s.e. || frateres frater(i) | fecerunt.

CIL III 9735. Delminium.

11. d.m. | Iuliæ Serene, | que bixit annus [. . .] | mesibus VIII || diæbus X [. . .]. Iulia Bict[orin]a filie du[lcis] | simæ.

CIL XIV 1195. Ostia.

12. d(is) m(anibus) s(acrum). | Maximus et Lascius | duo fratres conve | nientes in uno hunc || titulum nobis posu | imus vivis, ut posse | mus at superos secu | rius vitam bonam ger(e) | re, qua fini fata vole || bant. qui qua vita vi | ximus una, numquam | inter nos fecimus ver | bum amarum. volup | tates secuti simus || omnes, vitæ nostre | a nobis numquam quit | quam negatum est. i[t]a tu qui legis, bona | vita vive sodalis, || quare post obitum | [n]ec risus nec lusus | [n]ec ulla voluptas | erit. have, Maximæ. | menten habæ quod legeris, quare vita || morti propior fit cottidiæ. vale.

CIL IX 3473. Peltuinum.

13. [. . .] | coniugi carissimo | et dulcissimo fecit | Betuedia Procilla et sibi, | cum que vixit an. VIIII mens. || III sene ula querela.

CIL VI 13574.

14. Lupus anemola ic ave | tat. quot comidi, mecum ave[o]. | ego Maurentia | in hunc mo || numentum | titulum posui Lupo | virginio meo, cum [q] | em quiquaginta a[n] | nis beni laboravi adqu[e] || inculpatim covixi. et A[r] | genteo Samarconi fr[a] | tris vel subulele m[atri] | s meæ ipsum titul[um] | feci.

CIL III 14524. Mœsia superior.

15. Valerio Li | bero Valer | ia Leolonina | coiogi mer || entessem | o et Liberi | o filio kar | essemo fe | cet || d(e) s(uo).

CIL II 2997. Cæsaraugusta.

16. d.m. | T. Fla[vi]o Zoviano, | qui vixit annis XV | m. VII d. XIIII. T. Flavius || Satarus patri filius | karissimo fecit.

CIL XIV 1033. Ostia.

17. d.m. | Cæcilio Auguri | o fecit Cælia | Felicisma et || et Cælius Au | gurius | [p]io b | enemere | ti filio dul | cismo.

CIL VI 13714.

18. d.m. | Ponpeius Octavianus Par[t] | enopei coniugi dulcissime, | que vixit annis XXVIII m. V. | d. V. animo forte, sanctisi | ma. omines mortales sumus.

CIL XII 2366. Between Vienne and Aoste, end of third century.

19. d.m.s. | Val. Maxentio | æq(uiti) ex numero | lanciariorum, || vixit an. XXVI, mil(itavit) | an. VI. iscola æqui | tum b.m.f.

CIL VI 32965, year 313.

20. d.m.s. | Cæcilia Get | ula vixit an. | mecu III mensib || us VII dieb. XVII. C. | Valerius Antonin | us ispose rarissi | me fecit.

CIL VIII 3485. Lambæsis.

21. Q Corneli Q. l. | Andriæ, in frunte p. | XII, in agro[3] p. X.

CIL X 4936. Venafrum.

22. Antipatra | dulcis tua, | hic so et non so.

CIL X 2070. Neapel.

23. d.m. | Aurelius Nice | ta Aureliæ Æli | aneti filiæ bene || merenti fecit. | fossor, vide, ne | fodias, deus ma | gnu oclu abet, vi | de, et tu filios abes.

CIL VI 34635 [a].

24. d.m.s. | Q Geminius Romanus, | qui vixit anis tredeci mens. | tribus diebus viginti tribus. || sepelit M. Tettius Arator | anculus ejus.

CIL VI 19004.

25. si quit bis facere, te bibo fac dulci[ter].

CIL XIV 1874. Ostia.

26. [. . .] Aur. Adsula mil. coh. V. pretorie | fratri benemeren., | qui mecu laborait an. XII et Fruninone || est in barbarico.

CIL X 216. Lucanien.

27. uxor feit | marito suo | bene merent. | t.f.

CIL III 2627. Salonæ.

28. Fabius Caricus | fecit Fabio Zoti | co filio beneme | renti, qui bixit || atnis cinquæ, | mensibus cinq. | de(bus) XVII.

CIL VI 17508.

[3] **in frunte . . . in agro,** 12 *feet in front,* 10 *in depth.*

29. d.m. Sucesus Augusto | rum tabellarius ann. XXXV || pedisecus inie bitæ | suæ.

CIL X 1741. Puteoli.

30. d.m. C. Iuli Beriani, | qui vixit annis XVIII || mensibus V | zebus XVII.

CIL XIV 1137. Ostia.

31. Sestuleius Ametyssianus et P | lotia Iustina Sestuleio | Amet | ysto filio posuerum, qui vixxit || annos XXV messes VII b.m. p.b.m.

CIL IX 4028. Alba Fucens.

32. [C]aprio | xantissimo | dulcissimo | filio || Caprius pat | er et Oneris | mater | b.m.f.

CIL IX 1055, in *ager* Compsinus.

33. Statilia Lychoris | hic sita est. | T. Statiliu Carus | v.a. VIIII || cum mama sua.

CIL VI 6571.

34. d.m.s. Antonius | Primus q | ui bisit an || nis XII m. IIII di | ebus XXI. [p]aren. benemerenti.

CIL X 2079. Puteoli.

35. dii iferi, vobis comedo, si quicqa sa | ctitates h[a]betes, ac tadro Ticene | Carisi, quodqud agat, quod incidat | omnia in adversa. dii iferi, vobis || comedo ilius memra, colore, | figura, caput, capilla, umbra, cereb | ru, frute, supe[rcil]ia, os, nasu, | metu, bucas, la[bra, ve]rba, alitu, | colu, iocur, umeros, cor, pulmones, || itestinas, vetre, bracia, dicit | os, manus, ublicu, visica, femena, | cenua, crura, talos, planta, | dicitos. | dii iferi, si illa videro tabescete, || vobis sacrificiu lubes ob anu | versariu facere dibus par | entibus iliu[s] voveo. | peculiu ta[be]scas.

CIL X 8249, lead tablet from Minturnæ.

36. Atinia | L. filia | Procla vixit | anocla et || mesoru quator.

CIL VI 12675.

37. Hermion[e] C. Minuci Galli | Philadelpho | avonculo suo ob || pietatem erga inse.

CIL VI 6469.

38. d.m. | Aurelius Crescen | tio ex pre || positis, | et Vincen | tia coniun | x eius Au | relie Vericie || bruti suæ q | ui vixit ann | is XXIIII bene | merite titu | lo posuerunt.

CIL III 12377. Mœsien.

V

APPENDIX PROBI

This list of mispronounced words accompanied by the correct pronunciation was drawn up in the third or fourth century by a grammarian. The manuscript is of the seventh or eighth century. Several words have been omitted from the list.

1. PORPHIRETICUM MARMOR non purpureticum marmur
2. TOLONIUM non toloneum
3. SPECULUM non speclum
4. MASCULUS non masclus
5. UETULUS non ueclus
6. UITULUS non uiclus
7. UERNACULUS non uernaclus
8. ARTICULUS non articlus
9. BACULUS non uaclus
10. ANGULUS non anglus
11. IUGULUS non iuglus
12. CALCOSTEGIS non calcosteis
13. UACUA non uaqua
14. UACUI non uaqui

15. CULTELLUM non cuntellum
16. MARSIAS non marsuas
17. CANNELAM non canianus
18. HERCULES non herculens
19. COLUMNA non colomna
20. PECTEN non pectinis
21. AQUÆDUCTUS non aquiductus
22. CRISTA non crysta
23. FORMICA non furmica
24. MUSIUUM non museum
25. EXEQUÆ non execiæ
26. AUUS non aus
27. MILES non milex
28. SOBRIUS non suber
29. FIGULUS non figel
30. MASCULUS non mascel
31. LANIUS non laneo
32. IUUENCUS non iuuenclus
33. BARBARUS non barbar
34. EQUS non ecus
35. COQUS non cocus
36. COQUENS non cocens
37. COQUI non coci
38. ACRE non acrum
39. PAUPER MULIER non paupera mulier
40. PANCARPUS non parcarpus
41. THEOFILUS non izofilus
42. HOMFAGIUM non monofagium
43. BYZACENUS non bizacinus
44. CAPSESIS non capsessis
45. DOLEUS non dolium [1]
46. CALIDA non calda
47. FRIGIDA non fricda
48. UINEA non uinia
49. TRISTIS non tristus
50. TERSUS non tertus
51. UMBILICUS non imbilicus
52. TURMA non torma
53. CELEBS non celeps
54. OSTIUM non osteum
55. FLAUUS non flaus
56. CAUEA non cauia
57. SENATUS non sinatus
58. BRATTEA non brattia
59. COCHLEA non coclia
60. COCLEARE non cocliarium
61. PALEARIUM non paliarium
62. PRIMIPILARIS non primipilarius
63. ALUEUS non albeus
64. LANCEA non lancia

[1] **dolium** is correct. See *Vocabulary*.

65. FAUILLA non failla
66. ORBIS non orbs
67. FORMOSUS non formunsus
68. ANSA non asa
69. FLAGELLUM non fragellum
70. CALATUS non galatus
71. DIGITUS non dicitus
72. SOLEA non solia
73. CALCEUS non calcius
74. IECUR non iocur
75. AURIS non oricla
76. CAMERA non cammara
77. PEGMA non peuma
78. FESTUCA non fistuca
79. ALES non alis
80. FACIES non facis
81. PLEUES non pleuis
82. UATES non uatis
83. TABES non tauis
84. SUPPELLEX non superlex
85. APES non apis
86. NUBES non nubs
87. SUBOLES non subolis
88. UULPES non uulpis
89. PALUMBES non palumbus [2]
90. LUES non luis
91. DESES non desis
92. RESES non resis
93. UEPRES non uepris
94. FAMES non famis
95. CLADES non cladis
96. SYRTES non syrtis
97. ÆDES non ædis
98. SEDES non sedis
99. PROLES non prolis
100. DRACO non dracco
101. OCULUS non oclus
102. AQUA non acqua
103. ALIUM non aleum
104. LILIUM non lileum
105. DELIRUS non delerus
106. EXTER non extraneus [2]
107. CLAMIS non clamus
108. UIR non uyr
109. UIRGO non uyrgo
110. UIRGA non uyrga
111. OCCASIO non occansio
112. CALIGO non calligo
113. TEREBRA non telebra
114. EFFIMINATUS non imfimenatus
115. BOTRUUS non butro
116. GRUS non gruis
117. ANSER non ansar
118. TABULA non tabla
119. PUELLA non poella
120. BALTEUS non baltius
121. FAX non facla

[2] Both forms are correct.

122. UICO CAPITIS AFRICÆ non uicocaput Africæ
123. UICO TABULI PROCONSOLIS non uico tabulu proconsulis
124. UICOCASTRORUM non uico castræ
125. UICO STROBILI non uicostrobili
126. TETER non tetrus
127. APER non aprus
128. AMYCDALA non amiddula
129. STABULUM non stablum
130. TRICLINIUM non triclinu
131. DIMIDIUS non demidius
132. TURMA non torma
133. PUSILLUS non pisinnus
134. MERETRIX non menetris
135. PERSICA non pessica
136. AUCTOR non autor
137. AUCTORITAS non autoritas
138. LINTEUM non lintium
139. TERRÆ MOTUS non terrimotium
140. NOXIUS non noxeus
141. CORUSCUS non scoriscus
142. TONITRU non tonotru
143. PASSER non passar
144. ANSER non ansar
145. HIRUNDO non harundo
146. CAPITULUM non capiclum[3]
147. NOUERCA non nouarca
148. NURUS non nura
149. SOCRUS non socra
150. NEPTIS non nepticla
151. ANUS non anucla
152. TUNDEO non detundo
153. RIUUS non rius
154. PAUOR non paor
155. COLUBER non colober
156. ADIPES non alipes
157. SIBILUS non sifilus
158. FRUSTRUM non frustum[4]
159. PLEBS non pleps
160. GARRULUS non garulus
161. PARENTALIA non parantalia
162. CELEBS non celeps
163. POPLES non poplex
164. LOCUPLES non locuplex

[3] **tl** > **cl** was very frequent.

[4] **frustum** is correct.

165. ROBIGO non rubigo
166. PLASTA non blasta
167. BIPENNIS non bipinnis
168. ERMENEUMATA non erminomata
169. TYMUM non tumum
170. STROSA non stropa
171. BITUMEN non butumen
172. MERGUS non mergulus
173. MYRTA non murta
174. ZIZIPUS non zizupus
175. IUNEPIRUS non iiniperus [5]
176. TOLERAUILIS non tolerabilis [6]
177. BASILICA non bassilica
178. TRIBULA non tribla
179. UIRIDIS non uirdis
180. CONSTABILITUS non constabilitus
181. SIRENA non serena
182. MUSIUM uel MUSIUUM non museum
183. LABSUS non lapsus [7]
184. OSTIÆ non hostiæ [8]
185. FEBRUARIUS non febrarius
186. GLATRI non cracli
187. ALLEC non allex
188. RABIDUS non rabiosus [9]
189. TINTINACULUM non tintinabulum [10]
190. ADON non adonius [11]
191. GRUNDIO non grunnio [12]
192. UAPULO non baplo
193. NECNE non necnec
194. PASSIM non passi
195. NUMQUIT non mimquit
196. NUMQUAM non numqua
197. NOUISCUM non noscum
198. UOBISCUM non uoscum
199. NESCIOUBI non nesciocube
200. PRIDEM non pride
201. OLIM non oli
202. ADHUC non aduc
203. IDEM non ide
204. AMFORA non ampora

[5] **iiniperus** = **juniperus**.

[6] **tolerabilis** is correct.

[7] **lapsus** is correct.

[8] **hostiæ** is correct.

[9] Both forms are correct.

[10] **tintinnabulum**, *bell*, is correct; **tintinnaculus**, in Plautus, is a *whipping slave*.

[11] **adonius** is correct. Adonic verse has a dactyl and a spondee.

[12] **grunnio** is a better form than **grundio**.

ADVENT OF THE VULGAR LATIN PERIOD

VI

VETUS LATINA

The *Vetus Latina* (*Vetus Italica* or *Itala*) comprises translations into Latin or Old Latin versions of the Bible written in Africa about the second half of the second century and existing in fragmentary form before its organization by Saint Jerome at the end of the fourth and the beginning of the fifth centuries. At that time, Jerome, at the request of Pope Damasus undertook an official version of the Bible. The following texts range from the latter part of the fourth to the fifth centuries. The first selection is from Saint Mark. The manuscript from which it is taken is probably one of the earliest Latin New Testament manuscripts and the oldest existing representative of the first African version of the Gospels. Saint Columban is said to have carried it around with him in his travels. The remaining texts are in the order below from Saint Matthew, Saint Luke, Saint Mark and Saint Matthew.

FROM THE *NEW TESTAMENT*

1. *Jesus and His Disciples*

A. Et exiit Iesus et discipuli eius in castella Caesariæ Philippi in uia, et interrogabat discipulos suos dicens: "Quem me dicunt hominen esse?" Illi autem dixerunt: "Illi omnes, Iohan . . . baptiziatorem; quidam autem,
5 Eliam; alii uere, unum ex profetis." "Vos autem quem me dicitis esse." Et respondit Petrus et dicit illi: "Tu es Christus." Et admonuit illos, ne cui dicerent

de se et cœpit eis dicere quia oportet filium hominis, multa pati et reprobari a maioribus natu et a pontificibus, et a scribis et occidit (*sic* = occidi) post tertium diem resurgere et cum fiducia sermonem loqui et adpræhensum eum Petrus obsecrabat ne cui illa diceret. 5 Conuersus autem ille corripuit Petrum et dicit illi: "Vade de post me Satanas, quoniam non sapis quæ sunt dei set quæ sunt hominum." Et conuocata turba cum discipulis suis, exit: "Si qui uoluerit uenire neget se et tollat fructum et sequatur me, qui enim uolet 10 saluare animam suam perdet illam, propter euangelium autem saluavit illam. Quit enim proderit homini si lucrefecerit[1] totum mundum, depriment et autem animam, aut quit dabit[2] homo commutationem pro anima sua; qui autem me confessus fuerit et meos 15 in natione adultera et peccatrice et filios[3] hominis confundetur illum, cum uenerit in claritate patris sui cum angelis sanctis?"

B. Respondit illi Johannes: "Magister, uidimus quendam in nomine tuo expellentes dæmonia qui non 20 sequitur nobiscum et uetuimus illum." Ille autem respondens dixit: "Nolite ueteare. Nemo enim est qui faciat uirtutem in nomine meo et poterit male loqui de me. Qui enim non est aduersus nos hic pro nobis est et qui uos putauerit calicem aquæ in nomine 25 meo quia, Christus, amen dico uobis quia non perdet mercedem suam, et quicumque scandaliziauerit unum de pusillos uestros qui credit, bonum illi magis[4] ut suspensa esset mola asinaria circum collum eius et in marem missus esset, et sic scandaliziauerit manus tua, 30 amputa eam. Bonum est tibi debilem introire in uitam

[1] b hicrefecerit in original.
[2] dabis in original.
[3] filios = filius.
[4] bonum . . . magis = melius.

quam [5] duas manni habentem mitti in gehennam ubi ignis est inextinguibilis, et si pes et scandaliziat te puta eum, bonum est tibi clodum uenire ad uitam quam duos pedes habentem mitti in gehennam; et si oculos te 5 scandaliziauerit exime eum, melius est tibi quacumque parte corporis debilem introire in regnum dei quam integrum in gehenna incidere ubi ubi ignis non extinguetur et uerum in quo oritur omnia autem substantia consumitur.[6] Bonum est sal set si sals (fatum) fatum 10 fuer(it), in quod illut condistis habetis in uobis panem. Pacati estote in illa uicem."

2. *The Kingdom of Heaven*

Simile est enim regnum cælorum homini patrisfamilias qui exiuit primo mane conducere operarius in uineam suam.

15 Conuentione autem facta cum operariis ex dinario diurno misit eos in uineam suam.

Egressus autem circa hora tertiam, inuenit alios stantes in foro otiosus et dixit illis: "Ite et uos in uineam meam et quod iustum fuerit dabo uobis." Illi 20 autem abierunt.

Iterum exiit circa sexta et nona horam et fecit similiter.

Circa autem undecima hora exiit et inuenit alios stantes et dicit illis: "Quid hic statis tota die otiosi?" 25 Dicunt ei: "Quia nemo nos conduxit." Dicit illis: "Ite et uos in uineam meam."

Cum sero autem factum esset, dicit dominus uineæ procuratori suo: "Voca operarios et redde illis mercedem incipiens a nouissimos usque ad primos."

30 Cum uenisset ergo qui circa undecimam horam

[5] **bonum est tibi . . . quam = melius est tibi . . . quam.**

[6] **omnia substantia consumitur** is conceived as a plural neuter for **omnis substantia** and governs the singular, as in Greek.

uenerant, adceperunt singulos dinarios. Uenientes autem et primi arbitrati sunt quod plus essent adcepturi.

Adceperunt autem et ipsi singulos dinarios, et adcipientes murmurauerunt aduersum patremfamiliam, 5

dicentes: "Hi nouissimi una hora fecerunt et pares illos nobis fecistis qui portauimus pondus diei et estus."

Ad ille respondens uni eorum dixit: "Amice, non facio tibi iniuriam. Nonne ex dinario conuenistis mecum? 10

tolle quod tuum est et uade. Uolo autem et huic nouissimo dare sicut et tibi.

Aut non licet mihi facere quod uolo? An oculus tuus nequa est quia ego bonus sum?"

Sic erunt nouissimi primi et primi nouissimi. 15

Multi enim sunt uocati pauci uero electi.

3. *The Devil Tempts Jesus*

Iesus autem plenus Spiritu Sancto regressus est ab Iordanem et agebatur in spiritu in deserto

diebus XL. temptabatur a diabulo.

Et nihil manducabit in illis diebus et consummatis 20 illis postea esuriit.

Dixit autem illi diabolus: "Si filius dei est dic lapidi huic ut fiat panis."

Et respondit ad illum Iesus et dixit: "Scribtum est quia non in solo pane uiuet homo sed in omni uerbo 25 dei."

Et duxit illum diabolus in montem altum et ostendit illi omnia regna orbis terræ in momento temporis et ait illum diabulus: "Tibi dabo potestatem hanc uniuersam et gloriam illorum quia mihi tradita sunt 30 et cui uolo do illa.

Tu uero si procidens adoraueris ante me erunt tua omnia."

Et respondens dixit illi Iesus: "Scriptum est: dominum deum tuum adorabis et illi soli seruies."

Et duxit illum in Iherusalem et statuit illum supra pitnam templi et dixit illi: "Si filius dei es mitte te
5 hinc deorsum, scrittum est enim quod angelis suis mandauit de te ut conseruent te quia in manibus tollent te ne forte perdas ad lapidem pedem tuum."

Et respondes (*sic* = respondens) dixit illi Iesus: "Et scriptum est: non temptabis dominum deum tuum."

10 Et consummata omni tempationem diabulus recessit ab illo usque ad tempus.

4. *The Sufferings of Jesus*

Pilatus autem dimisit illis Barabam et tradidit Iesum flagellis cesum ut cruci figeretur. Militis autem duxerunt eum in atrium pretorii et conuocatis totam cohortem et uestierunt eum purpuram et inposuerunt
15 ei factam spineam coronam et salutabant eum: "Habe rex iudeorum," et percutiebant illum de arundine in caput et conspuebant ei et ponebant genua, adorabant eum.

Et postquam deluserunt eum, exuerunt eum pur-
20 puram et induerunt illum uestimenta sua et duxerunt eum ut cruci figerent.

Et angariauerunt Symonem Cyrineum transeuntem uenientem de uillam patrem Alexandri ut tolleret crucem eius.

25 Et adducunt eum in Golgotha cum quod est interpetratum Caluariæ locus et dederunt ei bibere murratum uinum et non adcepit.

Et cruci fixerunt eum et diuiserunt uestimenta eius mittentes sortem.

30 Erat autem hora diei tertia et custodiebant eum.

Et erat superscribtio criminis scribta: rex Iudeorum.

5. *Jesus Adhorts the Scribes and Pharisees*

Uæ uobis scribæ et farisæi hypocritæ quia circuiitis mare et aridam ut faciatis unum proselytum et cum fuerit factus, facitis eum filium gehennæ duplo quam uos.

Uæ uobis duces cæci qui dicitis: quicumque iurauerit in templum nihil est, qui autem iuraberit in auro templi debet 5

stulti et cæci, quid enim maius est aurum an templum quod santctificat aurum et qui (*one leaf lost here*) hominibus speciosa intus uero plena sunt ossibus mortuorum 10 et omni spurcitia. Sic et uos aforis quidem paretis hominibus iusti intus autem pleni estis hypocrisi et iniquitate.

Uæ uobis scribæ et farisæi hypocritæ qui ædificatis sepulchra prophetaru et ornatis monumenta iustorum 15 et dicitis quia si fuissemus in diebus patrum nostrorum non essemus socii eorum in sanguine prophetarum itaque testimonium redditis uobis quia filii estis eorum qui prophetas occiderunt.

6. *To Him That Hath*

Sicut enim homo pelegre afuturus uocabit seruos 20 suos et tradidit illis bona sua. Et uni dedit quinque talenta, alii autem duo, alii uero unum, unicuique secundum propriam uirtutem suam et profectus est. Continuo abiit qui quinque talenta acceperat et operatus est in eis alia quinque; similiter qui duo 25 accepit lucratus est in eis alia duo. Qui autem unum talentum accepit fodit in terram et abscondit pecuniam domini sui. Post multum uero temporis uenit dominus seruorum illorum et posuit rationem cum eis, et accedens qui quinque talenta acceperat optulit alia quinque 30 super talenta dicens: "Domine, quinque talenta mihi

dedisti, ecce alia quinque super lucratus sum." Ait illi dominus eius: "Euge bone serbe et fidelis quia super pauca fuisti fidelis, super multa te constituam, intra in gaudium domini tui." Accessit autem qui duo talenta
5 acceperat et ait: "Domine, tradidisti mihi duo talenta ecce alia duo lucratus sum." Ait illi dominus eius: "Euge serbe bone et fidelis quia super pauca fuisti fidelis, super multa te constituam." Accedens autem qui unum talentum acceperat ait: "Domine, scio quia
10 homo austeris es, metis ubi non seminasti et congregas ubi non sparsisti, et timens abii et abscondi talentum tuum in terra habes ecce quod tuum est." Respondens autem dominus eius dixit ei: "Serue male et piger, sciebas quod meto ubi non semino et congrego ubi
15 non sparsi, oportuit ergo te committere pecuniam nummulariis et ueniens ego cun usuris recepissem quod meum est. Tollite itaque ab eo talentum et date ei qui habet .x. talenta. Omni enim habenti dabitur et abundabit ei autem qui non habet et quod
20 habet auferetur ab eo, et nequam seruum proicite foras in tenebras exteriores, ibi erit fletus et stridor dentium." Cum autem uenerit filius hominis in maiestate sua et omnes angeli cum eo, tunc sedebit super sedem maiestatis suæ et congregabuntur ante eum omnes gentes et se-
25 parabit eos ab inuicem sicut pastor segregat obes ab ædis et statuet oues ad dextris suis ædos autem ad sinistris. Tunc dicet rex his qui ad dextris eius sunt: "Benite uenedicti patris mei possidete paratum uobis regnum a constitutione mundi. Esurii enim et dedisti
30 mihi manducare, sitibi et dedisti mihi potum, ospes eram et collexistis me, nudus et operuistis me, infirmus et uisitastis me, in carcerem eram et uenistis ad me."

VII

CHRISTIAN INSCRIPTIONS[1]

When no date is given it may be assumed that these inscriptions were composed no earlier than the fourth century. When known, the place of composition is given.

1. Flaviæ infanti dulcissimæ, quæ sa | na mente salutifero die Paschæ glo | riosi fontis gratiam con[sec]uta est, | supervixitque post baptismum sanctum || mensibus quinque. vix. ann. III, m. X, d. VII. Flavianus et Archelais parentes filiæ | piissimæ (fecerunt). | deposito XV Kalendas Septembres.

CIL III 9586. Spalato in Dalmatien.

2. Iuliæ Florentinæ infan(t)i dulcissimæ atq. in | nocentissimæ fideli factæ parens conlocavit. | quæ pridie nonas Martias ante lucem pagana | nata Zoilo corr. p.,[2] mense octavo decimo et vices [i] || ma secunda die completis fidelis[3] facta hora no | ctis octava ultimum spiritum agens supervixit | horis quattuor, ita ut consueta repeteret,[4] ac de | functa (est) Hyble hora die prima septimum kal. | Octobres. cuius occasum cum uterq. parens om || ni momento fleret, per noctem maiestatis vox extitit, quæ defunctam lamen <t> ari prohi | beret. cuius corpus pro foribus martyrorum cum | loculo suo per prosbiterum[5] humatu e. IIII non. Octbr.

CIL X 7112. Catania, fourth century.

[1] For volume references in CIL cf. *OLI* note 1.

[2] **corr. p. = corrector provinciæ.**

[3] **fidelis,** *Christian.*

[4] **ut consueta repeteret,** *so she received communion.*

[5] **per prosbiterum = a presbytero.** Cf. *Grammatical Survey.*

3. † hu[nc titulum scriptum] | si vis cog[nosce, via] | tor. hic req[uiescit in pace vene] | rabilis fem[ina . . .] || episcopa, q[uæ vix. pl. m. a . . .] | deb. in pace V [. . .] | [Ol]ibr(io) [v.c.] l. [c.].

CIL XI 4339. Terni in Umbrien, 491 or 526.

4. A X P Ω | ego Artemidora fe | ci viva me memori | am ad domnum || Synerotem inte | rantem ad dexte | ram inter Fortuna | tanem[6] et Disiderium | A X P Ω.

CIL III 10233. Sirmione.

5. hic requiescit in pace Duion. ancilla Ba | lentes, esponsa Dextri; deposita est III | idus Septb., consulatu d.n. Theodosio | Aug. XIII et Valentiniano Ag. bes ccss. adiu || ro per deum et per leges cresteanor., | ut quicumque extraneus voluerit al | terum corpus ponere voluerit, det eclisie catolice Sal. aur. — III.

CIL III 13124. Spalato, 426 or 430.

6. † ic requiescit in pace domna Bono | sa quix(it) ann. XXXXXX et domno Menna, | quixit [an]nos e abeat anat | ema a Iuda, si quis alterum (h)omine(m) sup || me posueri, anathema abeas da tri | centi decem et octo patriarche, | qui chanon[e]s esposuerun et da sca Xρi | [q]uatuor euguangelia.

7. R in nomine domini anno feliciter secundo regni
T
dom | ni nostri Erminigildi[7] regis, quem persequitur genetor | sus dom. Livvigildus rex in cibitate Ispa(lensi) ducti[8] Aione.

Found near Sevilla.

[6] **Fortunatanem** = **Fortunatam.** Cf. the Vulgar Latin declension: **nonna, nonnanem** > French, *nonne nonnain* and *Ved*, note 3.

[7] This inscription seems to refer to the pursuit of the Catholic Hermenegild by his Arian father, Leuvigild.

[8] **ducti** = **ductu** (by the direction of A.).

8. conditum hic | tumulom requi | escent membra | riginæ || Rasnehildi fi | mini, qui uixit in se | colum annus | XX uiginti et mensis | VI sex, ouiit in pace || ipsas ka. E‿<u>‿nias, et uir ipsius fi | mini titolum | posuit. [quiesce] in pa | ce!

CIL XIII 7660. Found at Carden, west of Coblenz.

9. † hic requiscunt men | bra ad duus fratres [9] | Gallo et Fidencio, qui fo | erunt fili Magno cl. et || uixerunt in pace [ann.] | XVIII. alii [. . .].

CIL XIII 2483. Found at Briord, east of Lyons.

10. † in hunc ti[tulo requiis] | cit filia inl[ustris Berti] | childi, cuius f[uit nomen] | Bertichild [is, que] || uixit in pa[ce de] | uote m[entis an] | nus XX, me[nses . . ., fecit] | cum uiro suo [in secu] | lo annus V, diæs [. . . morte se] || ua erepta [. . .] | testate [. . . preci] | puo uidue ko[rona . . .] | elemosina [. . .] cato<l>e<c>a [. . .].

CIL XIII 7526. Found near Bingen on the Rhine.

11. Secundinus mulomedicus | fecit sibi domum eterna.

CIL VI 9611. Rome.

12. locus Fortinati | confectorari

CIL VI 9278. Rome.

13. † ingenie uirtute cluins et nuuelis ortum [10]
occort hoc | tumulo Xρi. no. Felix
prbr, uir magnus, cleminx ac mente | benegnus,
abstutus argus dulcissimus aptus;

[9] **menbra ad duus fratres.** **Ad** indicates possession.

[10] The versification is worth noting. Not all lines are false (in spite of the spelling), but it is clear that the lengthening of the accented syllable is becoming very frequent. Cf. line 11 of this passage: **non et nuuiliur criscit ex mure parentum.** Yet the first line, **īngĕnĭē uīr | tūtĕ clū̆ | īns ēt nūuĕlīs ōrtum,** is quite classical.

ordene que rictu, uita | cometante beata,
gesisti sacrum prbr officio.
laudaelis et sapi || ensie legis,
consile magnas dum fenerares opes,
omnium potins, | passiins compascere litis
et ueruis anemis [11] pacefekare ferus. |
non et nuuiliur criscit ex mure parentum,
sperne dispectus suble | cetauet onor.
hinc egetur longa meruit sene crimine uita
et tum | propia sepe leuauit opem.
uixit in pace an. LV. obi. VX kl. Septebris || ind. III.
hoc ergo Amatus studuit conscriuere karmin,
c. antes | tetis est, Veseroncia, tuos.

CIL XIII 2477. Not earlier than 630. Found in the region of Vezeronce, Dept. of Isère, 30 miles east of Lyons.

14. hoc tegetur tomolo, qui | legis, intellege iacentem, |
diacon. Emellio nomine. |
ipse ter denus et lustra sic || gesserat annus,
set mors | inueda abstolit iouenim. |
uitam obiet sub die V kalend. | Augustas anno xxxvi rigni | [do]mi. Chlotharii regis.

CIL XIII 1483. Found in Clermont-Ferrand, either Clotaire I (511–561) or Clotaire II (584–629).

15. † hic requiescit in somno | pacis Guttus agolitus | sce æclesiæ Capuanæ. | qui uixit plus menus || an. XX et VIII. qui depo | situs e. sub die sal.

CIL X 4528. From the cemetery of Saint Priscus in Capua, Southern Italy.

16. d. m. | bene merenti filio Co | uoideoni, qui uixit | annos VIIII, mensis II, || dies VII. depositus V ka. |

[11] **anemis . . . ferus** = **animos feros,** object of **pacefekare.**

Ienuarias. recessit in pace fidelis. ☧ paren | tis dolientis contr | a uotu ficierunt.

CIL V suppl. ital. 341. Found near Aquileia.

17. b. † m. | hic requiescit in pac[e] | famola dei Politta, qu[e] | uixit in hoc seculo anu[s] || pl. m. LV. deposeta sub | die IIII idus Augustas | pc. Paulini iunioris | u.c. ind. XIII.

CIL V 5419. Found in Rome, 535.

18. ☧ | pax tecum | inter sanctis! | qui bisit min(sis) IIII. |

CIL XII 971. Found in Arles, Southern France.

19. Florentius Felix, | agneglus dei.

Found in Rome.

20. Filicitas in pace, | que bisit annus IIII, me | sesis IIII, diis II. deposita | VII kal̄. Sep. con(sulatu) Baleti(niani) et A<ui>e || ni.

Date, 450.

21. Aur. Tzucetzinus, qui uix | it annis duobus et menses | duos, die uno. anime dulcis. | parentes in pace fecerunt.

Rome.

22. maritus bene | merente Cass | anete uirginie, | qui uixit ann. XXVI || et dies I. fecit cum uircin | ium sunt ann. VI, mes | es X, dies X. disessit VI | idus Matias.

Rome.

23. hic in pace re | quiescit bone memoriæ [P]aulus, qui | uixit plus menus an[]ns XLIIII et obiet sub | die pride nonas Genoari | as indictione s[e]ptima | pos consolatum | itrum Mauur[ti]i.

CIL XII 934. Arles, 529.

24. hoc tetolo fecet Montana, | con<i>ux sua, Mauricio, qui ui | sit con elo annus dodece et | portauit annus qarranta. || trasit die VIII kl. Iunias | A☧Ω

CIL XIII 7645. Gondorf, Germany.

25. Gaudentius in pace, qui | uixit annis XX et VIII, | mesis cinque, dies | biginti, abet depos || so[n]e X kal. Octobres. b. <G>au | <d>enti, *et* in | pace.

Rome.

26. [in hu]nc s(e)pulhro | qiiscit Gen | uarius, qi uixxit | anus XXV [. . .]

CIL XIII 11919. Mainz on the Rhine.

27. † in n̄. δ̄ni ϵgo Formusanus conδ̄(am) una cum | coniugϵ *mϵa* Sufua sϵpulchrum istu | fieri rogabimus [12] pro rϵmϵdium anime | n̄re. et si aliouis sepulchru istuṃ || biolare bolueri, abea anathema | da patre et filiu et s̄cm s̄pm et cum | Iuda traditore abea portione.

Rome.

28. d. m. | Aurelius Nice | ta Aureliæ Ælia | neti, filiæ bene || merenti, fecit. | fossor, uide, ne | fodias! deus ma | gnu oclu abet, ui | de, et ut filios abes.

CIL VI 34635a. Rome.

29. Fl. Mallio Theodoro uc. | consule depositus As | terius XI kalendas | Octobris die Mercuris.

Rome, 399.

30. defu ☧ ncta | est b. m. Victo | ria II k. Mar | tias die sab || bato. Geminu | s maritus.

Abruzzi.

[12] **rogabimus = rogavimus.** Cf. also *Grammatical Survey*.

31. A☧ω
conditus hoc tumulo tegitur | Gregorius exul |
exulis et P[et]ri quem | posuer[e] manus. ||
qui tamen Hispana natus | tel<u>re supremum |
conplet Cadurcis morte | deflenda diem.

CIL XIII 1547. Cahors, Southern France.

32. domine Alexandre benemerenti, | que uixit ann. XXV. in pace dep. V kal. | Octob.

Rome.

33. † hic requiescit in pace bone | memorius Maurolenus, quim | rapuit mors inueda. cuius | infancia bona fuit. qui ui || xit annus plus menus | XXIII. obiit $\overline{\text{ka}}$. Madias $\overline{\text{indic}}$. III an. III rig. dom. | nost. Clottari regis.

Vienne, France, south of Lyons, probably 659.

34. † in hoc tumulo requiiscunt bene memorie |
Riculfus et iugalis sua Guntello, qui fuerunt |
insignis meritis, in amure sempir amici,
omneuos [13] abstuti, | passiins, dulcissimi, apti,
liuiri, onesti, iu<u>ans ac pecture, || mente pie.
utiletas eurum laudanda nemis, miranda uolon | tas.
transierunt ad ueram remeans e curpure uita, |
quen fili euorum cum lacrimis tumulauerunt dulu | re.

qui uixerunt in pace $\overline{\text{an}}$. LXV æ[. . . .], | obierunt in die $\overline{\text{sci}}$ Martini in[d. . . .].

CIL XIII 2484 Bugey, French Dep't. of Ain, east of Lyons.

[13] **omneuos = omnibus.** The phonetic evolution of this form seems to indicate that it was still alive.

VIII

MULOMEDICINA CHIRONIS

Chiro was the pseudonym of some practical veterinary of about the year 350 attached, perhaps, to the Roman army. Vegetius (fourth century) mentions him and corrects him in his own work on the same subject. The text was written in the first half of the fourth century, the manuscript being of the fifteenth.

HOW TO CURE SICKNESS IN HORSES

Nunc sequitur et hoc scire plenius, quomodo et
quibus eis subueniri possit ex omnibus succursionibus.
primum cum intellexerimus aliquam suspicionem morbi
in corpore inesse, sanguinis detractionem fieri oportet
5 de ceruice copiosum et de uenulis et de uisceribus uel
desub causa illius loci, ubi se humor morbi demon-
strauerit, sepissime de tempora et de palato propter
capitis coinquinacionem. et urere morbidos oportet sic:
palmas in ceruice aut in eandem causam et decusatim
10 <in> ilia aut graticulatim super renibus permixtis punc-
tis subrenalem curabimus, uel quibuscunque tumor ex
morbo increscens ustione uincitur. ita enim hic morbus
se ad corpora increscens ustione extinguitur uel sanguinis detractione siccatur. quare iubemus eos in
15 agrum proici, ut *a*uram et solem passi eandem similiter
curam eis prestent, ut ustio et sanguinis detractio. sol
exurendo omnem humorem huius morbi exiccat, aura
omnem corupcionem corporis et plectoriam sanguinis
et humoris plenitudinem, et stringit omnia, que ex
20 duplici racione calore uel rigore concipiuntur. contraria
sibi alterutrum omnibus rebus subueniu<n>t. prodest ei ergo pascere, ut, dum per exercitacionem cibum

pascue accipiunt uelocius, per indigestionem minus increscit morbus; vel dum intencione pascue adfectum uite intendunt, ex illa racione tristiciam illius morbi excludunt, dum ipsi sibi legunt herbas pascue premixtas et suo corpori aptas. inter quibus [utrumque] contingunt plurima contraria morbis, quas *d*um legunt herbas illi morbo contrarias, et fugit a corporibus eorum morbus. sic sepe sani fieri solent a pascua per longum tempus. eosque oportet et fumigare rebus austeris: | origano as*in*ali et aspalto et peucedanum et castoreo et oppoponaco. pocionibus quoque amaris et catarticis pocionabuntur, per quam amaritudinem amaritudo morbi expellitur. sunt autem hec pociones infra scripte, que morbo maleos prosunt.

IX

SAINT JEROME

Saint Jerome (340–420), one of the Fathers of the Latin Church, translated the Bible or corrected the already existing translations in the last quarter of the fourth century. This translation, known by the name of the *Vulgate*, is the official text of the Catholic Church. It was revised and restored by Alcuin at the order of Charlemagne. The best manuscript is of the ninth century. These selections are taken from the official text authorized by Pope Sixtus V. The first selection tells of the prophet Balaam who cannot utter a false prophecy against the Jews. In the second Isaiah is seen uttering prophecies against Egypt and Ethiopia. In the last selection Eleazar is seen killing King Antiochus' elephant and thus sacrificing his life to save his people. The books of the Bible from which these selections are taken are: *Liber Numerorum; Prophetia Isaiæ; Machabæorum.* The third selection, although anterior to Jerome, has been given here by way of comparison.

FROM THE *BIBLE*

1. *The Prophecy of Balaam*

Dixitque Balaam ad Balac: Ædifica mihi hic septem aras, et para totidem vitulos, ejusdemque numeri arietes.

Cumque fecisset juxta sermonem Balaam, imposue-
5 runt simul vitulum et arietem super aram.

Dixitque Balaam ad Balac: Sta paulisper juxta holocaustum tuum, donec vadam, si forte occurrat mihi Dominus, et quodcumque imperaverit, loquar tibi.

Cumque abiisset velociter, occurrit illi Deus. Lo-
10 cutusque ad eum Balaam: Septem, inquit, aras erexi, et imposui vitulum et arietem desuper.

Dominus autem posuit verbum in ore ejus, et ait: Revertere ad Balac, et hæc loqueris.

Reversus invenit stantem Balac juxta holocaustum
15 suum, et omnes principes Moabitarum:

Assumptaque parabola sua,[1] dixit: De Aram adduxit me Balac rex Moabitarum, de montibus Orientis: Veni, inquit, et maledic Jacob; propera, et detestare Israël.

20 Quomodo maledicam, cui non maledixit Deus? Qua ratione detester, quem Dominus non detestatur?

2. *The Prophecy of Isaiah*

In anno, quo ingressus est Tharthan in Azotum, cum misisset eum Sargon rex Assyriorum, et pugnasset contra Azotum, et cepisset eam;

25 In tempore illo locutus est Dominus in manu Isaiæ filii Amos, dicens: Vade, et solve saccum de lumbis tuis, et calceamenta tua tolle de pedibus tuis. Et fecit sic, vadens nudus, et discalceatus.

[1] Cf. French *ayant pris la parole.*

Et dixit Dominus: Sicut ambulavit servus meus Isaias nudus, et discalceatus, trium annorum signum et portentum erit super Ægyptum, et super Æthiopiam.

Sic minabit rex Assyriorum captivitatem Ægypti, et transmigrationem Æthiopiæ, juvenum et senum, nudam et discalceatam, discoopertis natibus ad ignominiam Ægypti. 5

Et timebunt, et confundentur ab Æthiopia spe sua, et ab Ægypto gloria sua. 10

Et dicet habitator insulæ hujus in die illa: Ecce hæc erat spes nostra, ad quos confugimus in auxilium, ut liberarent nos a facie regis Assyriorum; et quomodo effugere poterimus nos?

3. *The Heroic Sacrifice of Eleazar*

Et surrexit rex ante lucem, et concitavit exercitus in impetum contra viam Bethzacharam; et comparaverunt se exercitus in prælium, et tubis cecinerunt; 15

Et elephantis ostenderunt sanguinem uvae et mori, ad acuendos eos in prælium;

Et diviserunt bestias per legiones; et astiterunt singulis elephantis mille viri in loricis concatenatis, et galeæ æreæ in capitibus eorum; et quingenti equites ordinati unicuique bestiæ electi erant. 20

Hi ante tempus ubicumque erat bestia, ibi erant; et quocumque ibat, ibant, et non discedebant ab ea. 25

Sed et turres ligneæ super eos firmæ protegentes super singulas bestias; et super eas machinæ; et super singulas viri virtutis triginta duo qui pugnabant desuper; et Indus magister bestiæ.

Et residuum equitatum hinc et inde statuit in duas partes, tubis exercitum commovere, et perurgere constipatos in legionibus ejus. 30

Et ut refulsit sol in clypeos aureos, et æreos, et resplenduerunt montes ab eis et resplenduerunt sicut lampades ignis.

Et distincta est pars exercitus regis per montes excelsos, et alia per loca humilia; et ibant caute et 5 ordinate.

Et commovebantur omnes inhabitantes terram a voce multitudinis, et incessu turbæ, et collisione armorum; erat enim exercitus magnus valde, et fortis.

Et appropiavit Judas, et exercitus ejus in prælium; 10 et ceciderunt de exercitu regis sexcenti viri.

Et vidit Eleazar filius Saura unam de bestiis loricatam loricis regis; et erat eminens super cæteras bestias; et visum est ei quod in ea esset rex;

Et dedit se ut liberaret populum suum, et acquireret 15 sibi nomen æternum.

Et cucurrit ad eam audacter in medio legionis, interficiens a dextris et a sinistris, et cadebant ab eo huc atque illuc.

Et ivit sub pedes elephantis, et supposuit se ei, et 20 occidit eum; et cecidit in terram super ipsum, et mortuus est illuc.

X

SAINT AMBROSE

Saint Ambrose, bishop of Milan, was born in Southern France in the year 340 and died in 397. In the first selection Ambrose, in true mediæval style, uses natural history to explain spiritual truths. In the *Morning Hymn* he shows us how the true believer sees the work and truth of God in all phases of the dawn, the crowing cock, the rosy light, etc.; and he ends by praying that just as darkness is lifted from the earth, so may the light of Heaven shine in our souls. In the *Christmas Hymn* Ambrose explains the orthodox doctrine of the birth of Christ and his nature. This is one of the most popular hymns of the fifth century and the first of the Christmas songs of the Church of the Orient. Both hymns are written in the octosyllabic acatalectic iambic dimeter, the 'Ambrosian meter,' known, however, before him. Its ideal type is; *Deus redem- | ptor omnium*, called acatalectic because the last foot (dipod) is complete. In other hymns, *Magna et mirabilia* of the seventh century, *Clara ecce intonat* of the eighth, the metric accent, ictus, will fall on a short as well as on a long vowel, and there will be an hiatus. The rhythmic syllabic character of the poetry of Ambrose marks in reality the beginning of Romance versification, not because it was not known before him, but because of his constant adherence to the system on account of its popularity and effectiveness with the mass of the faithful who sang those hymns. Thus did he teach the Christian doctrine in a most convincing and popular manner.

RUSE OF THE PARTRIDGE

AMBROSIUS IRENÆO SALUTEM

"Clamavit perdix, congregavit quæ non peperit."[1] Licet enim mihi de superioris fine epistolæ, sequentis mutuari exordium. Celeberrima questio; et ideo ut possimus eam absolvere, quid de natura avis istius habeat historia, consideremus. Nam et hoc considerare 5 non mediocris prudentiæ est, siquidem et Salomon cognovit naturas animalium, et locutus est de pecoribus, et volatilibus, et de reptilibus, et de piscibus.

Dicitur itaque avis ista plena esse doli, fraudis, fallaciæ, quae decipiendi venatoris vias calleat, atque 10 artes noverit, ut eum a pullis avertat suis: omniaque tentamenta versutiæ non prætermittere, quo possit venantem abducere a nido et cubilibus suis. Certe si

[1] The quotation is from *Jeremiah* XVII, 11. The *Vulgate* of Saint Jerome has: **Perdix fovit quæ non peperit.**

insistere adverterit, tandiu illudit, quandiu soboli fugiendi signum tribuat et potestatem. Quam ubi evasisse senserit, tunc se et ipsa subtrahit, et lubrica arte deceptum insidiantem relinquit.

5 Fertur etiam promiscuæ esse permistionis, ut in feminas cum summo certamine mares irruant, et vaga calescant libidine. Unde impurum et malevolum et fraudulentum animal adversario et circumscriptori generis humani, fallacissimoque, et impuritatis auctori 10 conferendum putatur.

MORNING HYMN

1. Æterne rerum conditor,
Noctem diemque qui regis
Et temporum das tempora,
Ut alleves fastidium!

15 2. Præco diei iam sonat,
Noctis profundæ pervigil,
Nocturna lux viantibus
Ac nocte noctem segregans.

3. Hoc excitatus lucifer,
20 Solvit polum caligine,
Hoc omnis errorum chorus
Viam nocendi deserit.

4. Hoc nauta vires colligit
Pontique mitescunt freta;
25 Hoc ipsa petra ecclesiæ
Canente culpam diluit.

5. Surgamus ergo strenue,
Gallus jacentes excitat
Et somnolentos increpat,
30 Gallus negantes arguit.

6. Gallo canente spes redit,
Ægris salus infunditur;
Mucro latronis conditur,
Lapsis fides revertitur.

35 7. Jesu labantes respice
Et nos videndo corrige:
Si respicis lapsi stabunt
Fletuque culpa solvitur.

8. Tu lux refulge sensibus
40 Mentisque somnum discute,
Te nostra vox primum sonet
Et vota solvamus tibi.

CHRISTMAS HYMN

1. Veni redemptor gentium,
Ostende partum virginis,
Miretur omne sæculum:
Talis decet partus Deum.

2. Non ex virili semine, 5
Sed mystico spiramine,
Verbum Dei factum est caro
Fructusque ventris floruit.

3. Alvus tumescit virginis,
Claustrum pudoris permanet; 10
Vexilla virtutum micant,
Versatur in templo Deus.

4. Procedit [2] e thalamo suo,
Pudoris aula regia,
Geminæ gigas substantiæ, 15
Alacris ut currat viam.

5. Egressus ejus a patre,
Regressus ejus ad patrem,
Excursus usque ad inferos,
Recursus ad sedem Dei! 20

6. Æqualis æterno patri
Carnis tropæo accingere,
Infirma nostri corporis
Virtute firmans perpeti.

7. Præsepe jam fulget tuum 25
Lumenque nox spirat novum,
Quod nulla nox interpolet
Fideque jugi luceat.

[2] **Prōcē | dĭt ē | thălămō sŭō**
Gĕmĭnǣ gĭgās sūbstāntĭǣ.

These lines have nine syllables and prove how classical quantity is quite alive in the verse of Ambrose. Classical is also the contrast between the word accent and the metric accent, e.g.: **gĕmĭnǣ gĭgās**, metric accent on –**nǣ** and –**gās** respectively, word accent on **gĕ**– and **gĭ**–.

XI

SEDULIUS

Of Sedulius little is known. He was probably born at Rome and lived there between the years 423 and 465. The hymn included here is written in iambic acatalectic dimeters. It sings of the birth, life and death of Christ and shows how he was both God and man. There are twenty-three stanzas forming an *ABCdarius*, each verse beginning with a letter of the alphabet. Only the first seven verses are given here. Features of versification interesting for later Romance developments appear now in greater quantity. Far less frequent than in Ambrosius is the classical contrast between metric and word accents. In fact, both coincide frequently. Also with Sedulius rhythmical forms make their appearance, forms which will be in great vogue later, principally in his *Elegia*. Note, for instance, the following distich from it with triolet repetition: *Sola fuit mulier, patuit qua janua leto; Ei qua vita redit, sola fuit mulier* (lines 7 and 8).

CHRISTMAS HYMN

1. A solis ortus cardine
Ad usque terræ limitem
Christum canamus principem
Natum Maria virgine.

5 2. Beatus auctor sæculi
Servile corpus induit,
Ut, carnem carne liberans
Ne perderet quod condidit.

3. Clausæ parentis viscera
10 Cœlestis intrat gratia:
Venter puellæ baiulat
Secreta quæ non noverat.

4. Domus pudici pectoris
Templum repente fit dei:
15 Intacta, nesciens virum
Verbo concepit filium.

5. Enixa est puerpera,
Quem Gabriel prædixerat,
Quem matris alvo gestiens
20 Clausus Joannes senserat.

6. Fœno iacere pertulit,
Præsepe non abhorruit
Parvoque lacte pastus est
Per quem nec ales esurit.

7. Gaudet chorum cœlestium
Et angeli canunt deo,
Palamque fit pastoribus
Pastor, creator omnium.

XII

ANONYMOUS

The following hymn, to be sung at Vespers, was already known in the sixth century. It is written in iambic dimeters.

The Bishop of Arles under King Childebert in the first half of the sixth century prescribed that this hymn should be sung every other day to alternate with the hymn of Ambrosius: *Deus creator omnium.* Observe that the classical quantity is still correct, although the verse ictus and the word accent conflict much less than formerly.

AD LUCERNARIUM

(*Evening Hymn*)

1. Deus qui certis legibus
Noctem discernis ac diem,
Ut fessa curis corpora
Somnus relaxet otio, 5

2. Te noctis inter horridæ
Tempus precamur, ut, sopor
Mentem dum fessam detinet,
Fidei lux illuminet. 10

3. Hostis ne fallax incitet
Lascivis curis, gaudiis,
Secreta noctis advocans 15
Blandos in æstus corporis.

4. Subrepat nullus sensui
Horror timoris anxii
Illudat mentem nec vagam
Fallax imago visuum. 20

5. Sed cum profundus vinxerit
Somnus curarum nescius,
Fides nequaquam dormiat,
Vigil te sensus somniet.

XIII

SAINT AUGUSTINE

Saint Augustine, bishop of Hippo and one of the most famous of the Church Fathers, was born in the year 354 in North Africa and died in 430. His *Civitas Dei*, particularly, is well known, as are his sermons. In the first selection he gives an interesting rule by which bodies of Saints are discovered, a rule which will hold throughout the mediæval period — through revelation God indicates when he wishes a Saint's body to be found. In the *Psalm ABCdarius*, written against the heretic Donatus, he expounds orthodox doctrines in verse. Donatus, bishop of Carthage in the year 315, held that those Christians who had weakened in their faith during the persecution of Diocletian were guilty of an unpardonable crime. He went even farther in his fanaticism and said that all those (i.e. the Church at large) who had shown indulgence to men of wavering conviction, after the triumph of Constantine, were traitors to the faith. The whole Church disagreed with him. The fanaticism of the followers of Donatus went beyond all bounds. It led them to an extraordinary craving for martyrdom and a system of provocation of the authorities in order to achieve their end. Augustine's efforts reduced this sect to insignificance. This psalm, which he caused his flock to sing and learn by heart, was one of the most effective means used to disorganize and convert the fanatics. To understand the last two stanzas, it must be remembered that the followers of Donatus held that the sacraments administered to or by those they considered as outside the pale of the Church, in other words, all except rigorists like themselves, were invalid.

The verse is not metrical but rhythmical, so as to appeal to a people less cultured than that of Ambrose. Each line consists of sixteen syllables, the last of which ends in unaccented *e;* and as the rhythm is a faulty trochaic, it can be compared to a trochaic acatalectic tetrameter. The rhythm is based on accent with one rhyme for the whole poem. Each *laisse* begins with a letter of the alphabet and is followed by a refrain, the technique being reminiscent of the *chansons de geste*. There are twenty verses, only those beginning with A, B, C, R and S being included here.

DISCOVERY OF THE BODY OF ST. STEPHEN

Exspectat Sanctitas vestra scire quid hodie in isto loco positum sit. Reliquiæ sunt primi et beatissimi martyris Stephani. Audistis, cum passionis ejus lectio legeretur de libro canonico Actuum Apostolorum, quemadmodum lapidatus sit a Judæis, quemadmodum 5 Domino commendaverit spiritum suum, quemadmodum etiam in extremo genibus fixis oraverit pro lapidatoribus suis. Hujus corpus ex illo usque ad ista tempora latuit; nuper autem apparuit, sicut solent apparere sanctorum corpora martyrum, revelatione Dei, quando 10 placuit Creatori. Sic ante aliquot annos, nobis juvenibus apud[1] Mediolanum constitutis, apparuerunt corpora sanctorum martyrum Gervasii et Protasii. Scitis quod Gervasius et Protasius longe posterius passi sunt, quam beatissimus Stephanus. Quare ergo illorum prius, et 15 hujus postea? Nemo disputet: voluntas Dei fidem quærit, non quæstionem. Verum autem revelatum fuit ei, qui res ipsas inventas monstravit. Præcedentibus enim signis locus demonstratus est; et quomodo fuerat revelatum, sic et inventum est. Multi inde 20 reliquias acceperunt, quia Deus voluit, et huc venerunt. Commendatur ergo Charitati vestræ et locus et dies: utrumque celebrandum in honorem Dei, quem confessus est Stephanus. Nos enim in isto loco non aram fecimus Stephano, sed de reliquiis Stephani aram Deo. 25 Grata sunt Deo hujusmodi altaria. Quæris quare?

[1] Note the incorrect use of **apud** before the name of a town.

Quia *pretiosa in conspectu Domini mors sanctorum ejus.*[2] Redempti sunt sanguine, qui sanguinem pro Redemptore fuderunt. Ille fudit, ut eorum salus redimeretur: illi fuderunt, ut Evangelium ejus diffa-
5 maretur. Reddiderunt vicem, sed non de suo: ut enim hoc possent, ille donavit; et ut fieret quod ab ipsis fieri potuit, ille donavit. Exhibendo dignationem dedit occasionem. Factum est, passi sunt, calcaverant mundum.

PSALM ABCDARIUS

10 Omnes qui gaudetis de pace, modo verum iudicate.
Abundantia peccatorum solet fratres conturbare:
Propter hoc Dominus noster voluit nos præmonere,
Comparans regnum cœlorum reticulo misso in mare.
Congreganti multos pisces, omne genus, hinc et inde.
15 Quos cum traxissent ad littus, tunc cœperunt separare:
Bonos in vasa miserunt; reliquos malos, in mare.
Quisquis novit Evangelium, recognoscat cum timore.
Videt reticulum Ecclesiam, videt hoc sæculum mare.
Genus autem mixtum piscis, justus est cum peccatore.
20 Sæculi finis est littus: tunc est tempus separare.
Quando retia ruperunt, multum dilexerunt mare.
Vasa sunt sedes sanctorum, quo non possunt pervenire.
Omnes qui gaudetis de pace, modo verum judicate.

* * *

Bonus auditor fortasse quærit, Qui ruperunt rete?
25 Homines multum superbi, qui justos se dicunt esse.
Sic fecerunt scissuram, et altare contra altare.
Diabolo se tradiderunt, cum pugnant de traditione,
Et crimen quod commiserunt, in alios volunt transferre:
Ipsi tradiderunt Libros, et nos audent accusare,
30 Ut pejus committant scelus, quam commiserunt et ante.

[2] The quotation is from *Psalm CXV*, 15, the text being the same as that of the *Vulgate*.

Quod possent causam Librorum excusare de timore,
Quod Petrus Christum negavit, dum terreretur de morte:
Modo quo pacto excusabunt factum altare contra altare?
Et pace Christi conscissa spem ponunt in homine?
Quod persecutio non fecit, ipsi fecerunt in pace. 5
Omnes qui gaudetis de pace, modo verum judicate.

* * *

Custos noster, Deus magne, tu nos potes liberare
A pseudoprophetis istis, qui nos quærunt devorare.
Maledictum cor lupinum contegunt ovina pelle:
Qui noverunt Scripturas, hos solent circumvenire. 10
Audiunt enim traditores, et nesciunt quod gestum est ante.
Quibus si dicam, Probate, non habent quid respondere.[3]
Suis se dicunt credidisse; dico ego mentitos esse:
Quia et nos credimus nostris, qui eos dicunt tradidisse.
Vis nosse qui dicant falsum? Qui non sunt in unitate. 15
Olim jam causa finita est, quod vos non statis in pace.
Omnes qui gaudetis de pace, modo verum judicate.

* * *

Rogo, respondete nobis, quid vultis rebaptizare?
Lapsos sacerdotes vestros pellitis a communione:
Et nemo tamen post illos ausus est rebaptizare; 20
Et quoscumque baptizarunt, vobis communicant hodie.
Quid ab iis acceperunt, si non habebant quid dare?
Legite quomodo adulteri puniantur in sancta lege.
Non enim dicere possunt quod peccarunt a timore.
Si sancti soli baptizant, post istos rebaptizate. 25
Quid calumniamini nobis, quia sumus in unitate,
Qui nondum eramus nati in illa persecutione?

[3] Note the Romance syntax: *Ils n'ont* (*ils ne savent*) *que répondre*, instead of **responderent.**

Scriptum est, peccata patrum ad filios non pertinere
Sed nemo dat fructum bonum, si præcisus est de vite.
Omnes qui gaudetis de pace, modo verum judicate.

* * *

Scitis Catholica quid sit, et quid sit præcisum a vite:
5 Si qui sunt inter vos cauti, veniant, vivant in radice;
Antequam nimis arescant, jam liberentur ab igne.
Ideo non rebaptizamus, quod unum signum est in fide:
Non quia vos sanctos videmus, sed solam formam tenere.
Quia ipsam formam habet sarmentum, quod præcisum est de vite.
10 Sed quid illi prodest forma, si non vivit de radice?
Venite, fratres, si vultis ut inseramini in vite.
Dolor est cum vos videmus præcisos ita jacere.
Numerate sacerdotes vel ab ipsa Petri sede.
Et in ordine illo patrum quis cui successit, videte:
15 Ipsa est petra, quam non vincunt superbæ inferorum portæ.
Omnes qui gaudetis de pace, modo verum judicate.

XIV

SYLVIA

Sylvia or Ætheria (Egeria) was probably a nun of Southern France or Spain, of mediocre education and intelligence. Her story, a tourist's recital and one of the earliest tales of a pilgrimage to the Holy Land, is full of interesting details of the scenery and incidents of her trip and current legends. The manuscript of the eleventh century was written at Monte Cassino; the date of composition has been set from the year 380 to 540. The number of demonstratives used by Sylvia when she is emotionally stirred in describing holy places is particularly noteworthy. This increase in the use of demonstratives announces the coming of the article, although nowhere in this selection can it be said that a real article exists.

PEREGRINATIO AD LOCA SANCTA

1. *Legend of St. Thomas at Edessa*

Ac sic denuo faciens iter per mansiones aliquot perueni ad ciuitatem, cuius nomen in scripturis positum legimus, id est Batanis, quæ ciuitas usque in hodie est. Nam et ecclesia cum episcopo uere sancto et monacho et confessore habet et martyria aliquanta. Ipsa etiam 5 ciuitas habundans multitudine hominum est; nam et miles ibi[1] sedet cum tribuno suo. Unde denuo proficiscens, peruenimus in nomine Christi Dei nostri Edessam. Ubi cum peruenissemus, statim perreximus ad ecclesiam et ad martyrium sancti Thomæ. Itaque 10 ergo iuxta consuetudinem factis orationibus et cetera, quæ consuetudo erat fieri in locis sanctis, nec non etiam et aliquanta ipsius sancti Thomæ ibi legimus. Ecclesia autem, ibi[1] que est, ingens et ualde pulchra et noua dispositione, ut uere digna est esse domus Dei; et 15 quoniam multa erant, quæ ibi[1] desiderabam uidere, necesse me fuit ibi[1] statiua triduana facere. Ac sic ergo uidi in eadem ciuitatem martyria plurima nec non et sanctos monachos, commanentes alios per martyria, alios longius de ciuitate in secretioribus locis habentes 20 monasteria. Et quoniam sanctus episcopus ipsius ciuitatis, vir uere religiosus et monachus et confessor, suscipiens me libenter ait michi: "Quoniam uideo te, filia, gratia religionis tam magnum laborem tibi imposuisse, ut de extremis porro terris uenires ad hæc 25 loca, itaque ergo, si libenter habes, quæcumque loca sunt hic grata ad uidendum Christianis, ostendimus tibi": tunc ergo gratias agens Deo primum et sic ipsi rogaui plurimum, ut dignaretur facere quod dicebat.

[1] Note the repeated Romance use of **ibi,** like French *y,* Italian *vi.*

Itaque ergo duxit me primum ad palatium Aggari regis et ibi [2] ostendit michi archiotepam ipsius ingens [3] simillimam, ut ipsi dicebant, marmoream, tanti nitoris ac si de margarita esset; in cuius Aggari uultu parebat
5 de contra uere fuisse hunc uirum satis [4] sapientem et honoratum. Tunc ait mihi sanctus episcopus: "Ecce rex Aggarus, qui antequam uideret Dominum, credidit ei, quia [5] esset uere filius Dei." Nam erat et iuxta archiotipa [6] similiter de tali marmore facta, quam dixit
10 filii ipsius esse Magni, similiter et ipsa habens aliquid gratiæ in uultu. Item perintrauimus in interiori parte palatii; et ibi erant fontes piscibus pleni, quales ego adhuc nunquam uidi, id est tantæ magnitudinis uel tam perlustres aut tam boni saporis. Nam ipsa ciuitas
15 aliam aquam penitus non habet nunc nisi eam, quæ de palatio exit, quæ est ac si fluuius ingens argenteus. Et tunc retulit michi de ipsa aqua sic sanctus episcopus dicens: "Quodam tempore, posteaquam scripserat Aggarus rex ad Dominum et Dominus rescripserat
20 Aggaro per Ananiam cursorem, sicut scriptum est in ipsa epistola: transacto ergo aliquanto tempore superueniunt Perse et girant [7] ciuitatem istam. Sed statim Aggarus epistolam Domini ferens ad portam cum omni exercitu suo publice orauit. Et post dixit: "Domine
25 Iesu, tu promiseras nobis, ne aliquis hostium ingrederetur ciuitatem istam, et ecce nunc Persæ inpugnant

[2] See footnote 1, page 125.

[3] **Ingens** here is made invariable by the author.

[4] **Satis** here seems to have the Romance meaning of 'much'; cf. Italian *assai*.

[5] **quia** = **ut**. Cf. *Euf*, note 6.

[6] Evidently pagan statuary thus made to illustrate Christian legend, a process well known in mediæval legend.

[7] Notice the frequent use of this word, **pergiro, pergirare,** etc., which will contribute to the semantic evolution of **vibrare** > **virer.** Cf. French *environ.*

nos." Quod cum dixisset tenens manibus leuatis epistolam ipsam apertam rex, ad subito tantæ tenebræ factæ sunt, foras ciuitatem tamen ante oculos Persarum, cum iam prope plicarent ciuitati, ita ut usque tertium miliarium de ciuitate essent: sed ita mox tenebris turbati 5 sunt, ut uix castra ponerent et pergirarent in miliario tertio totam ciuitatem. Ita autem turbati sunt Persæ, ut nunquam uiderent postea, qua parte in ciuitate ingrederentur, sed custodirent ciuitatem per giro clusam hostibus in miliario tamen tertio, quam tamen custo- 10 dierunt mensibus aliquod. Postmodum autem, cum uiderent se nullo modo posse ingredi in ciuitatem, voluerunt siti eos occidere, qui in ciuitate erant. Nam monticulum istum, quem uides, filia, super ciuitate hac, in illo tempore ipse huic ciuitati aquam ministra- 15 bat. Tunc uidentes hoc Persæ auerterunt ipsam aquam a ciuitate et fecerunt ei decursum contra ipso loco, ubi ipsi castra posita habebant. In ea ergo die et in ea hora, qua auerterant Persæ aquam, statim hii fontes, quos uides in eo loco, iusso Dei a semel [8] eruperunt: ex ea 20 die hi fontes usque in hodie permanent hic gratia Dei. Illa autem aqua, quam Persæ auerterant, ita siccata est in ea hora, ut nec ipsi haberent uel una die quod biberent, qui obsedebant ciuitatem, sicut tamen et usque in hodie apparet; nam postea nunquam nec 25 qualiscumque humor ibi apparuit usque in hodie. Ac sic iubente Deo, qui hoc promiserat futurum, necesse fuit eos statim reuerti ad sua, id est in Persida. Nam et postmodum quotienscumque uoluerunt uenire et expugnare hanc ciuitatem hostes, hæc epistola prolata 30 est et lecta est in porta, et statim nutu Dei expulsi sunt omnes hostes." Illud etiam retulit sanctus episcopus eo quod hii fontes ubi erup[ei]erunt, ante sic

[8] Observe the interesting combination of preposition and adverb: *at once.*

fuerit campus intra ciuitatem subiacens palatio Aggari. Quod palatium Aggari quasi in editiori loco positum erat, sicut et nunc paret, ut uides. Nam consuetudo talis erat in illo tempore, ut palatia, quotiensque
5 fabricabantur, semper in editioribus locis fierent. Sed postmodum quam hii fontes in eo loco eruperunt, tunc ipse Aggarus filio suo Magno, id est isti, cuius archiotipa uides iuxta patre posita, hoc palatium fecit in eo loco, ita tamen ut hii fontes intra palatium include-
10 rentur.

2. *The Church of the Cross in Jerusalem*

"Benedictus, qui uenit in nomine Domini" et cetera quæ secuntur. Et quoniam pro monazontes, qui pedibus uadent,[9] necesse est lenius iri: ac sic peruenitur in Ierusolima ea hora, qua incipit homo hominem posse
15 cognoscere, id est prope luce, ante tamen quam lux fiat. Ubi cum peruentum fuerit, statim sic in A*na*stase ingreditur episcopus et omnes cum eo, ubi luminaria iam supra modo lucent. Dicitur ergo ibi unus psalmus, fit oratio, benedicuntur ab episcopo primum cathe-
20 cumini, item fideles. Recipit se episcopus et uadent[9] se unusquisque ad ospitium suum, ut se resumant. Monazontes autem usque ad lucem ibi sunt et ymnos dicunt. At ubi autem resumpserit se populus, hora incipiente secunda colligent[9] se omnes in ecclesia
25 maiore, quæ est in Golgotha. Qui autem ornatus sit illa die ecclesiæ uel Anastasis aut Crucis aut in Bethleem, superfluum fuit scribi. Ubi extra aurum et gemmas aut sirico nichil aliud uides; nam et si uela uides, auroclaua oleserica sunt, si cortinas uides, similiter

[9] **vadent** for **vadunt, colligent** for **colligunt** are evident signs of the confusion of second and third conjugations. For **vadent se,** cf. *Grammatical Survey.*

auroclaue oleserica sunt. Ministerium[10] autem omne genus aureum gemmatum profertur illa die. Numerus autem uel ponderatio de ceriofalis uel cicindelis aut lucernis uel diuerso ministerio[10] nunquid uel extimari aut scribi potest? Nam quid dicam de ornatu fabricæ ipsius, quam Constantinus sub præsentia matris suæ,[11] in quantum uires regni sui habuit, hornauit auro, musiuo et marmore pretioso, tam ecclesiam maiorem quam Anastasim uel ad Crucem uel cetera loca sancta in Ierusolima?

3. *Good Friday in Jerusalem*

Item quinta feria aguntur ea de pullo primo, quæ consuetudinis est usque ad mane ad Anastase; similiter ad tertia et ad sexta. Octaua autem hora iuxta consuetudinem ad Martyrium colliget se omnis populus, propterea autem temporius quam ceteris diebus, quia citius missa fieri necesse est. Itaque ergo collecto omni populo aguntur, quæ agenda sunt; fit ipsa die oblatio ad Martyrium et facitur missa hora forsitan decima ibidem. Antea autem quam fiat missa, mittet uocem archidiaconus et dicet: "Hora prima noctis omnes in ecclesia, quæ est in Eleona, conueniamus, quoniam maximus labor nobis instat hodie nocte ista." Facta ergo missa Martyrii uenit*ur* post Crucem, dicitur ibi unus ymnus tantum, fit oratio et offeret episcopus ibi oblationem et communicant omnes. Excepta enim ipsa die una per totum annum nunquam offeritur post Crucem, nisi ipsa die tantum. Facta ergo et ibi missa itur ad Anastase, fit oratio, benedicuntur iuxta consuetudinem

[10] Note that **ministerium,** *Church apparatus,* has already the meaning it will have throughout the Middle Ages.

[11] Constantine's mother, Saint Helena, 'the discoverer of the true Cross of Jesus,' built the Church of the Holy Sepulchre (Anastasis), and that of the Nativity about the year 325.

cathecumini et sic fideles et fit missa. Et sic unusquisque festinat reuerti in domum suam, ut manducet, quia statim ut manducauerint, omnes uadent in Eleona in ecclesia ea, in qua est spelunca, in qua ipsa die
5 Dominus cum apostolis fuit. Et ibi usque ad hora noctis forsitan quinta semper aut ymni aut antiphonæ apte diei et loco, similiter et lectiones dicuntur; interpositæ orationes fiunt; loca etiam ea de euangelio leguntur, in quibus Dominus allocutus est discipulos
10 eadem die sedens in eadem spelunca, quæ in ipsa ecclesia est. Et inde iam hora noctis forsitan sexta itur susu in Imbomon cum ymnis in eo loco, unde ascendit Dominus in cælis. Et ibi denuo similiter lectiones et ymni et antiphonæ aptæ diei dicuntur; ora-
15 tiones etiam ipsæ quecumque fiunt, quas dicet episcopus, semper et diei et loco aptas dicet. Ac sic ergo cum ceperit esse pullorum cantus, descenditur de Imbomon cum ymnis et acced*itur* eodem loco, ubi orauit Dominus, sicut scriptum est in euangelio: "Et accessit
20 quantum iactus lapidis et orauit" [12] et cetera. In eo enim loco ecclesia est elegans. Ingreditur ibi episcopus et omnis populus, dicitur ibi oratio apta loco et diei, dicitur etiam unus ymnus aptus et legitur ipse locus de euangelio, ubi dixit discipulis suis: "Vigilate, ne
25 intretis in temptationem." Et omnis ipse locus perlegitur ibi et fit denuo oratio. Et iam inde cum ymnis usque ad minimus infans [13] in Gessamani pedibus cum episcopo descendent, ubi præ tam magna turba multitudinis et fatigati de uigiliis et ieiuniis cotidianis lassi,

[12] This passage in the *Vulgate* of Jerome reads: **Et progressus pusillum procidit in faciem suam, orans et dicens.** Ætheria does not use the *Vulgate* which, in fact, will not become the exclusive official text of the Bible until Alcuin's edition at the end of the eighth century.

[13] Observe the nominative, because the meaning of **usque ad** is *even.*

quia tam magnum montem necesse habent descendere, lente et lente cum ymnis uenitur in Gessamani. Candelæ autem ecclesiasticæ super ducentæ paratæ sunt propter lumen omni populo. Cum ergo peruentum fuerit in Gessamani, fit primum oratio apta, sic 5 dicitur ymnus; item legitur ille locus de euangelio, ubi comprehensus est Dominus. Qui locus ad quod lectus fuerit, tantus rugitus et mugitus totius populi est cum fletu, ut forsitan porro ad ciuitatem gemitus populi omnis auditus sit.[14] Et iam ex illa hora hitur 10 ad ciuitatem pedibus cum ymnis, peruenitur ad portam ea hora, qua incipit quasi homo hominem cognoscere; inde totum per mediam ciuitatem omnes usque ad unum, maiores atque minores, diuites, pauperes, toti ibi parati, specialiter illa die nullus recedit a uigiliis 15 usque in mane. Sic deducitur episcopus a Gessemani usque ad portam et inde per totam ciuitate usque ad Crucem. Ante Crucem autem at ubi uentum fuerit, iam lux quasi clara incipit esse. Ibi denuo legitur ille locus de euangelio, ubi adducitur Dominus ad Pilatum, 20 et omnia, quæcumque scripta sunt Pilatum ad Dominum dixisse aut ad Iudeos, totum legitur. Postmodum autem alloquitur episcopus populum confortans eos, quoniam et tota nocte laborauerint et adhuc laboraturi

[14] All commentators have seen in this **auditus sit** a proof of the new Romance passive. Convinced as they are that the Romance analytical passive exists, they take this for a (very rare) example of it. But it is more natural to see in this use a case of mistake of tenses (Cf. *Grammatical Survey*). **Qui . . . sit** means 'As soon as the passage of the Scripture *shall have been read*, there *is* such a roaring and shouting of all the people accompanied by tears that perhaps it *was heard* as far as the city.' The reason for the past tense here is that the noise, on the particular day when Ætheria was there, was heard that far. Instinctively she does not want to make it a rule that it is heard at that distance every time. Notice in line 7 above: **comprehensus est,** *was taken*, not **comprehensus fuit.**

sint ipsa die, ut non lassentur sed habeant spem in Deo, qui eis pro eo labore maiorem mercedem redditurus sit. Et sic confortan[te]s eos, ut potest ipse, alloquens dicit eis: "Ite interim nunc unusquisque ad
5 domumcellas uestras, sedete uobis [15] et modico, et ad horam prope secundam diei omnes parati estote hic, ut de ea hora usque ad sexta sanctum lignum crucis possitis uidere ad salutem sibi unusquisque nostrum credens profuturum. De hora enim sexta denuo necesse
10 habemus hic omnes conuenire in isto loco, id est ante Crucem, ut lectionibus et orationibus usque ad noctem operam demus." Post hoc ergo missa | facta de Cruce, id est antequam sol procedat, statim unusquisque animosi uadent in Syon orare [16] ad columnam illam,
15 ad quem flagellatus est Dominus. Inde reuersi sedent modice in domibus suis et statim toti [17] parati sunt. Et sic ponitur cathedra episcopo in Golgotha post Crucem, quæ stat nunc; residet episcopus in cathedra; ponitur ante eum mensa sublinteata; stant in giro
20 mensa [18] diacones [19] et affertur loculus argenteus deauratus, in quo est lignum sanctum crucis, aperitur et profertur, ponitur in mensa tam lignum crucis quam titulus. Cum ergo positum fuerit in mensa, episcopus sedens de manibus suis summitates de ligno sancto premet,
25 diacones [19] autem, qui in giro stant, custodent.[20] Hoc

[15] **Sedete vobis** shows the reflexive use of neuter verbs. Cf. French *asseyez-vous*.

[16] **vadent . . . orare.** The Classical Latin would read **vadunt oratum.**

[17] **Toti** = French *tous*.

[18] **in giro mensa,** *around the table.* New Romance prepositions are thus formed; ex. *environ*.

[19] **diacones** = **diaconi,** as if the declension were **diaco, diaconis.**

[20] **custodent** = **custodiunt,** a change in conjugation. The number of verbs of the third conjugation is increasing greatly,

autem propterea sic custoditur, quia consuetudo est, ut unus et unus omnis populus ueniens, tam fideles quam cathecumini, acclinant*es* se ad mensam osculentur sanctum lignum et pertranseant. Et quoniam nescio quando dicitur quidam fixisse morsum et furasse 5 de sancto ligno, ideo nunc a diaconibus, qui in giro stant, sic custoditur, ne qui ueniens audeat denuo sic facere. Ac sic ergo omnis populus transit unus et unus toti [21] acclinantes se, primum de fronte, sic de oculis tangentes crucem et titulum, et sic osculantes crucem 10 pertranseunt, manum autem nemo mittit ad tangendum. At ubi autem osculati fuerint crucem, pertransierint, stat diaconus, tenet anulum Salomonis et cornu illud, de quo reges unguebantur. Osculantur et cornu, attendunt et anulum minus secunda usque ad 15 horam sextam omnis populus transit, per unum ostium intrans, per alterum [per alterum] perexiens, quoniam hoc in eo loco fit, in quo pridie, id est quinta feria, oblatio facta est. At ubi autem sexta hora se fecerit,[22] sic itur ante Crucem, siue pluuia siue estus sit, quia 20 ipse locus subdiuanus est, id est quasi atrium ualde grandem et pulchrum satis, quod est inter Cruce et Anastase. Ibi ergo omnis populus se colliget, ita ut nec aperiri possit. Episcopo autem cathedra ponitur ante Cruce, et de sexta usque ad nona aliud nichil fit nisi 25 leguntur lectiones sic: id est ita legitur primum de psalmis, ubicumque de passione dixit; [23] legitur et de apostolo siue de epistolis apostolorum uel de actionibus, ubicumque de passione Domini dixerunt: nec non et

---

as can be seen by the quantity of such verbs in French and Italian.

[21] **toti** = **omnes.**

[22] **sexta hora se fecerit.** A reflexive use of the verb for an expression of time. Cf. French *il se fait tard.*

[23] Observe the typical confusion of past and present tenses.

de euangeliis leguntur loca, ubi patitur; item legitur de prophetis, ubi passurum Dominum dixerunt; [24] item legitur de euangeliis, ubi passionem dicit.[24] Ac sic ab hora sexta usque ad horam nonam semper sic le-
5 guntur lectiones aut dicuntur ymni, ut ostendatur omni populo, quia quicquid dixerunt prophetæ futurum de passione Domini, ostendatur tam per euangelia quam etiam per apostolorum scripturas factum esse. Et sic per illas tres horas docetur populus omnis nichil
10 factum esse, quod non prius dictum sit, et nichil dictum esse[t], quod non totum completum sit. Semper autem interponuntur orationes, quæ orationes et ipsæ apte diei sunt. Ad singulas autem lectiones et orationes tantus affectus et gemitus totius populi est, ut mirum
15 sit; nam nullus est neque maior neque minor, qui non illa die illis tribus horis tantum ploret, quantum nec extimari potest, Dominum pro nobis ea passum fuisse. Post hoc cum cœperit se iam hora nona facere, legitur iam ille locus de euangelio cata Iohannem, ubi reddidit
20 spiritum; quo lecto iam fit oratio et missa. At ubi autem missa facta fuerit de ante [25] Cruce, statim omnes in ecclesia maiore ad Martyrium *procedunt et* aguntur ea, quæ per ipsa septimana de hora nona, qua ad Martyrium conuenitur, consueuerunt agi usque ad sero
25 per ipsa septimana. Missa autem facta de Martyrium uenitur ad Anastase. Et ibi cum uentum fuerit, legitur ille locus de euangelio, ubi petit corpus Domini Ioseph a Pilato, ponet illud in sepulcro nouo. Hoc autem lecto fit oratio, benedicuntur cathecumini, sic fit
30 missa. Ipsa autem die non mittitur uox, at peruigiletur ad Anastase, quoniam scit populum fatigatum esse; sed consuetudo est, ut peruigiletur ibi. Ac sic qui uult

[24] See footnote 23, page 133.

[25] **de ante** is a characteristic combination of prepositions. Cf. **ab ante** > French *avant*.

de populo, immo qui possunt, uigilant; qui autem non possunt, non uigilant ibi usque in mane, clerici autem uigilant ibi, id est qui aut fortiores sunt aut iuueniores; et tota nocte dicuntur ibi ymni et antiphonæ usque ad mane. Maxima autem turba peruigilant, alii de sera, 5 alii de media nocte, qui ut possunt.[26]

[26] Note the nature of this ceremony, which is a sort of Passion Play in which the acting is done in or by the imagination of the spectators who can visualize the events from the reading of the story, intensified by the vision of the actual scene of the action, more powerfully than if they saw them performed.

XV

PSEUDO-CYPRIAN

The story of an imaginary banquet to which were invited Biblical personages, is here facetiously told. There are numerous puns and allusions of a humorous as well as historical character. The manuscript is of the eighth or ninth century, the original having been written between the years 380 and 500 by a poet of Southern Gaul named Cyprian. This is evidently a type of social (or monastic?) amusement of the time, and all the more interesting for that reason.

THE BANQUET[1]

Quidam rex nomine Johel nuptias faciebat in regione orientis, in Cana Galileæ. His nuptiis invitati sunt plures. Igitur qui temperius loti in Jordane adfuerunt in convivio. Tunc commendavit Naaman, aquam 10 sparsit Amos, Jacobus et Andreas attulerunt fœnum,

[1] We suggest as a sort of game, the game that was played with the *cœna*, that the reader try to guess the various allusions implied and thus test his knowledge of the Bible, so essential to all the students of the Mediæval period.

Matthæus et Petrus straverunt, mensam posuit Salomon atque omnes discubuerunt turbæ. Sed cum iam locus recumbentium plenus esset, qui superveniebant, quisque prout poterat, locum sibi inveniebat. Primis
5 igitur omnium sedit

Adam in medio, Eva super folia, Cain super aratrum,
Abel super mulgarium,
Noe super arcam, Japheth super lateres,
Abraham sub arbore, Isaac super aram,
Loth iuxta ostium, Jacob super petram,
10 Moyses super lapidem, Helias super pellem
etc.

Patiens stabat Paulus et murmurabat Esau et dolebat Job, quod solus sedebat in stercore. Tunc porrexit Rebecca pallium, Judith coopertorium, Agar stragulum, Sem et Japheth cooperuerunt. Recumbentibus illatus
15 est gustus cænæ et accepit

cucurbitas Jonas, olus Esaias, betas Israël, morum
Ezechiel,
sycomorum Zachæus, citrium Adam,
lupinos David, pepones Pharao,
carduum Cain, ficus Eva
etc.

20 Deinde supervenit Jacob cum filiis et Laban cum filiabus suis et sederunt super lapides. Venit et Abraham cum domesticis suis et Moyses cum cetera turba, et sederunt foris. Tunc respiciens rex invitatos suos sic ait: Unusquisque vestrum veniat in vestiarium
25 meum et dabo singulis cænatorias vestes; tunc aliqui ierunt et acceperunt. Primus itaque omnium accepit

Zacharias albam, Abraham passerinam,
Loth sulphurinam, Lazarus lineam,
Jonas cæruleam, Thecla flammeam,
30 Daniel leoninam, Johannes trichinam
etc.

At ubi divisit vestes, rex respiciens eos sic ait: Non ante cænabitis, nisi singuli singulas vices [2] feceritis. Atque ita sibi præceptas diaconias consummaverunt. Primus itaque omnium ignem petiit Helias, succendit Azarias, 5
lignum porrexit Sara, collegit Jephte,
attulit Isaac, conscidit Joseph,
puteum aperuit Jacob, hyssopum porrexit Sepphora
etc.

Explicitisque omnibus omnes locis suis resederunt. Tunc intulit panes Saul, fregit Jesus, 10
tradidit omnibus Petrus, intulit lentem Jacob,
solus manducavit Esau, intulit intritam Abacuc,
totum comedit Daniel, fabam intulit Amelsad
etc.

Et cum vellent discedere, respiciens eos rex sic ait: Nunc per omnia diem nuptiarum celebrate et frequen- 15 tate et demutate habitus, velut pompas facientes; sic ite in domos vestras. Placuit vero omnibus voluntas regis; atque ita primus omnium procedit
in magistro Jesus, in custode Joannes,
in retiario Petrus, in secutore Pharao, 20
in venatore Nemroth, in delatore Judas
etc.

Tunc iussit, uti qui mortuus esset sepeliretur, et vendidit agrum Laban, emit Abraham, Joseph monumentum fecit, et ædificavit Nachor, aromata imposuit Maria, clusit Noe, superscripsit Pilatus, pretium accepit 25 Judas, quo facto gaudens clamat Zacharias, confunditur Elizabeth, stupet Maria, ridebat de facto Sara. Explicitisque omnibus domos suas repetierunt.

[2] **vices** meaning *turns* comes to mean *chores*. The adjective commonly added must have been **corrogatas**, *required*, *asked*, whence **corvadas** (*CV*) > French *corvées*.

XVI

SAINT BENEDICT

Saint Benedict, born in Nursia, Italy, and founder of the Benedictine order at Monte Cassino (*ca.* 529) died in the year 543. His rules have been the model for subsequent monastic rules. He cares for the spiritual and physical welfare of the monks, and enters into the smallest details in describing their duties.

FROM THE *RULES*

1. *De mensura ciborum*

Sufficere credimus ad refectionem quotidianam tam sextæ quam nonæ, omnibus mensis cocta duo pulmentaria, propter diversorum infirmitates: ut forte qui ex uno non poterit edere, ex alio reficiatur. Ergo duo
5 pulmentaria cocta fratribus omnibus sufficiant: et si fuerit unde poma,[1] aut nascentia leguminum, addatur et tertium. Panis libra una propensa [2] sufficiat in die, sive una sit refectio, sivi prandii et cœnæ. Quod si cœnaturi sunt, de eadem libra tertia pars a cellerario
10 reservetur reddenda cœnaturis.

Quod si labor forte factus fuerit major, in arbitrio et potestate abbatis erit, si expediat, aliquid augere, remota præ omnibus crapula, et ut nunquam subripiat monacho indigeries: quia nihil sic contrarium est omni
15 Christiano quomodo[3] crapula, sicut ait Dominus noster:

[1] **si fuerit unde poma.** Cf. French *s'il y avait de quoi* (**unde** = *d'où, de quoi*) *des fruits.*

[2] for **pro pensa; pensa,** *ration.*

[3] **nihil . . . quomodo.** **Sic** is quantitative. The Romance meaning of **sic contrarium** is *(aus)si contraire.* **Quomodo** = *as;* **nihil . . . quomodo** = *rien n'est si contraire comme* (this usage still exists in the 17th century).

Videte ne graventur corda vestra in crapula. Pueris vero minori ætate non eadem servetur quantitas, sed minor quam majoribus, servata in omnibus parcitate. Carnium vero quadrupedum, omnino ab omnibus abstineatur comestio, præter omnino debiles et ægrotos. 5

2. *De mensura potus*

Unusquisque proprium habet donum ex Deo: alius sic, alius vero sic. Et ideo cum aliqua scrupulositate a nobis mensura victus aliorum constituitur. Tamen infirmorum contuentes imbecillitatem, credimus heminam vini per singulos sufficere per diem. Quibus 10 autem donat Deus tolerantiam abstinentiæ, propriam se habituros mercedem sciant.

Quod si, aut loci necessitas, vel labor, aut ardor æstatis amplius poposcerit, in arbitrio prioris consistat, considerans in omnibus, ne subrepat satietas aut ebrie- 15 tas: licet legamus, vinum omnino monachorum non esse. Sed quia nostris temporibus id monachis persuaderi non potest, saltem vel hoc consentiamus, ut non usque ad satietatem bibamus, sed parcius: quia vinum apostatare facit etiam sapientes. Ubi autem 20 loci necessitas exposcit, ut nec suprascripta mensura inveniri possit, sed multo minus, aut ex toto nihil; benedicant Deum qui ibi habitant, et non murmurent.[4] Hoc ante omnia admonentes ut absque murmurationibus[5] sint. 25

3. *Quibus horis oporteat reficere fratres*

A sancto Pascha usque ad Pentecosten, ad sextam reficiant fratres, et ad seram cœnent. A Pentecoste autem tota æstate (si labores agrorum non habent

[4] Cf. notes 5 and 8.

[5] Observe here and also in notes 4 and 8 his insistence on this point.

monachi, aut nimietas æstatis non perturbat) quarta et sexta feria [6] jejunent usque ad nonam: [7] reliquis vero diebus ad sextam [7] prandeant. Quæ prandii sexta, si opera in agris habuerint, aut æstatis fervor minus
5 fuerit, continuanda erit, et in abbatis sit providentia; et sic omnia temperet atque disponat, qualiter et animæ salventur, et quod faciunt fratres, absque justa murmuratione [8] faciant. Ab idibus autem Septembris, usque ad caput Quadragesimæ, ad nonam semper refici-
10 ant. In Quadragesima vero usque ad Pascha ad vesperam reficiant. Ipsa tamen vespera sic agatur, ut lumine lucernæ non indigeant reficientes; sed luce adhuc diei omnia consumentur. Sed et omni tempore, sive cœnæ, sive refectionis hora sic temperetur, ut cum
15 luce fiant omnia.

4. *De iis qui ad opus Dei, vel ad mensam tarde occurrunt*

Ad horam divini officii mox ut auditum fuerit signum, relictis omnibus quælibet fuerint in manibus, summa

[6] **quarta et sexta feria,** *Wednesday and Friday;* cf. Portuguese, *quarta feira,* 'Wednesday,' *sesta feira,* 'Friday.' With the triumph of the Church in the fourth century its success in attempting to substitute Christian nomenclature for pagan in Latin countries is apparent, **feria secunda** = **lunæ dies,** etc. However, the use in the Merovingian period of pagan names for all days of the week but Saturday and Sunday shows that this temporary substitution was not crowned with ultimate success, for the Merovingian use remains today. In the Iberian peninsula, the tendency to use Christian nomenclature for pagan, according to Isidore of Sevilla, was greater, and this tendency can be seen in the Portuguese names of the week today.

[7] **sextam** and **nonam** mean '12 A.M. and 3 P.M.' Notice that the time for the midday meal had fluctuated between these two hours during the Middle Ages. This caused both terms to designate midday or noon, especially in English.

[8] Cf. notes 4 and 5.

cum festinatione curratur; cum gravitate tamen, ut non scurrilitas inveniat fomitem. Ergo nihil operi Dei præponatur. Quod si quis ad nocturnas vigilias post *Gloriam* psalmi nonagesimi quarti (quem propter hoc omnino subtrahendo et morose volumus dici) occurrerit, non stet in ordine suo in choro, sed ultimus omnium stet, aut in loco quem talibus negligentibus seorsum constituerit abbas, ut videatur ab ipso, vel ab omnibus, usque dum completo opere Dei publica satisfactione pœniteat. 10

Ideo autem eos in ultimo aut seorsum judicavimus debere stare: [9] ut visi ab omnibus, vel pro ipsa verecundia sua emendentur. Nam si foris oratorio remaneant, erit forte talis qui se aut recollocet [10] et dormiat, aut certe sedeat sibi foris, vel fabulis vacet, et detur occasio 15 maligno: sed ingrediatur intus, ut nec totum perdat, et de reliquo emendetur. Diurnis autem horis, qui ad opus Dei post versum et *Gloriam* primi psalmi, qui post versum dicitur, non occurrerit, lege qua supra diximus, in ultimo stet: nec præsumat sociari [11] choro 20 psallentium usque ad satisfactionem, nisi forte abbas licentiam dederit permissione sua: ita tamen ut satisfaciat reus ex hoc.

Ad mensam autem qui ante versum non occurrerit, ut simul omnes dicant versum et orent, et sub uno 25 accedant ad mensam; qui per negligentiam suam aut vitium non occurrerit, usque ad secundam vicem pro hoc corripiatur: si denuo non emendaverit, non permittatur ad mensæ communis participationem, sed sequestratus a consortio omnium, reficiat solus, sublata ei 30

[9] **debere stare.** Cf. French *devoir rester*, instead of the future participle *staturos*.

[10] **se recollocet.** Cf. French *se recouche.*

[11] **sociari,** *to associate oneself.* Observe the use of the passive for the reflexive.

portione sua vini, usque ad satisfactionem et emendationem. Similiter autem patiatur, qui ad illum versum non fuerit præsens, qui post cibum dicitur. Nec quisquam præsumat ante statutam horam, vel postea, 5 quidquam cibi vel potus præsumere. Sed et si cui offertur aliquid a priore, et accipere renuerit, hora qua desideraverit, hoc quod prius recusavit, aut aliud omnino nihil percipiat, usque ad emendationem congruam.

5. *De ordine congregationis*

Juniores igitur priores suos honorent, priores juniores 10 suos diligant. In ipsa appellatione nominum, nulli liceat alium puro nomine appellare: sed priores juniores suos fratrum nomine. Juniores autem priores suos nonnos vocent: quod intelligitur paterna reverentia. Abbas autem, quia vices Christi agere creditur, Domnus 15 et Abbas vocetur; non sua assumptione, sed honore et amore Christi. Ipse autem cogitet, et sic se exhibeat, ut dignus sit tali honore.

PART II

[*Texts Posterior to 550*]

LITERARY AND HISTORICAL

XVII

FORTUNATUS

Born in Italy in the year 530 Fortunatus became bishop of Poitiers in France and died in 609 after forty years of episcopate. In the first selection he compares a church with the Church of Solomon, and praises the zeal of King Childebertus in helping to erect it. The description of this church brings to mind a basilica of the Roman type, like Santa Maria Maggiore, with the columns, glass windows and brilliant paneled ceiling. The church occupied part of the Cathedral of Notre Dame of Paris and of the parvis in front of the church. Three broken columns of Aquitanian marble have been recovered and are in the Musée de Cluny. The manuscript was composed in the second half of the sixth century. The second hymn, a processional, written by Fortunatus at the request of Queen Radegundis on the solemn occasion of the reception of a piece of the true Cross given by the Emperor Justin for the queen's cloister at Poitiers, is one of the most inspiring hymns of the Latin Church. It is written in iambic meter (iambic acatalectic dimeter). It will be seen that the rhythm, although octosyllabic and the precursor of Romance poetry, is still correct quantitatively, i.e. the ictus falls on a long (or two short, rarely), never on a short tonic syllable. Yet often both the metric and word accent coincide in the same syllable, against the practice of the Classical age, but in keeping with the triumph of the word accent over all other rhythmical elements, a condition which characterizes the last period of Vulgar Latin.

DE ECCLESIA PARISIACA

(*The New Church*)

Si Salomoniaci memoretur machina templi,
  arte licet par sit, pulchrior ista fide.
nam quæcumque illic veteris velamine legis
  clausa fuere prius, hic reserata patent.
5 floruit illa quidem vario intertexta metallo:
  clarius hæc Christi sanguine tincta nitet;
illam aurum, lapides ornarunt, cedrina ligna:
  huic venerabilior de cruce fulget honor.
constitit illa vetus, ruituro structa talento:
10 hæc pretio mundi stat solidata domus.
splendida marmoreis attollitur aula columnis
  et quia pura manet, gratia maior inest.
prima capit radios vitreis oculata fenestris
  artificisque manu clausit in arce diem;
15 cursibus Auroræ vaga lux laquearia conplet
  atque suis radiis et sine sole micat.
hæc pius egregio rex Childebercthus amore
  dona suo populo non moritura dedit.
totus in affectu divini cultus adhærens
20 ecclesiæ iuges amplificavit opes;
Melchisedech noster merito rex atque sacerdos
  conplevit laicus religionis opus.
publica iura regens ac celsa palatia servans
  unica pontificum gloria, norma fuit.
25 hinc abiens illic meritorum vivit honore;
  hic quoque gestorum laude perennis erit.

HYMNUS IN HONORE SANCTÆ CRUCIS

(*A Processional*)

Vexilla regis prodeunt,
 fulget crucis mysterium,
 quo carne carnis conditor
 suspensus est patibulo.

Confixa clavis viscera 5
 tendens manus, vestigia
 redemptionis gratia
 hic inmolata est hostia.

Quo vulneratus insuper
 mucrone diro lanceæ, 10
 ut nos lavaret crimine,
 manavit unda et sanguine.

Inpleta sunt quæ concinit
 David fideli carmine,
 dicendo nationibus: 15
 regnavit a ligno deus.

Arbor decora et fulgida,
 ornata regis purpura,
 electa, digno stipite
 tam sancta membra tangere! 20

Beata cuius brachiis
 pretium pependit sæculi!
 statera facta est corporis
 prædam tulitque Tartari.

Fundis arome cortice, 25
 vincis sapore nectare,
 iucunda fructu fertili
 plaudis triumpho nobili.

Salve ara, salve victima
de passionis gloria,
qua vita mortem pertulit
et morte vitam reddidit.

XVIII

SAINT ISIDORE

Saint Isidore, bishop of Sevilla, was born in the south of Spain and died in the year 637. The most learned man of his times and author of numerous works on a variety of subjects, he organized as well the Spanish Church. Perhaps his most important work is *Etymologiarum, Libri XX*, a sort of encyclopedia much used in the Middle Ages. The extract given demonstrates the vain efforts of the Church to suppress celebrations at New Year. The manuscript is posterior to the ninth century. Saint Isidore, as well as Fortunatus and Pope Gregory, represents the learned character of the respective *élites* (Italian and Spanish) to which they belonged. They have been introduced to supply these important traits in the picture of the period.

DE JEJUNIO KALENDARUM JANUARIARUM

(*New Year's Celebration*)

5 Jejunium Kalendarum Januariarum propter errorem gentilitatis instituit Ecclesia. Janus enim quidam princeps paganorum fuit, a quo nomen mensis Januarii nuncupatur, quem imperiti homines veluti Deum colentes, in religione honoris posteris tradiderunt, diem-
10 que ipsum scenis [1] et luxuriæ sacraverunt.

Tunc enim miseri homines, et, quod pejus est, etiam

[1] **scenis**, *scenic play*. The next paragraph, however, shows that this scenic play is nothing but a masquerade, the notion of a regular drama having probably disappeared completely by that time. This famous description is important for the history of the arts connected with the origin of modern drama.

fideles, sumentes species monstruosas, in ferarum habitu transformantur: alii, femineo gestu demutati, virilem vultum effeminant. Nonnulli etiam de fanatica adhuc consuetudine quibusdam ipso die observationum auguriis profanantur; perstrepunt omnia saltantium pedi- 5 bus, tripudiantium plausibus, quodque est turpius nefas, nexis inter se utriusque sexus choris, inops animi, furens vino, turba miscetur.

Proinde ergo sancti Patres considerantes maximam partem generis humani eodem die hujusmodi sacrilegiis 10 ac luxuriis inservire, statuerunt in universo mundo per omnes Ecclesias publicum jejunium, per quod agnoscerent homines in tantum se prave agere, ut pro eorum peccatis necesse esset omnibus Ecclesiis jejunare.

XIX

GREGORY THE GREAT

Saint Gregory was born at Rome and was pope from the years 590 to 604. He played an important part in the development of the liturgy and the so-called Gregorian chant. In the letter given here, he defends the use of pictures in churches against the iconoclastic zeal of the bishop of Marseilles. He explains that the pictures are the books of the illiterate. This letter was all-important in religious art in the Occident and consequently Western plastic art in general. It was written in July 599; the manuscript is of the eleventh century.

IN DEFENCE OF PICTURES IN CHURCHES

Gregorius Sereno episcopo Massilliensi

Quod fraternitati vestræ [1] tam sero scripta transmit- 15 timus, non hoc torpori, sed occupationi deputate.

[1] Notice the change from the **vos** to the **tu** in addressing the same person. This change is common in Mediæval style.

Latorem vero præsentium dilectissimum filium nostrum Cyriacum, monasterii patrem, vobis [2] in omnibus commendamus, ut nulla hunc in Massiliensi civitate mora detineat, sed ad fratrem et coepiscopum nostrum 5 Syagrium cum sanctitatis vestræ solacio Deo protegente, proficiscatur.

Præterea indico dudum ad nos pervenisse quod fraternitas vestra [2] quosdam imaginum adoratores aspiciens easdem ecclesiis imagines confregit atque proiecit. 10 Et quidem zelum vos,[2] ne quid manufactum adorari possit, habuisse laudamus, sed frangere easdem imagines non debuisse iudicamus. Idcirco enim pictura in ecclesiis adhibetur, ut hi qui litteras nesciunt, saltem in parietibus videndo legant, quæ legere in codicibus 15 non valent. Tua [2] ergo fraternitas et illa servare et ab eorum adoratu populum prohibere debuit, quatenus et litterarum nescii haberent unde scientiam historiæ colligerent, et populus in picturæ adoratione minime peccaret.

[2] See footnote 1, page 147.

XX

GREGORY OF TOURS

Gregory, bishop of Tours, theologian, and historian, was born at Clermont-Ferrand and died in the year 594. The first three selections given below are taken from the *Historia Francorum*, the last from the *Miracles of Saint Martin*. The manuscripts, of the Merovingian period (before 750), were composed in the last quarter of the sixth century. In the first selection Gregory tells of the miracle at Tulbiach, when Clovis was saved from defeat in the year 496 by appealing to Christ, the God of his wife Clothilde, and his subsequent conversion and baptism at Reims. In the second he describes the site of the city of Dijon. In the third he tells the story of how Cautinus obtained the bishopric of Clermont, an office sought by the vain and boastful

Cato. In the last selection Gregory explains why he wrote his books, although he knew himself to be relatively illiterate. His mother had at one time appeared to him in a dream and said that precisely because of this lack of learning he would be more easily understood by the people, and therefore be able more successfully to instruct them.

CONVERSION OF CLOVIS

Regina vero non cessabat prædicare, ut Deum verum cognusceret et idola neglegerit. Sed nullo modo ad hæc credenda poterat commoveri, donec tandem aliquando bellum contra Alamannos conmoveretur, in quo conpulsus est confiteri necessitatem, quod prius 5 voluntate negaverat. Factum est autem, ut confligente utroque exercitu vehementer cæderentur, atque exercitus Chlodovechi valde ad internitionem ruere cœpit. Quod ille videns, elevatis ad cælum oculis, conpunctus corde, commotus in lacrimis, ait: 'Iesu Christi, quem 10 Chrotchildis prædicat esse filium Dei vivi, qui dare auxilium laborantibus victuriamque in te sperantibus tribuere diceris, tuæ opis gloriam devotus efflagito, ut, si mihi victuriam super hos hostes indulseris, et expertus fuero illam virtutem, quam de te populus tuo 15 nomine dicatus probasse prædicat, credam tibi et in nomine tuo baptizer. Invocavi enim deos meos, sed, ut experior, elongati sunt ab auxilio meo; unde credo, eos nullius esse præditos potestatis, qui sibi obœdientibus non occurrunt. Te nunc invoco, tibi credere 20 desidero, tantum ut eruar ab adversariis meis.' Cumque hæc dicerit, Alamanni terga vertentes, in fugam lapsi cœperunt. Cumque regem suum cernirent interemptum, Chlodovechi se ditionibus subdunt, dicentes: 'Ne amplius, quæsumus, pereat populus, iam 25 tui sumus.' Ad ille, prohibito bello, cohortato populo cum pace regressus, narravit reginæ, qualiter, per invocationem nominis Christi victuriam meruit obtenire. Actum anno 15. regni sui.

Tunc regina arcessire clam sanctum Remedium [1] Remensis urbis episcopum iubet, depræcans, ut regi 5 verbum salutis insinuaret. Quem sacerdos arcessitum secritius cœpit ei insinuare, ut Deum verum, factorem cæli ac terræ, crederit, idola neglegerit, quæ neque sibi neque aliis prodesse possunt. At ille ait: 'Libenter te sanctissime pater, audebam; [2] sed restat unum, quod 10 populum, qui me sequitur, non patitur relinquere deus suos; sed vado et loquor eis iuxta verbum tuum.' Conveniens autem cum suis, priusquam ille loqueretur, præcurrente potentia Dei, omnes populus pariter adclamavit: 'Mortalis deus abigimus, pie rex, et Deum 15 quem Remegius prædicat inmortalem sequi parati sumus.' Nuntiantur hæc antestiti, qui gaudio magno repletus, iussit lavacrum præparari. Velis depictis adumbrantur plateæ, eclesiæ curtinis albentibus adurnantur, baptistirium conponitur, balsama difunduntur, 20 micant flagrantes odorem cerei, totumque templum baptistirii divino respergeretur ab odore, talemque sibi gratiam adstantibus Deus tribuit, ut æstimarent se paradisi odoribus collocari. Rex ergo prior poposcit, se a pontifeci baptizare.[3] Procedit novos Constantinus

[1] **Remedius** or **Remegius** is Remy of Reims. This fluctuation is due to the complete palatalization of **di** and **gi** into iod, the **-dius** and **-gius** indicating only one pronunciation: **-ius.**

[2] **Libenter . . . audebam. Audebam** is written for **audiebam,** a common Vulgar tendency to assimilate the ending **-iebam** into **-ebam.** Notice also the conditional meaning of the imperfect **audebam,** *would listen to you willingly.* This fairly new connotation explains the Romance conditional with the imperfect **habebam: ire habebam,** *I would go* (*I had to go*), *I would have to go, I would go.*

[3] **baptizare** = **baptizari,** a mistake which, according to Max Bonnet, must go back to Gregory. The ending **-i** and **-e** of the infinitives (passive and active) are confused through the shorten-

ad lavacrum, deleturus lepræ veteris morbum sordentesque maculas gestas antiquitus recenti latice deleturus. Cui ingresso ad baptismum sanctus Dei sic infit ore facundo: 'Mitis depone colla, Sigamber; adora quod incendisti, incende quod adorasti.' Erat autem 5
sanctus Remegius episcopus egregiæ scientiæ et rethoricis adprimum inbutus studiis, sed et sanctitate ita prælatus, ut Silvestri virtutebus equaretur. Est enim nunc liber vitæ eius, qui eum narrat mortuum suscitasse. Igitur rex omnipotentem Deum in Trinitate confessus, 10
baptizatus in nomine Patris et Filii et Spiritus sancti delebutusque sacro crismate cum signaculo crucis Christi. De exercito vero eius baptizati sunt amplius tria milia. Baptizata[4] est et soror eius Albofledis, quæ non post multum tempus migravit ad Dominum. 15
Pro qua cum rex contristaretur, sanctus Remegius consolaturiam misit epistolam, quæ hoc modo sumpsit exordium: *Anget me et satis me anget vestræ causa tristitiæ, quod bonæ memoriæ germana vestra transiit Albofledis. Sed consolare[5] possumus, quia talis de hoc* 20
mundo migravit, ut suspici magis debeat quam lugere.[6]

---

ing of the unaccented vowel. This is the beginning of the dissolution of the Latin synthetic passive, accomplished by the third quarter of the eighth century. Cf. notes 5 and 6 and *Liber*, note 4; *FA*, note 19; *Leud*, notes 6 and 8; *Mem*, note 10; *Euf*, note 2.

[4] **Baptizata est.** Notice that this form is still current and will be so until the second half of the eighth century, a proof that it had not been eliminated by **baptizata fuit,** which was to take its place when **baptizata est** lost its power to express a past action and expressed only the present consequences of it. This power has remained attached to the past deponent in which e.g. **natus est,** French *il est né*, has preserved to this day the power to express a past action.

[5] **consolare** = **consolari.** Cf. notes 3 and 6.

[6] **lugere** = **lugeri,** *that she must be rather venerated than mourned.* This confusion of both passive and active endings

Conversa est enim et alia soror eius Lantechildis nomine, quæ in hæresim Arrianorum dilapsa fuerat, quæ confessa æqualem Filium Patri et Spiritum sanctum, crismata est.

THE CITY OF DIJON

5 Erat enim tunc et beatus Gregorius apud urbem Lingonicam magnus Dei sacerdus, signis et virtutibus clarus. Sed quia huius pontificis meminimus, gratum arbitratus sum, ut situm loci Divionensis, in quo maxime erat assiduus, huic inseram lectione. Est autem cas-
10 trum firmissimis muris in media planitiæ et satis iocunda conpositum, terras valde fertiles atque fecundas, ita ut, arvis semel scissis vomere, semina iaceantur et magna fructuum opulentia subsequatur. A meridie habet Oscarum fluvium piscibus valde prædivitem, ab
15 aquilone vero alius fluviolus venit, qui per portam ingrediens ac sub pontem decurrens, per aliam rursum portam egreditur, totum monitionis locum placida unde circumfluens, ante portam autem molinas [7] mira velocitate divertit. Quattuor portæ a quattuor plagis mundi
20 sunt positæ, totumque ædificium triginta tres torres exornant, murus vero illius de quadris lapidibus usque in viginti pedes desuper a minuto lapide ædificatum habetur, habens in altum pedes triginta, in lato pedes quindecim. Qui cur non civitas dicta sit, ignoro.

(**baptizare, baptizari, lugere, lugeri**) has not yet affected the meaning which is according to the context either passive or active. This distinction of sense is based on the third conjugation **suspici,** which on account of its form cannot yet be confused with the active **suscipere.** Cf. notes 3 and 5 and *Liber*, note 4; *FA*, note 19; *Leud*, notes 6 and 8; *Mem*, note 10; *Euf*, note 2.

[7] Notice that **molinas** is still in the feminine, as in the works of Ammianus Marcellinus of the fourth century.

Habet enim in circuitu prætiosus fontes; a parte autem occidentes montes sunt uberrimi viniisque repleti, qui tam nobile incolis falernum porregunt, ut respuant Scalonum. Nam veteres ferunt ab Auriliano hoc imperatore fuisse ædificatum. 5

CATO AND CAUTINUS

Cum autem regionas alias, ut diximus, lues illa consumeret, ad civitatem Arvernam, sancti Galli intercedente oratione, non attigit. Unde ego non parvam censeo gratiam, qui hoc meruit, ut pastor positus oves suas devorari defendente Domino non videret. Cum 10 autem ab hoc mundo migrasset et ablutus in ecclesia deportatus fuisset, Cato presbiter continuo a clericis de episcopatu laudes accepit; et omnem rem ecclesiæ, tamquam si iam esset episcopus, in sua redegit potestate, ordinatores removet, ministros respuit, cuncta per 15 se ordinat.

Episcopi tamen qui advenerant ad sanctum Gallum sepeliendum, postquam eum sepelierant, dixerunt Catoni presbitero: 'Videmus, quia te valde elegit pars maxima populorum; veni consenti nobis, et bene- 20 dicentes consecremus te ad episcopatum. Rex vero parvulus est, et si qua tibi adscribitur culpa, nos suscipientes te sub defensione nostra, cum proceribus et primis regni Theodovaldi regis agemus, ne tibi ulla excitetur iniuria. Nobis quoque in tantum fideliter 25 crede, ut spondeamus pro te omnia, etiamsi dampni aliquid supervenerit, de nostris propriis facultatibus id reddituros.' Ad hæc ille coturno vanæ conflatus gloriæ, ait: 'Nostis enim fama currente, me ab initio ætatis meæ semper religiose vixisse, vacasse ieiuniis, 30 elemosinis delectatum fuisse, continuatas sæpius exercuisse vigilias, psallentio vero iugi crebra perstitisse statione nocturna. Nec me dominus Deus meus patitur hac ordinatione privari,[8] cui tantum famulatum exibui. Nam et ipsos clericati grados canonica sum semper 5 institutione sortitus. Lector decim annis fui, subdiaconatus officium quinque annis ministravi, diaconatui vero quindecim annis mancipatus fui, presbiterii, inquam, honorem viginti annis potior. Quid enim mihi nunc restat, nisi ut episcopatum, quem fidelis 10 servitus promeretur, accipiam? Vos igitur revertimini ad civitates vestras, et si quid utilitati vestræ competit, exercete; nam ego canonice adsumturus sum hunc honorem.' Hæc audientes episcopi et in eum vanam gloriam exsecrantes, discesserunt.

15 Igitur cum consensu clericorum ad episcopatum electus, cum adhuc non ordinatus cunctis ipse præesset, Cautino archidiacono diversas minas intendere cœpit, dicens: 'Ego te removebo, ego te humiliabo, ego tibi multas neces impendi præcipiam.' Cui ille: 'Gratiam,' 20 inquit, 'tuam, domne piisime, habere desidero; quam si mereor, unum tibi beneficium præstabo. Sine ullo enim labore tuo et absque ullo dolo ego ad regem pergam et episcopatum tibi obtineam, nihil petens, nisi promerear gratiam tuam.' At ille suspicans, eum sibi 25 velle inludere, hæc valde despexit. Hic vero cum se cerneret humiliari atque calumniæ subieci, languore simulato, et per noctem civitatem egrediens, Theodovaldum regem petiit, adnuntians transitum sancti Galli. Quod ille audiens, vel qui cum eo erant, convocatis 30 sacerdotibus apud Metensem civitatem, Cautinus archidiaconus episcopus ordinatur. Cum autem venissent nuntii Catonis presbiteri, hic iam episcopus erat. Tunc

[8] The present is used for the future: *God will not let me be deprived of the ordination.* Cf. French *Dieu ne me laissera pas priver de cette ordination.*

ex iussu regis traditis ei clericis et omnia,[9] quæ hi de rebus ecclesiæ exhibuerant, ordinatisque qui cum eodem pergere deberent episcopis et camerariis, Arverno eum direxerunt. Qui a clericis et civibus libenter exceptus, episcopus Arvernis est datus. Grandis postea inter 5 ipsum et Catonem presbiterum inimicitiæ ortæ sunt, quia nullus umquam potuit flectere Catonem, ut episcopo suo subditus esset. Nam divisio clericorum facta est, et alii Cautino episcopo erant subditi, alii Catoni presbitero; quod eis fuit maximum detrimentum. Cau- 10 tinus autem episcopus videns, eum nulla ratione posse flecti, ut sibi esset subditus, tam ei quam amicis eius vel quicumque ei consentiebant omnes res ecclesiæ abstulit reliquitque eos inanes ac vacuos. Quicumque tamen ex ipsis ad eum convertebantur, iterum quod 15 perdiderant recipiebant.

Decedente vero upud urbem Turonicam Guntharium episcopum, per emissionem, ut ferunt, Cautini episcopi Cato presbiter ad gubernandam Turonicæ urbis ecclesiam petebatur. Unde factum est, ut coniuncti clerici 20 cum Leubaste martyrario et abbate cum magno apparatu Arvernum properarent. Cumque Catoni regis voluntatem patefecissent, suspendit eos a responso paucis diebus. Hi vero regredi cupientes, dicunt: 'Pande nobis voluntatem tuam, ut sciamus, quid de- 25 beamus sequi; alioquin revertimur ad propriam. Non enim nostra te voluntate expetivimus, sed regis præceptione.' At ille, ut erat vanæ gloriæ cupidus, adunata pauperum caterva, clamorem dari præcepit his verbis: 'Cur nos deseris, bone pater, filios, quos usque nunc 30 edocasti? Quis nos cibo potuque reficiet, si tu abieris?

[9] **traditis ei clericis et omnia,** *the clerics and all the things having been delivered to him.* Notice the confusion of both cases. This invariable use of **omnia** survived in Old Italian *ogna*, from which Modern Italian *ogni* is derived.

Rogamus, ne nos relinquas, quos alere consuesti?' Tunc ille conversus ad clerum Turonicum, ait: 'Videtis nunc, fratres dilectissimi, qualiter me hæc multitudo pauperum diligit; non possum eos relinquere et ire vobis-
5 cum.' Istud hi responsum accipientes, regressi sunt Turonus. Cato autem amicitias cum Chramno nexuerat, promissionem ab eo accipiens, ut, si contigerit in articulo temporis illius regem mori Chlotharium, statim eiecto Cautino ab episcopatu, iste præponeretur ec-
10 clesiæ. Sed qui cathedram beati Martini contemptui habuit, quam voluit non accepit; impletumque est in eo quod David cecinit, dicens: *Noluit benedictionem, et prolongabitur ab eo.* Erat enim vanitatis coturno elatus, nullum sibi putans in sanctitate haberi
15 præstantiorem. Nam quadam vice conductam pecuniam mulierem clamare fecit in ecclesia quasi per inergiam et se sanctum magnum Deoque carum confiteri, Cautinum autem episcopum omnibus sceleribus criminosum indignumque qui sacerdotium debuisset [10]
20 adipisci.

Denique Cautinus, adsumpto episcopatu, talem se reddidit, ut ab omnibus execraretur, vino ultra modum deditus. Nam plerumque in tantum infundebatur potu, ut de convivio vix a quattuor portaretur. Unde
25 factum est, ut epylenticus fieret in sequenti. Quod sæpius populis manifestatum est. Erat enim et avaritiæ in tantum incumbens, ut cuiuscumque possessiones fines eius termino adhæsissent, interitum sibi putaret, si ab eisdem aliquid non minuisset. Et a maioribus
30 quidem cum rixa et scandalo auferebat, a minoribus autem violenter diripiebat. Quibus et a quibus, ut Sollius noster ait, nec dabat pretia contemnens nec accipiebat instrumenta desperans.

[10] Observe the auxiliary use of **debere** just indicating the subjunctive.

Erat enim tunc temporis Anastasius presbiter, ingenuus genere, qui per chartas gloriosæ memoriæ Chrodichildis reginæ proprietatem aliquam possidebat. Quem plerumque conventum episcopus rogat suppliciter, ut ei chartas supradictæ reginæ daret sibique 5 possessionem hanc subderet. Sed ille cum voluntatem sacerdotis sui implere differret, eumque episcopus nunc blanditiis provocaret, nunc minis terreret; ad ultimum invitum urbi exhiberi præcepit, ibique impudenter teneri et, nisi instrumenta daret, iniuriis adfici et fame 10 negari[11] iussit. Sed ille virili repugnans spiritu, numquam præbuit instrumenta, dicens, satius sibi esse ad tempus inedia tabescere quam sobolem in posterum miseram derelinqui. Tunc ex iussu episcopi traditur custodibus, ut, nisi has cartulas proderet, fame necare- 15 tur. Erat enim ad basilicam sancti Cassii martyris cripta antiquissima abditissimaque, ubi erat sepulchrum magnum ex marmore Phario, in quo grandævi cuiusdam hominis corpus positum videbatur. In hoc sepulcro super sepultum vivens presbiter sepelitur operiturque 20 lapide, quo prius sarcofagum fuit obtectum, datis ante ostium custodibus. Sed custodes fidi, quod lapide premeretur, cum esset hiemps, accenso igne, vino sopiti calido, obdormierunt. At presbiter, tamquam novus Ionas, velut de ventre inferi, ita de conclusione tumuli 25 Domini misericordiam flagitabat. Et quia spatiosum, ut diximus, erat sarcofagum, etsi integrum vertere non poterat, manus tamen in parte qua voluisset libere extendebat. Manabat enim ex ossibus mortui, ut ipse referre erat solitus, fœtor letalis, qui non solum externa, 30 verum etiam interna viscerum quatiebat. Cumque pallium aditus narium obseraret, quamdiu flatum continere poterat, nihil pessimum sentiebat, ubi autem se

[11] **negari** = **necari.** Notice the Classical meaning here, *to kill*, and not the French *noyer*.

quasi suffocari potabat, remoto paululum ab ore pallio, non modo per os aut nares, verum etiam per ipsas, ut ita dicam, aures odorem pestiferum hauriebat. Quid plura? Quando Divinitati, ut credo, condoluit, manum 5 dexteram ad spondam sarcofagi tendit, reperitque vectem, qui decedente opertorio, inter ipsum ac labium sepulcri remanserat. Quem paulatim commovens, sensit cooperante Dei adiutorio, lapidem amoveri. Verum ubi ita remotum fuit, ut presbiter caput foris educeret, 10 maiorem quo totus egreditur aditum liberius patefecit.

WHY GREGORY BECAME A WRITER

Dominis Sanctis et in Christi Amore Dulcissimis Fratribus et Filiis Eclesiæ Turonicæ Mihi a Deo Commissæ Gregorius Peccator

Miracula, quæ dominus Deus noster per beatum Martinum antistitem suum in corpore positum operari dignatus est, cotidie ad conroborandam fidem credentium confirmare dignatur. Ille nunc exornans virtuti- 15 bus eius tumulum, qui in eo operatus est, cum esset in mundum; et ille præbet per eum beneficia christianis, qui misit tunc præsolem gentibus perituris. Nemo ergo de anteactis virtutibus dubitet, cum præsentium signorum cernit munera dispensari, cum videat clodos 20 eregi, cæcos inluminari, dæmones effugari et alia quæque morborum genera, ipsum medificante, curari. Ego vero fidem ingerens libri illius, qui de eius vita ab anterioribus est scriptus, præsentes virtutes, de quanto ad memoriam recolo, memoriæ in posterum, Domino iu- 25 bente, mandabo. Quod non præsumerem, nisi bis et tertio admonitus fuissem per visum. Tamen omnipotentem Deum testem invoco, quia vidi quadam vice per somnium media die in basilica domni Martini debiles multos ac diversis morbis obpræssos sanari, et vidi hæc, spectante matri meæ, quæ ait mihi: 'Quare segnes es ad hæc scribenda quæ prospicis?' Et aio: 'Non tibi latet, quod sim inops litteris et tam admirandas virtutes stultus et idiota non audeam pro- 5 mulgare? Utinam Severus aut Paulinus viverent, aut certe Fortunatus adesset, qui ista discriberent! Nam ego ad hæc iners notam incurro, si hæc adnotare temptavero.' Et ait mihi: 'Et nescis, quia nobiscum propter intellegentiam populorum magis, sicut tu loqui 10 potens es, habetur præclarum? Itaque ne dubites et hæc agere non desistas, quia crimen tibi erit, si ea tacueris.' Ego autem hæc agere cupiens, duplicis tædii adfligor cruciatu, mæroris pariter et terroris. Mæroris, cur tantæ virtutes, quæ sub antecessoribus nostris fac- 15 tæ sunt, non sunt scriptæ; terroris, ut adgrediar opus egregium rusticanus. Sed spe divinæ pietatis inlectus, adgrediar quod monetur. Potest enim, ut credo, per meæ linguæ ista proferre, qui ex arida cute in heremo producens aquas, populi sitientis extinxit ardorem; aut 20 certe constabit, eum rursum os asinæ reserare, si labia mea aperiens per me indoctum ista dignetur expandere. Sed quid timeo rusticitatem meam, cum dominus Redemptor et deus noster ad distruendam mundanæ sapientiæ vanitatem non oratores sed piscatores, nec 25 philosophos sed rusticos præeligit? Confidimus ergo orantibus vobis, quia, etsi non potest paginam sermo incultus ornare, faciet eam gloriosus antistis præclaris virtutibus elucere.

XXI

FREDEGARIUS

The name of Fredegarius is fictitious. The authors (or author) of the *Historia Francorum* from which these selections have been taken remain unknown. The book was composed about the year 642 in the eastern part of France or in Switzerland, possibly Avenche. The text is based on manuscripts of the seventh and eighth centuries. In the first selection Fredegarius traces the origin of the Francs to Trojan Legends. Jean Le Maire de Belges in his *Illustrations des Gaules* and Ronsard in his *Franciade* were inspired by this theme. In the second selection Fredegarius tells how the Emperor Justinian marries the courtesan Antonia to whom, as a soldier, he promised marriage. In this selection can be seen for the first time the synthetic Romance future *daras*, as the etymology of the name given to a town in Mesopotamia.

ORIGIN OF THE FRANKS

Exinde origo Francorum fuit. Priamo primo regi habuerunt; postea per historiarum libros scriptum est, qualiter habuerunt regi Friga. Postea partiti sunt in duabus partibus. Una pars perrexit in Macedoniam, 5 vocati sunt Macedonis secundum populum a quem [1] recepti sunt, et regionem Macedoniæ qui oppremebatur a gentes vicinas, invitati ab ipsis fuerunt, ut eis præberent auxilium. Per quos postea cum subiuncti in plurima procreatione crevissent, ex ipso genere Mace- 10 donis fortissimi pugnatores effecti sunt; quod in postremum in diebus Phyliphy regis et Alexandri fili sui fama confirmat, illorum fortitudine qualis fuit.

Nam et illa alia pars, quæ de Frigia progressa est, ab Olexo per fraude decepti, tamen non captivati, nisi

[1] a quem = a quo.

exinde eiecti, per multis regionibus pervacantis cum uxores et liberos, electum a se regi Francione nomen, per quem Franci vocantur. In postremum, eo quod fortissimus ipse Francio in bellum fuisse fertur, et multo tempore cum plurimis gentibus pugnam gerens, partem 5 Asiæ vastans, in Eurupam dirigens,[2] inter Renum vel Danuvium et mare consedit.

Ibique mortuo Francione, cum iam per prœlia tanta que gesserat parva ex ipsis manus remanserat, duces ex se constituerunt. Attamen semper alterius dicione 10 negantes, multo post tempore cum ducibus transægerunt usque ad tempora Ponpegi[3] consolis, qui et cum ipsis demicans seo et cum reliquas gentium nationes, quæ in Germania habitabant, totasque dicione subdidit Romanam. Sed continuo Franci cum Saxoni- 15 bus amicicias inientes, adversus Pompegium revellantis, eiusdem rennuerunt potestatem. Pompegius in Spaniam contra gentes demicans plurimas, moretur. Post hæc nulla gens usque in presentem diem Francos potuit superare, qui tamen eos suæ dicione potuisset 20 subiugare. Ad ipsum instar[4] et Macedonis, qui ex eadem generatione fuerunt, quamvis gravia bella fuissent adtrite, tamen semper liberi ab externa dominatione vivere conati sunt. Tercia ex eadem origine gentem Torcorum fuisse fama confirmat, ut, cum 25 Franci Asiam pervacantis pluribus prœliis transisissent, ingredientis Eurupam, super litore Danuviæ fluminis inter Ocianum et Traciam una et eis ibidem pars resedit. Electum a se utique regem nomen Torquoto, per quod gens Turquorum nomen accepit. Franci huius æteneris 30 gressum cum uxores et liberes agebant, nec erat gens,

[2] **dirigens** is used in the neutral sense, *directing himself.*

[3] **Ponpegi** = **Pompei,** the **g** being the sign for the iod, namely **Pompeii.**

[4] *in the same way.*

qui eis in prœlium potuisset resistere. Sed dum plurima egerunt prœlia, quando ad Renum consederunt, dum a Turquoto menuati sunt, parva ex eis manus aderat.

JUSTINIAN AND ANTONIA

5 Iustinianus, priusquam temporibus Iustini imperatore regnum adsumerit, cum esset comex cartarum et Bellessarius comex æstabolarius, erantque ab invicem[5] nimia delictione amplexi, iurantes sibi, quantum cuiusquam ex his causa proficerit, pare sempiternam fidem 10 servarit. Cum quadam die cum duas germanas de lopanar electas ex genere Amazonas sibi cumcubito meridiæ sub quasdam arboris in pomario senior Antonia cum Iustiniano discubuisset, Iustiniano sopore oppræsso, sol declinans capud eius incaluit. Veniens 15 aquila divino noto, eodem dormiente, calorem solis extinsis alis obumbrabat. Quod cum, Antonia vigilante, fuisset repertum, sperans hoc signum, Iustinianus imperium adsumerit, expertum a somno, dicens ei: 'Si imperatur effectus fueris, erit digna ancilla tua tibi 20 concubito.' Et elle subridens, cum ei fuisset difficile hoc esse honore dignum, dixit ad eam: 'Si imperatur effectus fuero, tu mihi eris agusta.' Commutantis ab invicem[5] anolis, ait Iustinianus ad Bellesarium: 'Scias inter me et Antunia placuisse, si ego efficior imperatur, 25 ipsa sit mihi agusta. Anolis commutantis hoc fœdus inivimus.' Dixitque Antunia: 'Si soror mea tibi agusta, ego Bellesario matrona efficiar.' Dicensque Bellesarius divino noto: 'Si Antunia agusta efficitur, tu estratus mei matrimonium sociaris.' Idemque anolis 30 commutandis abierunt. Nec multo post tempore Iustinus imperator bellum in Persis movit; quod cum

[5] **ab invicem,** *with each other.* Observe the strong connotation of 'with' in the use of **ab.**

Calcedona transisset, morbo perit. Consenso senato et militum elevatus est Iustinianus in regnum. Opprӕsso rege Persarum, cum vinctum tenerit, in cathedram quasi honorifice sedere iussit, quӕrens ei civitatis et provincias rei publice restituendas; factisque, pactionis vinculum firmarit. Et ille respondebat; 'Non dabo.' Iustinianus dicebat: 'Daras.' Ob hoc loco illo, ubi hӕc acta sunt, civetas nomen Daras fundata est iusso Iustiniano, quӕ usque hodiernum diem hoc nomen nuncopatur. Post receptas provincias et civitatis plurimas, quӕ a rege huiuscemodi ordine Iustinianus suӕ dicione adsumserat, omnibusque firmatis, permisit eum in Persas regnum recipere. Revertens Iustinianus cum magno triumpho Constantinopole, sedem tenens imperiӕ,[6] Antunia, sumtis secum quinque aureis, duos dedit hostiariis, permissa est introire palatio; tres dedit ad tenentis velum, ut sua causa permitteretur suggerere, dicens ad Iustinianum: 'Clementissime imperator, iuvenis aliqui in hanc civitatem dedit mihi anolum in sponsaliӕ arras et meum sibi accepit, promittens et sacramento firmans, aliam non nuerit,[7] sed me haberit uxorem. Dilatatur hӕc causa. Quod iobis, piissime imperator, ut fiat?' Dixitque Iustinianus: 'Non liceat hanc promissionem, si facta est, mutare.' Tunc illa porrigens anolum: 'Dominus cognuscat, cuius fuisset anolus isti, et quis eum mihi dedit, tibi latere non potest.' Cumque cognuscens Iustinianus anolum quem dederat, recordatus suӕ promissione, iobit eam cobicolum intromitti, vestisque induӕ splendedis; suo ӕstratu in nomini agusti sociavit. Quod cum perlatum fuisset in populo, factione senatus vulgo clamitat: 'Domine emperator, redde muliere

[6] imperiӕ = imperii. Imperiӕ = imperie = imperii through the shortening of unaccented final -ī > -ĭ = e.

[7] nuerit = nuberet.

nostra.' Quod Iustinianus audiens, diligenter inquirens inicium factionis huius, duos ob hoc verbo iubet senatores interfeci. Omnes quiæverunt in posterum, ne quisquam audebat exinde verbo proferre.

XXII

HISTORIA BRITTONUM

The *Historia Brittonum*, called for convenience the *Historia Brittonum* of Nennius, is a collection of summaries relating Arthur's campaign against the Saxons in defence of Britain. Arthur is mentioned here for the first time in literature. The composition is not later than the eleventh century. Although the language is not exactly Vulgar Latin, since it was written in Great Britain, its literary interest nevertheless makes it worthy of inclusion among the texts.

KING ARTHUR'S BATTLE AGAINST THE SAXONS

5 In illo tempore Saxones invalescebant in multitudine et crescebant in Brittannia. mortuo autem Hengisto Octha filius eius transivit de sinistrali parte Britanniæ ad regnum Cantorum et de ipso orti sunt reges Cantorum. tunc Arthur pugnabat contra illos in illis
10 diebus cum regibus Brittonum, sed ipse dux erat bellorum. primum bellum fuit in ostium fluminis quod dicitur Glein. secundum et tertium et quartum et quintum super aliud flumen, quod dicitur Dubglas et est in regione Linnuis. sextum bellum super flumen,
15 quod vocatur Bassas. septimum fuit bellum in silva Celidonis, id est Cat Coit Celidon. octavum fuit bellum in castello Guinnion, in quo Arthur portavit imaginem sanctæ Mariæ perpetuæ virginis super humeros suos et pagani versi sunt in fugam in illo die et

cædes magna fuit super illos per virtutem domini nostri Iesu Christi et per virtutem sanctæ Mariæ virginis genitricis eius. nonum bellum gestum est in urbe Legionis. decimum gessit bellum in litore fluminis, quod vocatur Tribruit. undecimum factum est bellum 5 in monte, qui dicitur Agned. duodecimum fuit bellum in monte Badonis, in quo corruerunt in uno die nongenti sexaginta viri de uno impetu Arthur; et nemo prostravit eos nisi ipse solus, et in omnibus bellis victor extitit. et ipsi, dum in omnibus bellis prosternebantur, 10 auxilium a Germania petebant et augebantur multipliciter sine intermissione et reges a Germania deducebant, ut regnarent super illos in Brittannia usque ad tempus quo Ida regnavit, qui fuit Eobba filius. ipse fuit primus rex in Beornica. 15

XXIII

LIBER HISTORIÆ FRANCORUM

The *Liber* is an anonymous chronicle composed in the year 727 by a monk of Saint Denis, a native of Laon or Soissons. The manuscript is of the first half of the eighth century. Its brevity caused it to have a tremendous success, for it was used more extensively than the *Historia Francorum* of Gregory and, indeed, was often taken for that author's work. From the ninth to the thirteenth centuries, such writers as Aimoin, Hugues de Fleury, Vincent de Beauvais, and others, who wished to recount the history of the first Frankish kings, always used the *Liber*. Through Gregory of Tours, Fredegarius, and the *Liber*, it will be seen that the Merovingian period is pictured in its own contemporary historians with a certain organic unity of conception and impression. In the first selection is told the story of how Fredegundis treacherously betrayed her queen and herself became the wife of Chilpericus. In the second selection we find the 'moving wood' motif, which, passing through many authors, was used by Shakespeare for his 'Birnam Wood' in *Macbeth*. In the last selection is found one of the earliest references to the martyrdom of Saint Léger.

THE WILY FREDEGUNDIS

Nunc autem ad cœpta redeamus, qualiter Fredegundis domina sua Audovera regina decepit. Nam ipsa Fredegundis ex familia infima fuit. Cum autem Chilpericus rex in hostem cum Sighiberto, fratre suo, 5 contra Saxones ambulassent, Audovera regina gravida remansit, quæ peperit filia. Fredegundis vero per ingenium consilium dedit ei, dicens: 'Domina mea, ecce! dominus meus rex victor revertitur; quomodo potest filiam suam non baptizatam gratulanter recipere?' 10 Cum hæc audisset regina, baptistyrium preparare precepit vocavitque episcopum, qui eam baptizare deberet. Cumque episcopus adfuisset, non erat matrona ad presens,[1] qui puellam suscipere deberet.[2] Et ait Fredegundis: 'Numquam similem tuæ invenire po- 15 terimus, qui eam suscipiat. Modo tumet ipsa [3] suscipe eam.' Illa vero hæc audiens eam de sacro fonte suscepit. Veniens autem rex victor, exiitque Fredegundis obviam ei, dicens: 'Deo gratias quia dominus noster rex victoriam recepit de adversariis suis, nataque 20 est tibi filia. Cum qua dominus meus rex dormiet hac nocte, quia domina mea regina conmater tua est de filia tua Childesinda?' Et ille ait: 'Si cum illa dormire non queo, dormiam tecum.' Cumque introisset

[1] **ad præsens,** *at hand.*

[2] **qui puellam suscipere deberet,** *who might (would) receive (as godmother) the child.* Observe the simple expression of the subjunctive.

[3] **tumet ipsa,** *toi-même,* the exact etymology of the French words being **temet ipsimum.**

in aulam suam, occurrit ei regina cum ipsa puella, et ait ei rex: 'Nefanda rem fecisti per simplicitatem tuam; iam coniux mea amplius esse non poteris.' Rogavitque eam sacro velamine induere [4] cum ipsa filia sua. Dedit ei predia multa et villas; episcopum vero, qui eam baptizavit, exilio condempnavit. Fredegunde vero copulavit ad reginam.

THE MOVING WOOD

Audiens autem Childebertus rex Auster, filius Sighiberti, nepus Chilperici, avuncolo suo mortuo et maleficia Fredegundis reginæ, hostem [5] collegit. Nam defuncto Guntramno, patruelem suum, regnum Burgundiæ ipse acceperat. Burgundiones et Austrasii superiores Franci simul commoti grande exercitu, valde Campanias digressi, paygo [6] Suessionico cum Gundoaldo et Wintrione patriciis vastantes ingrediuntur. Hæc audiens Fredegundis, cum Landerico et reliquos Francorum duces hostem [5] congregat. Brinnacum villa veniens multa dona et munera Francis ditavit, eosque ad pugnandum contra inimicos eorum coortans. Cum dedicisset, quod nimis esset exercitus Austrasiorum, coniunctis simul, consilium dedit Francos, qui cum ea erant, dicens: 'De nocte consurgamus contra eos cum lucernis, portantes socii, qui nos precedunt, ramis silvarum in manibus, tintinnabolis super equos legatis, ut nos cognoscere ipsorum vigiles custodes hostium non queant. Inluciscente inicium diei, inruamus super

[4] **Rogavitque . . . induere,** *He caused her to be clothed with the sacred veil.* Cf. Fr. *il la fit revêtir du voile.* Cf. *Greg,* notes 3, 5 and 6; *FA,* note 19; *Leud,* notes 6 and 8; *Mem,* note 10; *Euf,* notes 2 and 19.

[5] **hostem,** *army.* Cf. English 'host.'

[6] **paygo** = **pago** = *pays.* The **y** already marks the palatalization of **g.**

eos, et forsitan eos devincimus.' Placuitque hoc consilium. Cum denunciatum fuisset placitum, qua die ad preliandum in loco nuncupante Trucia in paygo Suessionico convenire deberent, illa, sicut consilium 5 dederat, de nocte consurgens, cum armorum apparatu, cum ramis in manibus vel reliqua quæ superius diximus, ascensis equitibus, Chlothario parvolo rege in brachia vehitans, usque Trucia pervenerunt. Cum autem custodes hostium Austrasiorum ramis silvarum quasi 10 in montibus in agmine Francorum cernerent et tinnitum tintinnabulorum audirent custodes, dixit vir ad socium suum:[7] 'Nonne crastina die in illo et illo loco campestria erant, quomodo silvas cernimus?' Et ille inridens dixit: 'Certe inebriatus fuisti, modo deleras. 15 Non audis tintinnabula equorum nostrorum iuxta ipsam silvam pascencium?' Cumque hæc agerentur, et aurora diei inicium daret, inrueruntque Franci cum strepitu tubarum super Austrasiis et Burgundiones dormientibus cum Fredegunde vel Chlothario parvolo 20 interfeceruntque maxima parte de hoste illo, innumerabilis multitudo, maximus valde exercitus, a maiore usque ad minorem. Gundoaldus quoque et Wintrio per fugam dilapsi, vix evaserunt. Landericus vero insequutus Wintrione, ille per auxilium equi velocissimi 25 evasit. Fredegundis vero cum reliquo exercitu usque Remus accessit, Campaniam succendit atque vastavit. Cum multa preda atque spolia reversa est Suessionis civitate cum exercitu suo.

[7] **dixit vir ad socium suum,** *one said to the other*, or *they said to each other*.

EBROÏN AND SAINT LÉGER

Eo tempore, defuncto Erchonoldo maiorum domo,[8] Franci in incertum vacellantes, prefinito consilio, Ebroino huius honoris altitudine maiorum domo in aula regis statuunt. In his diebus Chlotharius rex puer obiit regnavitque annis 4. Theudericus, frater eius, elevatus 5 est rex Francorum. Childericum itaque, alium fratrem eius, in Auster una cum Vulfoaldo duce regnum suscipere dirigunt. Eo tempore Franci adversus Ebroinum insidias preparant, super Theudericum consurgunt eumque de regno deiciunt, crinesque capitis ambo- 10 rum vi abstrahentes, incidunt. Ebroinum totundunt eumque Luxovio monasterio in Burgundia dirigunt. In Auster propter Childericum mittentes, accomodant. Et una cum Vulfoaldo duce veniens, in regno Francorum elevatus est. Erat enim ipse Childericus levis 15 nimis, omnia nimis incaute peragebat, donec inter eos odium maximum et scandalum crevit, Francos valde opprimens. Ex quibus uno Franco nomine Bodilone ad stipitem tensum cedere valde sine lege precepit. Hæc videntes Franci, in ira magna commoti, Ingobertus 20 videlicet et Amalbertus et reliqui maiores natu Francorum, sedicionem contra ipsum Childericum concitantes. Bodilo super eum cum reliquis surrexit, insidiaturus in regem; interficit, una cum regina eius pregnante, quod dici dolor est. Vulfoaldus quoque 25 per fugam vix evasit, in Auster reversus. Franci autem Leudesio, filio Erchonoldo, in maiorum domato palacii elegunt. Eratque ex Burgundia in hoc consilio beatus Leudegarius Augustudunensis episcopus et Gærinus, frater eius, consentientes. Ebroinus capillis 30 crescere sinens, congregatis in auxilium sociis hostiliter

[8] **maiorum domo = majore(m) domus.** Cf. *Tardif*, notes 21 and 26.

a Luxovio cænubio egressus, in Francia revertitur cum armorum apparatu. Ad beatum vero Audoinum direxit, quid ei consilio daret. At ille per internuntios hoc solum, scripta dirigens, ait: 'De Fredegunde tibi
5 subveniat in memoriam.' [9] At ille, ingeniosus ut erat, intellexit. De nocte consurgens, commoto exercitu, usque Isra fluvium veniens, interfectis custodibus, ad Sanctam Maxenciam Isra transiit; ibi quos repperit de insidiatoribus suis occidit. Leudesius una cum Theu-
10 derico rege et sociis quam plurimis per fugam evasit; Ebroinus eos persequutus est. Bacivo villa veniens thesauros regales adprehendit. Deinde post hæc Crisciæco veniens, regem recepit. Leudesium, data fide, sub dolo ad se venire mandavit. Quo facto, Leudesium
15 interficit; ipse principatum sagaciter recepit. Sanctum Leudegarium episcopum diversis pœnis cæsum gladio ferire iussit. Gærinum, fratrem eius, dira pœna damnavit. Reliqui vero Franci eorum socii per fugam vix evaserunt, nonnulli vero in exilio pervagati, a propriis
20 facultatibus privati sunt.

[9] **De Fredegunde . . . memoriam** = *qu'il te souvienne de Frédégonde.* The French expression is derived almost exactly from the Latin.

SATIRICAL

XXIV

FRODEBERTUS AND IMPORTUNUS[1]

Nowhere but in these curious letters exchanged between a bishop called Frodebertus and a personage of fairly high rank, Importunus of Paris, has there been found reference to a Frodebertus or an Importunus or to the marital adventure of Grimoaldus, the majordomo. Some notary, evidently, got hold of these letters which he copied at the end of his collection of formulæ. The text dates from the middle of the seventh century, and the manuscript is of the ninth. An allusion, indeed, to the Irish, *ut Escotus mentit*, leads one to believe that it was composed after the coming of Columban after the year 600. Frodebertus reproaches Importunus in fairly mild terms for the poor quality of bread sent him. Importunus, irritated at the insult, proceeds to tell what he knows of the deplorable character and actions of Frodebertus. The remaining replies and answers continue in an increasingly angered tone, and end with Frodebertus' prayer that no one may believe such vile accusations. Both men try to write in real rhythmical lines, in rhymed couplets, with the assonance on the last accented syllable, but only approach their end without attaining it.

1. Indiculum

Sanctorum meritis beatificando domno et fratri Importune

Domne dulcissime
Et frater carissime

[1] The meaning of various lines in this selection is not always clear, and the discussion of all points would take many pages. But the editors feel that the text alone is curious enough to justify its inclusion in this Chrestomathy.

Inportune. Quod recepisti,
Tam dura estimasti,
Nos iam vicina morte de fame perire,
Quando talem annonam voluisti largire.
5 Nec ad pretium nec ad donum
Non cupimus tale anone.
Fecimus inde comentum —
Si Dominus imbolat formentum! —
A foris turpis est crusta;
10 Ab intus miga nimis est fusca,
Aspera est in palato,
Amara et fetius adoratus.
Mixta vetus apud novella; [2]
Faciunt inde oblata non bella.
15 Semper habeas gratum,
Qui tam larga manu voluisti donatum,
Dum Deus servat tua potestate,
In qua cognovimus tam grande largitatis.[3]
Vos vidistis in domo,
20 Quod de fame nobiscum morimur.[4] Homo,
Satis te presumo salutare
Et rogo, ut pro nobis dignetis orare.
Transmisimus tibi de illo pane;
Probato, si inde potis manducare.
25 Quamdiu vivimus, plane
Liberat nos Deus de tale pane!
Congregatio puellare [5] sancta
Refudat tale pasta.
Nostra privata stultitia
30 Ad te in summa amiticia.

[2] **Mixta vetus apud novella,** *Old flour mixed with new.* Cf. *FA*, note 15; *Tardif*, note 14.

[3] **largitatis** = **largitate.**

[4] **nobiscum morimur** seems to mean **nobis morimur,** *nous nous mourons.*

[5] **puellare** = **puellaris.**

Obto, te semper valere
Et caritatis tue iuro tenere.

2. Item alium
Beatificando domno et fratre Frodeberto pape.[6]

Domne Frodeberto, audivimus,
Quod noster fromentus vobis non fuit acceptus.
De vestra gesta volumus intimare, 5
Ut de vestros pares numquam delectet iogo [7] tale referrere.
Illud enim non fuit condignum,
Quod egisti in Segeberto regnum
De Grimaldo maiorem domus,
Quem ei sustulisti sua unica ove, sua uxore, 10
Unde postea in regno numquam habuit honore.
Et cum gentes venientes in Toronica regione
Misisti ipsa in sancta congregatione,
[In] monasterio puellarum,
Qui est constructus in honor[e] . . . 15
Non ibidem lectiones divinis legistis,
Sed . . . nis inter vos habuistis.
Oportet satis obse . . .
. . . . conlocutione,
Quem nec est a Deo apta 20
. . . . ta
Sic est ab hominibus vestra sapientia
. . . . [pru]dentiæ

Sed qualem faciebatis in . . . monasterio puellarum pro pane . . . [in] monasterio fuisti generatus domn . . . 25 perdidisti. Indulge ista pauca verba . . . Inportunus de Parisiaga terra.

[6] fratre Frodeberto pape = fratri Frodeberto papæ.
[7] iogo = iocum, *a joke.*

3. PARABOLA

Domno meo Frodeberto, sine Deo,

Nec sancto nec episcopo
Nec sæculare clerico,
Ubi regnat antiquus
Hominum inimicus.
5 Qui mihi minime credit,
Facta tua vidit.
Illum tibi necesse desidero,
Quare [8] non amas Deo nec credis Dei Filio.
Semper fecisti malum.
10 Contra adversarium
Consilio satis te putas sapiente,
Sed credimus, quod mentis
Vere non times Christo, nec tibi consentit.
Cui [9] amas, per omnia
15 Eius facis opera.
Nec genetoris tui diligebant Christum,
Quando in monasterio fecerunt temetipsum.
Tuos pater cum domno
Non fecit sancta opera.
20 Propter [10] domnus digido
Relaxavit te vivo,
Docuit et nutri[vit],
Unde se postea penetivit.
Non sequis scriptura
25 Nec rendis [11] [nisi in]iqua.
Memores, Grimaldo
Qualem fecisti damnum.

[8] **quare** = French *car.*

[9] **cui** = **quem,** used as in Old French as a sort of accented form for **quem.**

[10] **propter** seems to mean here *all the same.*

[11] **rendis** = **reddis.** Cf. French *rendre.*

. . . . .um et Deo non oblituit
De bona, que tibi fecit.
. . . .

Cur te presumis tantum
Dampnare suum thesaurum?
Quod, ut alibi, ubi eum rogas. 5
Per tua malafacta,
Quod non sunt apta.
Amas puella bella
De qualibet terra
Pro nulla bonitate 10
Nec sancta caritate.
Bonus numquam eris,
Dum tale via tenes

Per tua cauta longa — satis est, vel non est? Per omnia iube te castrare, ut non pereas per talis, quia 15 fornicatoris Deus iudicabit

De culpas tuas alias te posso contristare,
Sed tu iubis mihi exinde aliquid remandare.[12]
Ut in quale nobis retenit [13] in tua caritate,
Exeant istas exemplarias [14] 20
Per multas patrias.
Ipso Domino hoc reliquo,
Se vidis amico,

[12] **sed tu iubis** = **si tu iubis.** — **sed . . . remandare,** *if you ask me something about them* (**exinde**). — **iubis** is a sort of auxiliary. — **iubis remandare** = **remandas.** The auxiliary use of **iubis** survived in Old French with **faire.**

[13] **retenit** is the subjunctive for **retenat** (for **retineat**). — **retenat** > **retenet** > **retenit.** Observe that French *retienne* derives from **retenat,** not **reteneat.** The meaning of the line seems to be *so that something of value retain us in your love.*

[14] **exemplarias** = **exemplaria.** The neuter plural has become feminine. Observe also the use of the accusative for the nominative. Cf. *Mem,* note 4; *Euf,* note 9.

qui te hoc nuntiat et donet consilium verum. Sed te placit,[15] lege et pliga, in pectore repone; sin autem non vis, in butte [16] include.

4. Item alia

Incipiunt verba per similitudinem iuncta de fide vacua, dolo pleno falsatore.

Agino Salomon per sapientia
5 Bene scripsit hanc sententia,
Ut, ne similis fiat stulto,
Numquam respondes ei in multo.
Et retractavi tam in multum,
Sic respondere iussi [17] stulto,
10 Ut confundantur [18] stultum grado.[19]
Numquam presumat gloriare.
Respondi, dixi de falsatore,
Nec ei parcas in sermone,
Qui se plantatum ex robore;
15 Qui non pepercit suo ore,
Vaneloquio susorrone,
Verborum vulnera murone;
Qui sui obl[itus] adiutoris
Inmemor est nutritoris,
20 Calcavit iur[e] et [pudoris],
Qui fei date et prioris
Alodis sui reparatoris

[15] **sed te placit = si te placet.**

[16] **butte. Buttis** means first *a barrel,* then *a boot.* The latter meaning seems the better here: *if you like it, read it, fold it, put it in your bosom; if you don't want it, stick it (enclose it) in your boot.*

[17] **respondere iussi = respondi.** Cf. *Grammatical Survey,* page 69 and *supra,* note 12.

[18] **confundantur = confundant.**

[19] **grado = grato.**

Sordidas vomit pudoris.
Incredulas dicit loquellas et improbas;
Quoinquinat et conscientias
Bonum merito conquesitas.
Mundas, sanctas et antiquas, 5
Pulchras, firmissimas et pulitas
Meas rumpit amititias.
Verba dicit,
Que numquam vidit,
Ea scribit, 10
Que animus fecit.
Parcat, qui eum credit!
Et si loquestem
Non stringit furorem,
Latro fraudolentus 15
Homicidum est reus certus,
Adulter, raptor est manifestus,
Innumerus fecit excessus.
Errando vadit quasi cæcus,
Fuscare temptat meum decus. 20
A Deo dispectus et desertus,
Ab inimico est perventus
Et per lingua et per pectus.
Nolite, domne, nolite, fortis,
Nolite credere tantas sortes! 25
Per Deum iuro et sacras fontis,
Per Sion et Sinai montis:
Falsator est ille factus,
Excogitator est defamatus.
Deformato vultu est deformatus; 30
Qualis est animus, talis est status.
Non est homo hic miser talis.
Latrat [vulpis], sed [non] ut canis.
Psallat de trapa, ut linguaris dilator
Maior nullis talis falsator. 35

Grunnit post talone,
Buccas inflat in rotore,
Crebat et currit in sudore,
Fleummas iactat in pudore;
5 Nullum vero facit pavore,
Qui non habet adiutorem
Super secundum meum tutorem.
Non movit bracco tale baronem,
Non . . . bracco contra insontem,
10 Non cessare bracco
Ab exaperto sacco
. . . . [b]racco
Et salte decrasciantо
Non timere falco.[20]
15 Non perdas illo loco,
Non vales uno coco,
Non similas tuo patre
Vere nec tua matre.
Non gaudeas de dentes!
20 Deformas tuos parentes.
Ad tua falsatura
Talis decet corona.

5. INDICULUM

Nolite, domnæ, nolite, sanctæ,
Nolite credere fabulas falsas,
25 Quia multum habetis falsatores,
Qui vobis proferunt falsos sermones,
Furi atque muronis
Similis ætiam et susuronis,
Et vobis, domne, non erunt protectoris.
30 Latrat vulpis, sed non ut canis.

[20] **falco,** oblique case of ***falcus.** The Classical word is declined: **falco, falconis.**

Faltus mit semper inanis;[21]
Cauta proferit, iam non fronte;
Cito decadet ante cano forte.
Volat upua, et non arundo,
Isterco commedit in so frundo, 5
Humile facit capta dura,
Sicut dilatus in falsatura
Falsator. Vadit
Tamquam latro ad aura psallit,
Ut Escotus mentit, semper vadit 10
Toritus et oc dicit,
Que numquam vidit.
Nolite, domne, atque prudentis
Vestras non confrangat mentis,
Et non derelinquere serventes. 15
Tempus quidem iam transactum
Et hoc feci, quod vobis fuit adaptum,
Iam modo per verba fallacia
Sexum deiactus de vestra gratia.

[21] **Latrat . . . inanis,** *The fox barks, but not like a dog.* He wets on the sheepfold (through cowardice, because he does not dare to jump over the fence and carry off the sheep), and he remains hungry. — **faltus** = A.S. **faldus** = English 'fold.' Cf. *Vocabulary.*

LEGAL

XXV

THE SALIC LAW

The *Lex Salica* lists the punishments meted out for certain crimes. It was composed under the Merovingian kings in the fifth, sixth, and seventh centuries, the manuscript being of the Carolingian period. MALB., or the so-called Malbergic glosses, which contain words appearing to be of Germanic origin, refers to documents anterior to those of the known texts, which have been revised from an unknown original. Although rewritten under Charlemagne, the *Lex* was not made grammatically correct, evidently so as not to disturb the people or make the document less intelligible to them.

CAPITULA IN PACTO LEGIS SALICÆ

1. *De Mannire*

(*a*) Et ille qui alium mannit cum testibus ad domum illius ambulare debet: et si præsens non fuerit, sic aut uxorem, aut quæcumque de familia illius appellit, ut illi faciat notum quod ab eum mannitus est.

5 (*b*) Nam si in dominica ambasia [1] fuerit occupatus, mannire non potest.

2. *De Furtis Animalium*

Si quis XII animalia furaverit, et nec unus exinde remaneat, excepto capitale et dilatura, MMD dinarios, qui faciunt solidos LXIII, culpabilis judicetur.

[1] **dominica ambasia,** *on a mission for the king.* See **ambasia** in Vocabulary.

3. *De Damno in Messe vel Qualibet Clau[su]ra Inlatum*

Si quis vero pecora de damno aut in clausura aut dum ad domum minantur expellere aut excutere præsumpserit, MCC dinarios, qui faciunt solidos XXX, culpabilis judicetur.

4. *De Furtis Ingenuorum vel Efracturis*

Si quis ingenuus de foris casa quod valit duos dinarios furaverit, DC dinarios, qui faciunt [solidos] XV, culpabilis judicetur. 5

5. *De Rapto Ingenuorum*

Ingenuus si ancilla aliena prisserit similiter paciatur.

6. *De Supervenientibus vel Expoliatis*

Si quis hominem migrante adsalierit, quanti in contubernio vel superventum, MALB. *texagæ*, hoc est MMD dinarios, qui faciunt solidos LXIII, culpabilis judicetur. 10

7. *De Incendiis*

Si quis sutem cum porcis aut scuria cum animalibus incenderit et ei fuerit adprobatum, excepto capitale et dilatura, MALB. *sundela*, hoc est MMD dinarios, qui faciunt solidos LXIII, culpabilis judicetur. 15

8. *De Vulneribus*

(*a*) Si quis alterum voluerit occidere et colpus falierit, cui fuerit adprobatum, MALB. *uito ido efa*, hoc est MMD dinarios, qui faciunt solidos LXIII, culpabilis judicetur. 20

(*b*) Si quis ingenuus ingenuum de fuste percusserit ut sanguis non exeat, usque tres colpus semper per unumquisquo iecto, MALB. *uualfath*, hoc est CXX dinarios, qui faciunt solidos III, culpabilis judicetur.

5 (*c*) Si quis de clauso pugno alio percusserit, MALB. *uualfoth*, hoc est CCCLX dinarios, qui faciunt solidos IX, culpabilis judicetur: ita ut per singulos iectos, ternos solidos reddat.

9. *De Maleficiis*

Si quis alteri herbas dederit bibere ut moriatur, 10 solidos CC culpabilis judicetur.

10. *De Furtis in Molino Conmissis*

Si quis ingenuus homo in molino anona aliena furaverit et ei fuerit adprobatum, ipso molinario, MALB. *anthedio*, hoc est DC dinarios, qui faciunt solidos XV, solvat. Ei vero cujus anona est alius XV solvatur.

11. *De Caballo extra Consilium Domini Sui Ascensu*

15 Si quis caballum alienum extra consilium domini sui caballicaverit, MCC dinarios, qui faciunt solidos XXX, culpabilis judicetur.

12. *De Homicidiis Parvolorum*

(*a*) Si vero infantem in utero matris suæ occiderit ante quod nomen habeat, cui fuerit adprobatum. 20 IV M dinarios, qui faciunt solidos C, culpabilis judicetur.

(*b*) Post quod infantes non potuit habere qui eam occiderit VIII M dinarios, qui faciunt solidos CC, culpabilis judicetur.

13. *De Furtis Diversis*

(*a*) Si vero (tintinno) de pecoribus involaverit, CXX dinarios, qui faciunt solidos III, culpabilis judicetur.

(*b*) Si quis pedica ad caballo imbulaverit, et ei fuerit adprobatum, excepto capitale et dilatura, CXX dinarios, qui faciunt solidos III, culpabilis judicetur. 5

(*c*) Si vero tantum quantum in dorsum suum ferre potuerit, CXX dinarios, qui faciunt solidos III, culpabilis judicetur.

(*d*) Et si fenum exinde ad domum suam duxerit et discaregaverit, excepto capitale et dilatura, MDCCC 10 dinarios, qui faciunt solidos XLV, culpabilis judicetur.

(*e*) Si vero tantum furaverit quantum in dorsum suum portare potuerit, solidos III culpabilis judicetur.

(*f*) Si quis retem ad anguillas de flumen furaverit, MALB. *obtobbo*, hoc est MDCCC dinarios, qui faciunt 15 solidos XLV, culpabilis judicetur.

14. *De Conviciis*

Si quis alterum concatum clamaverit, CXX dinarios, qui faciunt solidos III, culpabilis judicetur.

15. *De Via Lacina*

Si quis baronem ingenuum de via sua ostaverit aut inpinxerit, MALB. *via lacina*, hoc est D dinarios, qui 20 faciunt solidos XV, culpabilis judicetur.

XXVI

CAPITULARIA MEROWINGICA

These capitularies list measures adopted by the Frankish kings to repress lawlessness. They were composed between the years 511 and 558, the manuscript dating probably from the Merovingian period.

A POLICE ORDINANCE

(*Pactus pro tenore pacis domnorum Childeberti et Chlotharii regum*)

Pactus Childeberti regis

(*a*) Ut, quia multorum insaniæ convaluerunt, malis pro inmanitate scelerum digna reddantur. Id ergo decretum est, ut apud quemcumque post interdictum latrocinius conprobatur vitæ incurrat periculum.

5 (*b*) Si quis ingenuam personam per [1] furtum ligaverit et negator exteterit, duodecim iuratores medios electos [2] dare debet, quod furtum quod obicit verum sit. Et sic latro redimendi se habeat facultatem; si facultas deest, tribus mallis parentibus offeratur, et si non 10 redimitur, vita carebit.

(*c*) Si quis furtum suum invenerit et occulte sine iudice compositionem acceperit, latroni similis est.

(*d*) Si quis ingenuus in furtum inculpatus fuerit et ad eneum [3] provocatus magnum incenderit, de quantum 15 inculpatus fuerit conponat.

(*e*) Si servus in furtum inculpatur, requiratur a domino ut ad XX noctes ipsum in mallum præsentet, et si dubietas est, ad sortem ponatur. Quod si placitum sunnis detricaverit, ad alias XX noctes [4] ita fiat. Et 20 prosecutor causæ de suos consimiles tres et de electos

[1] **per** = **pro.** Note the Italian meaning of **per** = *for*, not the French *par*.

[2] **iuratores . . . electos,** *jurors, intermediaries chosen.*

[3] **eneum.** The caldron of hot water out of which the defendant was to take the stone hanging from a cord. If after three days his hand was badly inflamed (**magnum incenderit**), God had pronounced him guilty (**iudicium Dei**).

[4] **noctes** = **dies.**

alios tres dabit[5] qui sacramenta firment per placita, quod lex salica habet fuisse conpletum. Et si dominus servum non præsentaverit, legem unde inculpatur[6] conponat et cessionem de servo faciat.

(*f*) Si servus minus tremisse involaverit et mala sorte priserit,[7] dominus servi tres solidos solvat et servus ille trecentos ictus accipiat. 5

(*g*) Si quis aliena mancipia iniuste tenuerit et infra dies quadraginta non reddederit, latro mancipiorum teniatur obnoxius. 10

(*h*) Si ledus de hoc quod inculpatur ad sortem ambulaverit et mala sortem preserit, medietatem ingenui legem componat et sex iuratoris medios electos dare debet.

XXVII

FORMULÆ ANDECAVENSES

These formulæ may have been composed during the reign of King Childebert in the sixth century, in Angers. The manuscript dates from the eighth century. In the first selection is given the formula of a wedding gift made by a man to his wife, including the technical procedure necessary for the registering of a deed, as well as a list of the items in the present. In the second are found the details of a warrant for murder. The collections of Formulæ, among them the *Formulæ Marculfi* (Selection XXVIII) and this group, were numerous in Northern France, much more so, indeed, than elsewhere; at least few of a similar

[5] **Et prosecutor . . . dabit,** *The plaintiff will bring three jurors of his condition and three other jurors.*

[6] **legem unde inculpatur,** *la loi dont il est accusé.*

[7] **mala sorte priserit = malam sortem prehenserit.** The test of the hot water turned against him. — **priserit < prehenserit** from a perfect formed on **prehensum** instead of the Classical **prehendi.** Cf. French *pris.*

nature have been preserved. They were used, generally, by practical lawyers and courts for effecting judicial business. Whereas the *Formulæ Andecavenses* of the sixth century seems to deal mostly with problems of civil life, those of Marculfus include a religious or ecclesiastical part, in keeping with the great increase in ownership of property by the churches and monasteries in the seventh century.

THE WEDDING GIFT

Hic est iesta

Annum quarto regnum domni nostri Childeberto reges,[1] quod fecit minsus ille, dies tantus,[2] cum iuxta consuetudinem Andicavis civetate curia puplica resedere in foro, ibiquæ vir magnificus illi prosecutor dixit:
5 'Rogo te, vir laudabilis illi defensor,[3] illi curator, illi magister militum, vel reliquam curia puplica, utique coticis puplici patere iobeatis, qua [4] habeo, quid apud acta prosequere debiam.' Deffensor, principalis simul

[1] In spite of the apparent confusion of forms, this first line obeys very clearly the linguistic laws. **Annum quarto** marks the merging of the accusative and the general oblique case; **regnum** for the genitive is due to the same law; however the genitive of possession remains alive longer, and we find **domni nostri reges** (**regis**) **Childeberto,** which shows the tendency to discard all forms except the general oblique for proper names. By following this method of interpretation, confusion at once disappears. Notice the following forms in the plural: **Rogo domno meis omnibus puplicis,** in which are examples of a plural oblique form which is being evolved, although more slowly than in the singular.

[2] **quod fecit minsus ille, dies tantus,** *in such a month, on such a day.*

[3] Note that **illi** and other forms often here mean *so and so.* — **vir laudabilis illi defensor,** *the honorable man so and so,* 'defender' meaning 'governor,' the proper name in each actual case to be added.

[4] Observe the great confusion in the use of the relative pronoun: **qua** is the Vulgar Latin for **quia,** *because* (with the disap-

et omnis curia puplica dixerunt: 'Patent tibi cotecis puplici; prosequere que [5] optas.' 'Obœdire illa per mandato suo pagina mihi iniuncxit, ut prosecutor exsistere deberit, qualiter mandatum, quam [5] in dulcissimo iocali meo illo fici pro omnis causacionis suas, tam in paco quam et in palacio seu in qualibet loca, accidere faciat, illas porciones meas, quem [5] et alote parentum meorum æi legibus obvenit vel obvenire debit, aut iustissime æi est reddebetum, æcontra parentis suis vel contra cuiuslibet hominem accidere vel admallare seu et liticare facias, inspecto illo mandato, quem [5] in dulcissemo iocali meo illo fici, gestis municipalibus adlegare debeam.' Curia viro dixerunt: 'Mandato, quem [5] tibi habere dicis, accipiat vir venerabilis illi diaconus et amanuensis.' Illi prosecutor dixit: 'Rogo domno meis omnibus puplicis, ut sicut mandatum istum legebus cognovistis esse factum, ut dotem, quem per manebus tenio, vobis presentibus in foro puplico iobeatis recitare.' Curia vero dixerunt: 'Dotem, quem te dicis per manibus retenire, illi diaconus et amanuensis Andecavis civetate nobis presentibus accipiat relegendum.' Quo accepto dixit:

INCIPIT MANDATUS

'Domno mihi iocali meo illo. Rogo adque supplico dulcissima gracia vestra, ut ad vicem meam omnis causacionis nostras, tam in pago quam et in palacio seo in qualibet loqua, accidere faciatis, et illas porciones nostras, quæm [5] ex alote parentum meorum mihi legibus obvenisse vel obvenire debit, aut iustissime nobis est redebitum, hæc contra parentis meus vel

pearance of the iod. Cf. *Grammatical Survey*), often meaning *that*, a conjunction. **Qua** is the etymon of the Romance conjunctions *que*, *che*.

[5] See previous footnote.

contra cuiuslibit hominum accidere vel admallare seu adliticare faciatis; et quicquid exinde ad vicem nostram egeris, feceris gesserisve, etenim me abiturum esse cognuscas ratum.

5 Iuratum mandatum Andecavis civetate, curia puplica.'

INCIPIT CESSIO

'Dulcissima et cum integra amore [6] diligenda sponsa mea, filia illius, nomen illa, ego illi. Et qua,[7] propicio Domeno, iuxta consuetudinem una cum volumtate 10 parentum tuorum spunsavi, proinde cido tibi de rem paupertatis meæ, tam pro sponsaliciæ quam pro largitate tuæ, hoc est casa cum curte circumcincte, mobile et inmobile, vineas,[8] silvas, pratas, pascuas, aquas aquarumvæ decursibus, iunctis et subiunctis, et in 15 omnia superius nominata, dulcissima sponsa mea, ad diæ filicissimo nupciarum tibi per hanc cessione dileco adque transfundo, ut in tuæ iure hoc recepere debias. Cido tibi bracile valente soledis tantus, tonecas tantas, lectario ad lecto vestito valento soledis tantus, inaures 20 aureas valente soledus tantis, annolus [9] valentus soledus tantus. Cido tibi caballus cum sambuca et omnia stratura sua, boves tantus, vaccas cum sequentes [10] tantas, ovis tantus, sodis tantis. Hæc omnia subscripta rem [11] in tuæ iure et dominacione hoc recipere debias,

[6] **integra amore.** Cf. *amour*, often feminine in Old French. Generally words in **-or, -oris** have become feminine in French: **dolore** (m.) > **douleur** (f.).

[7] **qua** = **quia.**

[8] Apply to the interpretation of these forms and those on the following pages the rules laid down in the preceding notes. Cf. also *Grammatical Survey*.

[9] **annolus** = **annulos.**

[10] **cum sequentes,** *with their calves.*

[11] **Hæc omnia subscripta rem,** *All these things.* Cf. French *rien.*

vel posteris suis, [si] inter nus procreati fuerunt derelinquentis, salvi iure sancti illius,[12] cuius terre esse videtur. Et [si] fuerit illumquam tempore, qui contra hanc cessione ista, quem [13] ego in te bona volumtate conscribere rogavi, aut ego ipsi, aut ullus de heredibus meis 5 vel propinquis meis, aut qualibet homo vel extranea aut emissa persona, venire voluerit, aut agere vel repetire presumpserit, ante lite ingressus duplet tibi tantum et alio tantum, quantum cessio ista contenit, aut eo tempore meliorata voluerit, et repeticione sua 10 non opteniat effectum, et hæc cessio ista adque volomtas nostra omni tempore firma permaneat.'

A WARRANT

INCIPIT IUDICIUS DE HOMICIDIO

Eveniens illi et germanos suos illi Andecavis civetate ante vero inluster illo comite vel reliquis raciniburdis, qui cum eo aderant, quorum nomina per suscripcioni- 15 bus atque senacula subter tenuntur inserti, interpellabat alico homino nomen illo, dicebat quasi ante os annis parentis quorum illo quomodo interfecissit. Interrogatum est sepedicto illo, quid ad hec causa darit in respunsis; sed hoc ad integra fortiter denecabat. Sic 20 iuxta aptificantes sepedictis germanus visum est ad ipsis personas decrevisse iudicio, ut quatrum in suum,[14] quod evenit ipso Kalendas illas, aput homines 12,[15] mano

[12] **salvi jure sancti illius,** *save for the right of the saint* (a church or monastery under the invocation of a saint).

[13] See footnote 4, pages 186–87.

[14] **quatrum** = **quatro** (**quattuor**) = **quatre.** — **in suum** written for **in susum.** Cf. French *en sus,* 'in four days.'

[15] **aput homines 12,** *with* 12 *men,* but literally 'by the side of 12 men.' The meaning of 'with' which **apud** preserved in Old French under the form *od* probably originated in the legal pro-

sua 13, vicinus circamanentis, sibi simmelus, in ecclesia seniore loci, in ipsa civetate hoc debiat coniurare, quod ad morte sepedicto numquam consentissit, nec eum occessisset,[16] nec consciens nec consentanius ad hoc facien-
5 dum numquam fuissit. Se hoc facere potest, diebus vite suæ de ipsa causa securus permaneat; sin autem non potuerit, in quantum lex pristat, hoc emendare stodeat.

INCIPIT NOTICIA AD SUPERDICTO IUDICIO

Noticia sacramenti, qualiter vel quibus presentibus
10 adherant in ipso dia Kalendas Marcias ingressus est homo nomen illi in ecclesia seniores loci,[17] Andecavis civetate. Secundum quod iudicios suos loquitur, aput homenis 12, mano sua 13, iuratus dixit: 'Per hunc loco sancto et divina omnia sanctorum patrocinia,
15 qui hic requiescunt, unde mihi aliquid homenis illi et germanus suos illi repotaverunt,[18] quod parente eorum illo quondam interficisse aut interficere rogasse, ipsum non occisi nec occidere rogavi,[19] nec consciens nec consentanius ad morte sua numquam fui, nec

---

cedure between co-defendants, a procedure quite unknown in Spain and introduced much later in Italy, and then only occasionally. Cf. *Tardif*, note 14.

[16] **occessisset** = **occidisset.** Observe the perfect in **–si** instead of **–di.** Such a phenomenon will later produce forms like *pris*, *occis*, etc. in French.

[17] Notice the meaning of **seniores,** *lord; seigneur* = **domini** (or possibly plural **senioris,** the oblique case). This word may perhaps refer to the saint whose relics lie there.

[18] **Unde** means *ce dont: of which the man so and so and his brother so and so accused.* Old French *reter* (**reputare**) means 'to accuse.' Cf. *FM*, note 11.

[19] **occidere rogavi,** *caused to be killed.* Cf. *Eulalie: li roveret tolir lo chief,* Modern French, *lui fit couper la tête.* Cf. *Greg*, notes 3, 5 and 6; *Liber*, note 4; *Leud*, notes 6 and 8; *Mem*, note 10; *Euf*, notes 2 and 19.

illud de hac causa non redebio nisi isto edonio sacramento, quem iudicatum habui, legibus transivi.'

Id sunt, quod de presente fuerunt et hunc sacramentum audierunt et hunc noticia manus eorum subter adfirmaverunt. Facto noticia. 5

XXVIII

FORMULÆ MARCULFI

It is not definitely known from what part of France the monk Marculfus came; he possibly was born in the center of France, around Bourges, or came from Rebais in the diocese of Meaux. He composed the *Formulæ* about the year 650 and dedicated them to the bishop Landericus. The manuscript is probably of the ninth century. The *Formulæ* are collections of models of deeds or drafts set down for the use of lawyers. In the first selection the heirs of an estate ask a king's envoy to sanction a division of property. In the second a woman gives a dowry to her future daughter-in-law. In the third a rich man exchanges property with a church or monastery, in which deal the advantages may not be equally divided. The profound importance attached to owning real estate, to the *sol*, is notable here.

FROM THE FORMULÆ

1. *De divisione, ubi rege*[1] *accederit missus*

Dum et divisio vel exequatio inter illos et illos seu consortes eorum[2] de alode lui,[3] *aut* de agro illo, cælebrare debetur, et quatenus petitio illorum adfuit, ut

[1] **rege** = **regis**.

[2] **eorum** is written for **sui**. Cf. French *leurs consorts*. **Eorum** = (**il**)**lorum**, Italian, *loro*, French, *leurs*. Cf. *Tardif*, note 16.

[3] **lui** = **illui** = **illi** (or **illius**): *the estate of so and so.* Cf. below **lei** for the feminine.

missus de palatio nostro ad hoc inter eos dividendum vel exequandum accedere deberet, ideo cognuscite, nos misso nostro inlustris viro illo ad hoc inter eos exequando visi fuimus direxisse. Propterea per presentem 5 decernemus ac iobemus preceptum, ut ipsum in hoc vos recipere faciatis,[4] et unicuique ex ipsis iustæ debita portionem terminetur, et decimo illo suntelites [5]; quod exinde in fisci dicionibus tam de terra, vineas, mancipia vel undecumquæ reddebetur, ipse vir ille habeat ex 10 nostra indulgentia concessum, vel quicquid exinde facire voluerit, liberam habeat potestatem.

2. *Libellum dotis*

Quod bonum, faustum, filex prosperumve eveniat! De disponsandis maritandisque ordinibus hac procreatione liberorum causis quæ fiunt, necesse est, ut omnes 15 etiam donatio per scribturarum seriem pleniorem obteniant firmitatem. Donat igitur illi honeste puelle, noræ suæ lei [6], sponsa filio suo illo, ante die nuptiarum donantisque animo transferet atquæ transcribit, hoc est in tanodono villa nuncupante illa, sitam ibi, cum 20 domo condignam ad habitandum vel omni integritate ibidem aspicientem, similiter et in dotis titulum alias villas nuncupantes illas, sitas ibi, mancipia tanta illos et illas, inter aurum et argentum et fabricaturas in soledos tantos, caballos tantos, boves tantos, gregem equo- 25 rum, gregem armentorum, gregem porcorum, gregem ovium, ita ut hæc omnia per manu sua ad suprascribta

[4] **recipere faciatis.** The use of **facere** here almost comes to the same effect as, but is not analogous to, the English 'do,' because it is always causal and is a sort of polite formula (as, for instance, the plural of politeness, **vos** for **tu**), by which one supposes that the person will have the thing done, although it is well known that he will do it himself.

[5] Very likely for **satellitibus,** *the officers.*

[6] See footnote 3, page 191.

puella, noro sua illa, ante die nuptiarum dibeat pervenire; et in sua dominatione revocare, vel quicquid exindæ facire elegerit, liberam habeat potestatem. Quod si quis contra hanc libellum dotis venire et eam infrangire conaverit, inferat partibus prefatæ lei tantum. 5

3. *Concamio de villas*

Inter quos caritas inlibata permanserit, pars parte [7] beneficia oportuna prestantur, quia nihil sibi de rebus propriis censit minuendo, quod econtra recepit in augmentum. Ideoque placuit atque convenit inter 10 venerabile illo, ex permisso apostolico lui,[8] et inlustris [9] vero illo, ut locella aliqua inter se concammiare deberint; quod ita fecerunt. Dedit igitur ille venerabile lui [8] locello nuncopante illo, situm ibi, de parte baselicæ sancti illius memorato lui, quicquid ibidem ad 15 presens de qualibet adtractu tenere videbatur, cum terris, domibus, ædificiis, accolabus, mancipiis, vineis, silvis, campis, pratis, pascuis, aquis aquærumve decursibus, vel omnia ibidem aspicientem. Similiter in conpensatione huius meriti dedit suprascribtos illos [10] 20 ad partem memorato abbati vel predictæ baselicæ alio locello nuncupante illo, situm ibi, quicquid ibidem ad presens de quodcumque adtractum ibidem habere videbatur, cum terris, domibus, ædificiis, accolabus, mancipiis, vineis, silvis, campis, pratis, pascuis, aquis 25 aquerumve decursibus vel omnia ibidem aspicientem; ita ut ab hac die unusquis ex ipsis memorata loca,

[7] **pars parte** means literally 'party by party,' i.e. *mutually*. Cf. French *de part et d'autre*.

[8] Note that **lui** already seems to be an emphatic pronoun, *un tel*, even in the nominative. **Dedit . . . lui,** *So the venerable man so and so*. Cf. *FS*, note 5.

[9] **inlustris,** here and in the preceding passage, being a title, is invariable.

[10] **suprascribtos illos** = **suprascriptus ille.**

quod acciperunt, habendi, tenendi vel quicquid exinde pro eorum oportunitate et conpendio facire elegerint liberum perfruantur arbitrium. Illud vero addi convenit, ut, si aliqua pars ex ipsis aut heredes vel succes-
5 sores eorum hoc emutare vel refragare voluerit, rem quam accepit amittat et insuper inferat pare suo, qui hoc facire presumpserit, auri liberas tantas, argenti pondo tantum, et quod repetit vindicare non valeat, sed presens conmutacio, unde [11] duas inter se uno tinore
10 conscribserunt, firmas et inviolatas omni tempore permaneant, stipulatione subnexa. Actum illo.

[11] **unde** means *dont.* The meaning of **presens . . . conscribserunt** is *the present exchange of which* (**unde**) *they wrote two* (*copies*) *of one tenor.* Cf. *FA*, note 18.

XXIX

FORMULÆ SENONENSES

These *Formulæ* were composed by an unknown author, possibly the scribe of some count of Sens (Gaule lyonnaise) who wrote them for given occasions. They were composed between the years 768 and 775, the manuscript being of the end of the eighth century. The following selection describes the procedure of a man accused of certain illegal deeds, who, publicly and officially, denies the accusations.

NOTITIA SACRAMENTALE

(*An Oath*)

Noticia, qualiter et quibus presentibus veniens homo alicus nomen ille [1] in pago illo,[1] in basilica sancto illo,[1] ubi plurima sacramenta precurrere videtur,[2] ante vir

[1] Observe the very frequent use of **ille** with the meaning of *so and so.*

[2] **plurima sacramenta** is a neuter plural, felt as a collective feminine.

magnifico illo [3] vel reliquis quam pluris bonis hominibus, qui subter firmaverunt, posita manum suam super sacrosancto altaro sancto illo,[3] sic iuratus dixit: 'Hic iuro per hunc loco sancto et Deo altissimo et virtutis sancto illo [3]: unde me ille [3] homo in mallo 5 publico malabat, quod ego terra sua, aut coniuge sua illa,[4] in pago illo,[3] in loco que dicitur ille, de eorum potestate per fortiam nunquam proprisi aut pervasi, sed de ista parte triginta et uno anno fer amplius semper exinde fui vestitus et post me divisi, et per lege 10 et iustitia plubs obteneat me ad habere quem ipsius lue,[5] aut coniuge sua illa, ad reddere; et alio de ista causa, quod mihi iudicatum fuit, in nullo non redibio nisi isto etunio sacramento. Per hunc loco sancto et Deo altissimo et virtutis sancto illo.' Insequenter vero 15 post ipse tris aloariæ et 12 conlaudantes iuraverunt et de linguas eorum legibus [6] dixerunt.

[3] See footnote 1, p. 194.

[4] **terra . . . illa,** *his land or that of his wife so and so.*

[5] Such forms as **ipsius** and **illui** (**lui, lue**) take on an emphatic meaning, a forerunner of the demonstrative in Italian and French. — **et per . . . lue,** *by law and justice* (*this land*) *pertains more to me to have* (*to own*) *than to return to that man so and so* (**ipsius lue**), or *it is more legitimate that I should hold on to this land than return it to that man so and so.* Cf. *FM*, note 8.

[6] **legibus** = **leges** (**legis**).

XXX

CARTONS DES ROIS OF TARDIF [1]

This is the most precious collection of original and sealed documents known to the early history of France, the exact date of composition and of the original manuscript being

[1] Numbers 1, 2, 3, 4 of the following extracts have been taken from the edition of Lauer and Samaran, listed in the *Bibliography*, I. Texts.

stated in every case. No. I is dated June or July 625 at Etrepagny and is the confirmation made by Clotaire II of a gift of land in Paris made to the Abbey of Saint-Denis. This *diplôme*, the oldest original act preserved in the archives of France, is very mutilated. No. II is dated September 677–678 at La Morlaye. It is an authorization granted by Thierry III to Chramlin, bishop of Embrun, deprived of his position, to retire to the Abbey of Saint-Denis and to retain the liberty of disposing of his property. No. III, dated about the year 681, is a franchise granted by Thierry III to the Abbey of Saint-Denis. No. IV is dated March 14, 697, at Compiègne. It is a judgment rendered by Childebert in favor of the Abbey of Tussonval against Drogo and his wife Adaltrude, who were disputing the property of land situated in Noisy. No. V is dated July 8, 753. It is a judgment in which Pippin confirms the granting of treasury rights in all Paris to the Abbey of Saint-Denis in connection with merchants coming to the fair at Saint-Denis. No. VI is dated June 5, 769. It is the record of a sale of a small piece of property in Pincerais made by Egefroi and his wife Ercheside to a certain Nautlinde for three *sous*.

FROM THE *CARTONS DES ROIS*

1. *Confirmation of a Gift of Land to the Abbey of Saint-Denis*

CHLOTHACHARIUS REX FRANCORUM, VIRIS INLUSTREBUS

. . . iatis titolis, Xpisto auspece, credemus pertenere si ea que cognoverimus, partebus Sancti domni Dioninsis peculiares patroni nostri . . . generaliter confirmamus, adque stabeli dignetate durare jobemus. Ideo
5 vir venerabelis, pater noster Dodo, abba, epistolam donaciones . . . dam in qua tenetur insertum area,

quod est infra murus Parisius civitatis, quem ex successionem genetore suo Baddone[2] quondam . . . sancti domni Dioninsis martheris, ubi Dodo abba deservire videtur, nuscetur contulisse. Qui viro petiit ut hoc in ipsa basileca . . . us confirmare deberimus: cui nos 5 hunc beneficium, pro divino intueto vel referencia ipsius loci sancti, libente animo præs . . . ipso inlustri viro Daoberctho area ipsa ad supradicta basileca, per inspecta donacione, legaliter fuisse condonatum, hujus . . . us cum Dei et nostra gracia ad ipsa basileca, vel 10 monachis ibidem deservientebus, proficiat in perpetuo. Et ut hec auctoretas nostris et fu . . . manus nostre subscribcionebus subter eam decrevimus roborari. Syggolenus optolit. Chlothacharus in Xpisti nomine, rex hanc preceptionem subscripsi . . . julias-annum- 15 XLI-regni nostri — Sterpiniaco — feliciter.

2. *Grant of Certain Rights to the Former Bishop of Embrun*

THEUDERICUS, REX FRANCORUM, VIRIS INLUSTREBUS AUDOBERCTHO ET ROCCONI PATRICIIS, ET OMNEBUS DUCIS SEU COMITEBUS, VEL ACTOREBUS PUBLICIS

Dum et episcopos de rigna nostra, tam de Niuster quam et de Burgundia, pro statu æclisiæ vel confirmacione pacis ad nos — tro palacio Maslaco villa jussemus advenire, et aliqui ex ipsis qui in infidilitate nostra 20 fuerant inventi, per eorum can — nonis fuirint judecati, inter quos adfuit Chramlinus, filius Miecio[2] quondam, qui æpiscopatum Æbre — duno civitate habuit; inventum est, quod sua præsumcione vel per falsa carta, seu per revellacionis audacia, sed non per nostra 25 ordenacione, ipsum æpiscopatum reciperat, eciam nec

[2] Note the oblique case for the genitive.

sicut eorum cannonis contenent ad ipsum benedicen — dum solemneter episcopi non adfuirunt; unde Genesio, Chadune, Blidramno, Landoberctho et Terniisco,[3] qui matropoli esse viden — tur, vel reliqui quampluris
5 episcopi ipsus judicantis, in nostri præsencia fuit conscissus [3] adque de suprascripto epis — copato æjectus. Ideo nus, una cum consilio suprascriptorum pontefecum vel procerum nostrorum, conplacuit quate — nus, dum secundum cannonis in ipso cenodale [4] concilium
10 fuerat degradatus, res suas proprias, pertractavemus, pro mercidis causa, perdere non dibirit; sed quod exinde [5] facere voluerit, una cum suprascriptus patribus nostris, taliter præcipemus ut hoc licenciam habiat faciendi.

3. *A Franchise Granted to the Abbey of Saint-Denis*

15 . . . Ideo cognuscat magnetudo seo utilitas vestra quod nus ad monasterio peculiaris patroni nostri domni Dioninsiæ, ubi ipse preciosus in corpore requiiscit, ubi venerabilis vir Chardericus abba custus precesse viditur, tale beneficium vise fuimus concessisse de quantam-
20 cumque carra, ubi pro oportunetate ipsius basilice, vel necessetate fratrorum, tam in Niustreco quam in Austrea vel in Borgundia ambolare at discurrere viden-

[3] Observe the use of the oblique case for the dative of agent of the passive verb. **Conscissus . . .** (two lines below) means 'he was cut off and expelled from the episcopate by Genesius,' etc. But in the course of his sentence the author's mind wanders from his grammatical constructions (a characteristic of this period) and he uses the nominative for **episcopi,** because proper names are often used in the oblique case for the nominative.

[4] **cenodale** = **synodale,** for **synodus.** Observe the use of the adjective for the noun.

[5] **exinde.** Cf. French *en.* It is used here in this sense. Cf. note 11.

tur, tam carrale quam de navigale, nullus quis — libet de judicibus nostris vel de tellonneariis nullo tilloneo de ipsa carra exigere nec requirire non presumatur.

4. *Rights Accorded to the Abbey of Tussonval*

. . . vir Magnoaldus abba de monasthirio Thunsone valle, quem habuncolus suos domnus Charderieus, condam episcopus, suo opere edeficavit, climenciæ rigni nostri suggessit eo quod agentis inlustri viro Drogone filio,[6] itemque inlustri viro Pippino, majore domus nostro, curte basileci sui nuncopanti Nocito, que ponetur [7] in pago Camiliacinse, qui fuerat Gærino condam, et de fisco, per precepcione domno et geneture nostro Theuderico,[8] condam rige, ad ipso monasthirio fuerat concessa, ipsi [9] agentis memorato Drogone, malo urdene, de potestate ipsius Magnoaldo [10] vel monasthirie sui tullisset vel abstraxsissent, seo et mancipia, pecunia, vel reliquas ris quampluris exinde [11] naufragiassent vel devastassent. Intendebat æcontra ipsi

[6] **viro Drogone filio** are in a genitive function. Observe the oblique form for the genitive.

[7] **ponetur** = **positus est,** a topographical passive used at all periods. It corresponds to French *se trouve.* Cf. St. Jerome's preface to Esdra and Nehemiah in the *Vulgate:* **multa ponuntur quasi de veteri testamento quæ apud Septuaginta interpretes non habentur.** Here **ponuntur** = **posita sunt,** French *se trouvent.* Cf. also in Cæsar's *Gallic War:* **Gallia . . . divisa est,** as compared with Pliny: **dividitur. Ponetur,** therefore, is not to be interpreted as an indication of the disappearance of the Latin synthetic passive.

[8] Observe the oblique case used in a genitive function.

[9] Note the repetition of **ipse** used here somewhat in the sense of the article, as well as throughout this passage.

[10] **Magnoaldo** is in the oblique case, used here for the genitive.

[11] Observe the repetition of the particle, as in French or Italian. Cf. note 5.

Drogus, eo quod socer suos, inluster vir Bercharius, condam ipsa [12] villa de ipso [12] Magnoaldo concamiassit, et eidem justisseme ad partem conjuge sui Adaltrute ligibus reddeberitur. Intendebat æcontra ipsi [12] Mag-
5 noaldus, quasi conlocucione et convenencia exinde [13] apud [14] ipso [12] Berchario habuissit ut ipsa inter se conmutassent, sed hoc numquam ficissent, nec de ipsa [12] curte ipsi [12] Berecharius mano vestita numquam habuissit; nisi, malo urdene, per forcia, et inico ingenium ipsi [12]
10 agentis predicto Drogone,[15] de potestate sua abstraxsissent. Interrogatum est ipsius [16] viro Drogone quatenus intendebat quod exinde [13] socer suos concammio apud [14] ipso [12] Magnoaldo ficissit, se talis epistulas conmutacionis exinde [13] inter se ficissent, aut se ipsas in
15 nostri presencia presentare potibat. Sed ipsi strumentum exinde nullatenus presentavit, nec nulla evidenti potuit tradere racione,[17] per quod ipsi [12] Berecharius ipsa habire debuisset, nec per quo urdene ipsa ipsi Drogo ad parte conjuge sui nec ad sua habire debirit.
20 Sic ei a superscriptis viris domnis episcopis vel optematibus nostris, in quantum ipsi inluster vir Hociobercthus, comis palacii noster, testimuniavit, nuscitur judecasse vel definisse,[18] ut ipsi vir Magno — aldus,

[12] See footnote 9, page 199.

[13] See footnote 5, page 198.

[14] **apud** = **cum.** Cf. *FA*, note 15.

[15] Observe the oblique case used in the function of the genitive.

[16] **Ipsius** is a genitive used as an accented form for the dative or oblique case. Cf. in Romance the use of **illorum** for the dative case. Cf. *FM*, note 2.

[17] **nulla . . . racione** = **nullam evidentem potuit tradere rationem.**

[18] **judecasse vel definisse** are past infinitives with passive meanings: *it is known to have been decided and judged.* This meaning comes partly through the double use of the active infinitive for active and passive meanings, due to the confusion of the infinitive endings -**are** and -**ari,** etc.

ipso loco Nocito, quantumcumque exinde, per precepcione ipsius domno et geneture nostro, ad ipso monasthirio suo Tunsone valle fuerat concessum, hoc ipsi Drogus ad sana mano cum exinde revestire debirit, et ipsi Magnoaldus illa fructa,[19] hoc est vinus vel an- 5 nonas aut fenus quod exinde missi sui devastaverunt, ei indulgire debirit: quod ita et ficit.

5. *Contract of a Sale Made to the Abbey of Saint-Denis*

Confirmatio de illo mercato qui dicitur Sancti Dionysii, tempore Pippini regis

Pippinus, rex Francorum, vir inluster, omnibus ducibus, comitibus, graffionibus, domesticis, vecariis, centenariis, vel omnes agentes tam presentibus quam et 10 futuris, seu et omnes missus nustros de palacio ubique discurrentes. Igitur cognoscat utilitas seu magnitudo vestra, venerabilis vir Folradus, abba de basilica peculiaris patronis nostri sancti Dionisii, ubi ipse preciosus domnus com sociis suis corpore requiescere videtur, 15 vel ipse abba una cum turma plurima monachorum in ipso cenubio degere videntur, vel domino militare[20] noscuntur, missa peticione, nobis suggesserunt eo quod a longo tempore anteriores reges domnus Dagobertus et Chlodovius, seu et postea Hildericus et Theuderi- 20 cus, et Chlotharius, quondam reges, etiam et Hiltbertus, et avunculus noster Grimoaldus majorum-domus,[21] ipsique quondam omnes telloneos, infra pago Parisiaco, de illa festivitate Sancti Dionisii in idipso[22] pago

[19] Cf. Italian *frutta*.

[20] **domino militare,** *serve the Lord.*

[21] **majorum-domus** = **major domus.** The first word has become indeclinable. Cf. note 26 and *Liber*, note 8.

[22] Cf. Italian *adesso* = **ad id ipso.**

Parisiaco, de omnes necuciantes, tam Saxsones quam Frisiones, vel alias naciones promiscuas de quascumque pagos vel provincias ad festivitate sancti Dionisii martyris, tam in ipso marcado quam et in ipsa civitate
5 Parisius de ipsa vice, seu et per villabus, vel per agros, tam ibidem quam et aliubi, ad negociandum, vel necocia plurima exercendum, et vina comparandum [23] in portus, et per diversa flumina, qui ad ipsa festivitate advenerint, ut ipso telloneus [24] in integritate de ipsa
10 vice ad casa Sancti Dionisii [25] concessissent, vel confirmassent: unde et ipsas preceptiones vel confirmaciones anteriorum regum nobis in presente obtulerunt relegendas. Relectas et percursas ipsas preceptiones, seu et confirmaciones, vel illo judicio evindicato domno
15 Hiltberto rege et avunculo nostro Grimoaldo majorumdomo, quem agentes Sancti Dionisii super agentes inlustri viro Grimoaldo majorum domo [26] evindicaverunt, ipsum nobis obtullerunt ad relegendum; et postea suggerebat ipse Folradus abba, vel monachy Sancti
20 Dionisii, et hoc dicebant ut ille telloneus de illo marcado in villabus vel agros eorum totus absque judiciis introitum ad casa Sancti Dionisii adesse debebat, et hoc dicebant quod ante hos annos, quando Carlus fuit ejectus per Soanachylde cupiditate et Gairefredo Pari-
25 sius comite insidiante, per eorum consensu ad illos necuantes vel marcadantes per deprecacionem unumquemque hominem ingenuum dinarius quattuor dare fecissent,[27] et hoc eis malo ordine tullerunt; et postea

[23] **ad . . . vina comparandum.** This is a sort of intermediary construction between **ad vina comparanda** and **ad vina comparare.**

[24] **ipso = ipsos.**

[25] **ad casa,** *in the monastery.*

[26] **viro Grimoaldo . . . domo** are in a genitive function; **majorum domo = majore domus.** Cf. note 21 and *Liber*, note 8.

[27] **ad illos . . . fecissent,** *they caused four denarii to be given by these dealers* or *merchants*, etc. French, *ils faisaient donner*

Gairehardus comis Parisii, vel agentes sui, ipsam deprecacionem, quomodo ibidem invenerunt, per consuetudinem ad ipsos homines hoc exactabant, et ad unoquemque homine ingenuo de quacumque nacione, qui ad illo marcado adveniebant, dinarius quattuor 5
de eorum capite exactabant, si ingenuus esset, et si servus erat, tunc conjurare debebat quod servus fuisset, et ipsi homines, quando ipso sacramento jurabant, quinque dinarius pro hoc donabant. Et hoc agentes Sancti Dionisii, vel Folradus abba, seu ille monachy 10
dicebant quod per talem consuetudinem ille marcadus fuisset eminuatus vel abstractus, et ille necuciantes vel omnes naciones, qui ad ipso marcado advenire solebant, pro hac causa ipso marcado defugiebant, et ille telloneus de ipsa casa Dei erat minuatus vel abstractus, et ipse 15
Gairehardus hoc dicebat quod alia consuetudine in ipso marcado non misisset, nisi qualem antea per emissione Soanechyldæ vel jam dicto Gairefredo missa fuisset, et ibidem invenisset; et aliter exinde agere non volebat, nisi quomodo domno rege placebat, vel 20
quomodo a longum tempus [28] tempora regum ibidem fuit consuetudo, vel ad ipsa casa Dei in integritate ipse telloneus fuit concessus vel conservatus. Et dum hac causa sic acta vel perpetrata invenimus, per anteriorum regum tales precepciones vel confirmaciones nobis ob- 25
tulerunt relegendas, una cum plures nostris [29] fidelibus: id sunt,[30] Milone, Helmegaudo, Hildegario, Chrothardo, Drogone, Baugulfo, Gislehario, Leuthfredo, Rauhone, Theuderico, Maganario, Nithado, Vualthario, Vulfario,

quatre deniers aux (*par les*) *marchands*. This Romance locution is thus already formed in the eighth century. Cf. *Grammatical Survey*, and also notes 41 and 44; *Examen*, note 1.

[28] Observe that the neuter oblique case is like the nominative. Cf. *Ved*, note 1.

[29] **plures** = **pluris** = **pluribus**.

[30] **id sunt**; French *ce sont;* cf. note 39.

et Vuicberto[31] comite palati nostro, visi fuimus judicasse, vel decrevisse, seu confirmasse, et de novo iterum concessisse, ut ab hac die nullus ex judiciaria potestate, nec in ipso marcado, nec per eorum agros, nec portus,
5 nec de homines eorum, nec eorum necuciantes, nec de omnes naciones quascumque qui ad jam dicto marcado adveniunt, nec per villas eorum, nec de navigia, nec de portus, nec de carra nec de saumas, nullo telloneo, nec foratico, nec rotatico, nec pontatico, nec
10 portatico, nec salutatico, nec cispitatico, nec mutatico, nec nulla exacta, nec consuetudines, nec illos dinarios quattuor, quod de omnes naciones qui ibidem ad ipso marcado adveniunt, quem Soanachyldis et Gairefredus comis, ut supra memoravimus, in consuetudine mise-
15 runt ad ipsos necuciantes, nec infra ipso pago Parisiago, nec in ipsa civitate, de ipsa vice nec aliubi, qui ad ipsa sancta festivitate adveniunt, nulla exacta nec contrarietate, neque vos, neque juniores seu successores vestri, exigere nec exactare non presumatis; nisi, ut diximus,
20 quicquid exinde fiscus noster forsitan ad parte nostra, seu et ad omnes agentes nostros, potuerat sperare, omnia et ex omnibus ipse telloneus, ad ipsa casa Dei in integrum, sit concessus atque indultus, vel evindecatus, ita ut futuris temporibus, per nostra auctoritate
25 vel anteriorum regum, habeant confirmatum vel evindicatum. Quia nos propter Deum et reverencia prefati Sancti Dionisii martyris, seu pro animæ nostræ remedium, vel stabilitate regni Francorum, et filiis nostris, vel posteritate eorum, hoc in luminaribus ad
30 ipsa casa Sancti Dionisii, vel ad ipsos monachos, seu pauperes et peregrinos, in nostra ælemosyna, hoc in omnibus concessimus vel confirmavimus, ut eis melius

[31] **Milone, Helmegaudo,** etc. All the names, which may be in the nominative function, are given in the oblique form. Cf. notes 34 and 40 and *Comp*, note 1.

delectet pro stabilitate regni nostri, vel pro cunctis leudis nostris, Domini misericordia adtencius deprecare, et ut ævis et perennis temporibus ad ipsa casa Dei proficiat in augmentum. Et ut hæc confirmacio nostra, inspecto ipso judicio domno Hildeberto rege vel aliorum 5 regum,[32] seu et avunculo nostro Grimoaldo majorum-domo, firmior habeatur, et circa ipsa sancta casa Dei perenniter conservetur, manu nostra subter eam decrevimus adsignare, et de anolo nostro subter sigillare.

Signum † domno nostro Pippino gloriosissimo rege. 10 Ejus jussus recognovi et subscripsi.

Datum quod fecit mense Julius dies octo, anno secundo regni nostri, in Dei nomine feliciter.[33]

6. *Contract of a Sale to Nautlinde*

De Pociolus in Pago Pinciacinse

Domino magnifigo fratri Ægefredo et cojouis mea Archesidane,[34] vintores. Constat nus at alliqua fimena 15 nomine Nautlindo, vindemus tibi pecia de maso probrio jures meo, hoc est plus minus demedium arpentum; abitat Sinallus; de uno latus [35] terra sancti Petri,[36] de uno fronte terra at ipsus imtoris,[37] de allio latus [35] terra sancti Flodoaldi,[36] de quarto viro fronte versus 20

[32] **domno Hildeberto rege vel aliorum regum.** Note the oblique forms of the first three nouns used for the genitive and the Classical genitive form of **aliorum regum.**

[33] Observe how dates are expressed. **Datum,** etc., whence 'date.'

[34] Observe the oblique case for the nominative. Cf. notes 31 and 40 and *Comp*, note 1.

[35] Observe that **latus** is the neuter oblique form like that of the nominative.

[36] **terra sancti Petri . . . sancti Flodoaldi,** *the land belonging to the monasteries of St. P. and St. F.*

[37] **at ipsus; at = ad,** *la terre à ces acheteurs.* This construction replaces the Classic Latin dative of agent.

œ . . . bo via publica; et est ipsa pecia de maso in villa Pociollus, in pago Pinciacinse. Et accibimus de vus [38] precium taxatum que nubis conplaguit et convinit, hoc sunt [39] in argenti solledis. III. tantum. Post hunc
5 die ipsa pecia de ma[so] abias, tenias, vindere, donare, transmutare, quitquit exinde facire volluires, libera et firmesima in omnibus abiis potestatem at faciendi que volluires, et de meo juro potesta . . . in tua trado at domenandum, ut post hunc die, ullus eredis [40] meus seu
10 extrania persona, qui contra vindicione ista at me facta [41] venire aut eccontra ipsa ad om . . . se volluiret, inter te et socium fisco, auri libera una, argenti solledis LX conponat, et quod petit non vindicit; et vindicio ista omnique tempore firma permaniat, cum extibla-
15 cione subnexa.

Actum est Mi . . . do vigo publigo, at ecclesia Sancti Martini, in minse junium,[42] quot fecit diis quinque, anum primum regnate sub domno Carlo et Carlomann . . . regis gloriosisimus,[43] manubus nostris su[bter] fir-
20 mavimus, et ad bonis hominebus atfirmare rogavimus.[44]

[38] **vus** = **vos** = **vobis.**

[39] **hoc sunt;** French *ce sont.* Cf. note 30.

[40] **eredis** = **heres.** Cf. notes 31 and 34 and *Comp,* note 1.

[41] **vindicione ista at me facta,** *this sale made by me.* Observe the use of **ad** for the agent of a passive verb. The dative of agent of passive in Classical Latin is here replaced by the preposition **ad.** Cf. French *C'est fort bien fait à vous.* Cf. notes 27 and 44 and *Examen,* note 1; *Mem,* note 2.

[42] **in minse junium** = **in mense junio; junium** = **junio** = **junii.**

[43] **regis gloriosisimus** = **regibus gloriosissimis.**

[44] **ad bonis hominebus atfirmare rogavimus,** *we had it confirmed by the boni homines.* Cf. notes 27 and 41 and *Examen,* note 1; *Mem,* note 2. But here **atfirmare,** due to the confusion of final **e** and **i,** although in the passive, preserves the active form. This phenomenon survives in the idiomatic French expression *nous l'avons fait confirmer aux grands* (*de notre royaume*).

XXXI

EXAMEN TESTIUM

This is the record of an examination, which took place in the year 715, of witnesses in a trial between the bishops of Arrezo and Siena in regard to the ownership of several parishes. The manuscript is a copy somewhat posterior to 715.

TESTIMONY OF WITNESSES

EXAMEN TESTIUM CORAM GUNTHERAMO NOTARIO, ET MISSO LIUTPRANDI LANGOBARDORUM REGIS IN CONTROVERSIA DE QUIBUSDAM PAROCHIIS INTER EPISCOPOS ARRETINUM ET SENENSEM, ANNON 715

In nomine Domini Dei Salvatoris nostri Jesu Christi. Sub die duodecimo Kalendarum Juliarum. Indictione Tertiadecima. Breve de singulos Presbiteros, quos pro jussione excellentissimi Domni nostri Liutprandi Regis, ego Guntheram Notarius in Curte Regia Senensis in- 5 quisibi de Dioceas illas et Monasteria de quibus intentio inter Episcopum Senensis Civitatis necnon et Aretine Ecclesie, idemque Episcopum vertebatur. Posita quatuor Dei Evangelia, et Crux Domini et sanctum Calicem ejus et Patena. 10

Idest primum omnium interrogavimus Semeris (?) Presbitero, de Monasterio Sancti Ampsani, jam seniorem, ut nobis diceret veritatem de cujus Diocea esset, aut ad[1] qualem Episcopum habuisset sacrationem. Qui nobis dixit: Jam Ambrosio Misso Domno Regi de 15 causa ista professionem feci. Et vobis veritatem dico: qui ab antiquo tempore Oraculus fuit de sub Ecclesia

[1] Notice the extensive use of **ad** here, as elsewhere during this whole period; **ad** = **apud** = **ab.** Cf. *Tardif*, notes 27, 41, 44 and *Mem*, note 2.

Sancte Marie in Pacina et Corpus Sancti ibi quiescit. Nam tempore suo quondam Wilerat et ejus filius Rotto eum a fundamentis restaurasset. Et interrogavimus eum. Te quis sacravit Presbiterum? Respondit:
5 Bonushomo Episcopus Ecclesie Aretine: ipse me consecravit, et manu mea in Sancto Donato feci,[2] et sacramentum secundum consuetudinem ibidem prebui. Nam in ipso Monasterio me Willerat et Rotto ordinaverunt, quia servus eorum proprius fui. Et interro-
10 gavimus eum: Quando te Episcopus Aretine Ecclesie consecravit, in Sena erat Episcopus? Respondit: Memoro, quia erat bone memorie Magnus Episcopus, qui post ordinationem meam Episcopus Magnus de Sena ibidem consecravit duo Altaria: Altare priorem[3]
15 renovavit ad ipsum Corpus Sanctum, et alterum plantavit in honore Sancte Marie, et Sanctorum Petri et Juliani. Iterum interrogavimus eum: Quando Episcopus Senensis ista Altaria consecravit, erat Episcopus in Aretio? Respondit . . . Interrogavimus eum: Ad
20 qualem[4] Episcopum obediebas? Qui nobis dixit: Vecibus ad Sanctum Donatum ambulabam, et salu . . . Aretine Ecclesie pro sacratione mea portabam in me[5] dotem, nec aliquid de ipso Monasterio Episcopo Senensi numquam per . . . excepto per Sanctorum benedic-
25 tionem de Civitate Senensi portabam. Item interrogavimus eum: Antecessor tuus qui ibidem officia faciebat, quomodo dictus est? Respondit: Dominicus de Ecclesia Sancte Marie in Pacena. Et interrogavimus eum: Ipse Dominicus Presbiter, ubi fuit consecratus?
30 Et Baptisterium ejus ubi pertinebat? aut de qualem[6]

[2] **manu . . . feci,** *I signed up in Sancto Donato.* Cf. note 7.
[3] **priorem** = **prius; altare** is neuter.
[4] **ad qualem.** Cf. French *à quel; It. à quale.*
[5] **in me** = **apud me.**
[6] **de qualem** = **de quo,** a Romance meaning, *duquel.*

Crisma accipiebat? Respondit: Ab Episcopo Aretino, unde et ego post ejus decesso per annos quinque, dum ipsa Ecclesia tenui, Crisma excepi.

Item secundus Presbiter introductus est Gunteram senex de Ecclesia et Baptisterio Sancti Stephani Acen- 5 nano, qui interrogatus dixit: Veritatem dico, et non mentior per ista sancta quatuor Dei Euangelia, et Crucem Domini nostri Jesu Christi, quia sacrationem ab Episcopo Aretine Civitatis, nomine Vitaliano accepi, et manu mea [7] in Sancto Donato scripsi et sacra- 10 tionem prebui. Et ab ullo tempore usque modo jam quinto Episcopo Aretine Ecclesie semper inde Chrisma omnem annum [8] accepi et salutationem et obedientiam ibidem habui. Et quando nobis totalus [9] intra Plebe nostra sacrari fuit opportunum, per manus Pontifici 15 Aretine Ecclesie factum est. Nam antecessores mei similiter exinde sacrationem habuerunt, nec umquam ab Episcopum Senensem condicionem habuimus, nisi si de Seculares Causas nobis oppressio fiebat, veniebamus ad Judicem Senensem, eo quod in ejus territorio sede- 20 bamus.[10]

Tertius Presbiter Maurianus, de Basilica Sancti Simpliciani in Sextano, interrogatus dixit: Per ista sancta quatuor Dei Euangelia, et istam crucem Domini, quia non mentior, sed veritatem dico: quia Baselica ista 25 dedicavit Vitalianus Episcopus de Sena et me sacravit Albanus Episcopus de Aritio et manu mea ibidem feci, et sacrationem prebui. Electus ambulavi cum Epistola Judici de Sena; et Baptisterium habeo in Pacena. Pro ipso Baptisterio Episcopo Aretino obedientiam et 30 Crisma exinde tuli.

[7] Cf. note 2.

[8] **omnem annum,** *every year.* Cf. Italian *ogni anno.*

[9] Read **oraculus** or **oratorium.**

[10] **sedebamus,** *we were.*

Quartus Presbiter Onninus de Baptisterio Sancti Ipoliti Ressiano, interrogatus dixit: Per Deum vivum, et verum, et ista quatuor Dei Euangelia, et Crucem Domini, quia sacrationem de Episcopo Aretine Ecclesie, 5 nomine Bonumhomine suscepi, et antecessores mei, et ego semper de Episcopo Aretino omnem annum Chrisma tuli, et obedientiam secundum Canones ibidem habui usque modo; et sacramentum ad Sanctum Donatum prebui, et manu mea scripsi. Et quando Oratorius 10 opus fuit dedigare, per manus Episcopi de Aritio facta est.

Quintus Presbiter Deusdedit senex de Baptisterio Sancti Johannis in Rancia interrogatus dixit: Per ista quatuor Euangelia quia veritatem dico et non mentior: 15 qui misit me Vilerat a Bonumhominem Episcopum Aretine Ecclesie ut ipse me consecraret. Ille vero erat ad Episcopo electus et non erat adhuc sacratus. Fecit me jurare secundum antecessorum meorum consuetudinem: et feci manu mea ad Sanctum Donatum; 20 et sic cum Epistola sua misit me ad Vitalianum Episcopum de Sena, et per rogum ejus me consecravit. Nam semper obedientiam ad Episcopum Aretine Ecclesie habui, et hodie, triginta et septem anni sunt, quod Presbiterato accepi, semper Crisma de Episcopo Are-25 tine Civitatis tuli; et filio meo [11] in Diaconato et in Presbiterato Episcopus Aretinus consegravit et Oratio aut oblatio in Plebe nostra similiter.

Sextus Presbiter Theodeus, de Ecclesia suprascripta Sancti Johannis, interrogatus dixit: Per ista sancta 30 quatuor Dei Euangelia, et Crucem Domini, quia cum Epistola Warnefrit ambulavi ad Aritio, et me consecravit Lupercianus Episcopus de Aritio: et Chrisma inde tollemus et obedientiam ibidem faciemus semper.

[11] Observe the interesting testimony as to the marriage of priests in the eighth century.

Et manu mea scripsi, et sacramentum prebui secundum consuetudinem antecessorum.

Item interrogatus est Germanus Diaconus de Ecclesia et Baptisterio Sancti Andree in Malcenis: qui interrogatus dixit: Per ista sancta quatuor Dei Euangelia 5 quia veritatem dico; quoniam prelectus a Plebe cum Epistola Warnefrit rogaturus ambulavi ad Lupercianum Aretine Ecclesie Episcopum; et per eum consegratus sum, et sacrationem ad Sanctum Donatum prebui et obedientia, sicut decet, ad Episcopum suum ibidem 10 habemus et nos et antecessores nostri usque modo et Chrisma semper exinde tulimus.

Item introductus est Rodoald Presbiter senex, de Baptisterio Sancti Quirici et Johannis in Vico Pallecino. Qui interrogatus dixit: Per ista sancta quatuor Dei 15 Euangelia et istam Crucem Domini, quia cum Epistola Warnefrit ambulavi ad Aritio, et per manus Luperciani Episcopi sacrationem, odie annus est tertius, eo quod Sena minime Episcopum habebat; nam exinde Crisma numquam tuli, nec obedientiam ibidem habui, nec manu 20 mea feci, nec sacramentum prebui, nisi posteris Episcopis in Sena est ordinatus, semper et obedivi juxta canonicam institutionem.

Item, introductus est Mauricius Clericus senex, de suprascripto Baptisterio, qui dixit, ut supra: quia 25 semper Diocea Sancti Donati fuemus, et inde fuet Sagratio et Chrisma inde accepemus.

Item Godelricus de suprascripto Baptisterio Sancti Viti, qui dixit: Habeo annos pene cento.[12] Semper Diocias istas Sancti Donati: et Chrisma inde tolemus. 30 Et si coves infantes interroga, ipsi vobis similiter veritatem dicunt.

Item Ursus Presbiter senex de Sancto Felice fines

[12] Cf. the French *J'ai cent ans*, and similar expressions in other Romance languages.

Clusinas dixit: Vecinus sum cum istas Diocias, de quibus mihi breve ostenditis, semper Sancti Donati esse scio, et sagrationem a Pontifice Aretine Ecclesie habere. Nam Episcopus Senense numquam [13] ibidem 5 habui nulla [13] dominationem nec numquam [13] vidi, quod ad Senense Episcopo pertinuissent, nisi semper ab Aretino Episcopo sagrationem et obedientia habuerunt, nisi anno isto in Vico nomini Oraculo sancti Ampsani, que intra sua Diocea Episcopus Aretinus sagravit 10 nomine Bonushomo. Iste Adeodatus Episcopus isto anno fecit ibi Fontis, et sagravit eas a lumen per nocte. Et fecit ibi Presbitero uno infantulo habente annos non plus duodecim, qui nec Vespero sapit nec Madodinos facere,[14] nec Missa cantare. Nam Consubrino ejus 15 coëtaneo ecce mecum habeo. Videte si possit cognoscere Presbiterum esse.

Item Romanus Clericus de Castro Policiano dixit: Warnefrit Gastaldius mihi dicebat: Ecce Missus venit inquirere causa ista. Et tu, si interrogatus fueris, 20 quomodo dicere habes? [15] Ego respondi: Cave ut non interroget; nam si interrogatus fuero, veritatem dicere habeo.[16] Sic respondit mihi: Ergo tace tu viro, qui est Missus Domni Regis. Modum invenisti, et non te potest concedere. Deo teste, quod veritatem scio. Tibi 25 dico, quia Diocias istas Messolas, et Castello Pullicianas, que in Sancto Angelo fine Pisana cum Oraculis suis, unde modo mihi breve legis, semper Sancti Donati Diocias esse scio usque in die isto ab infantia.

[13] Observe the accumulation of negatives.

[14] **qui nec . . . facere,** *who knows how to make neither Vespers nor Matins.*

[15] **quomodo dicere habes?** *how will you say?* Observe the Romance future not yet synthesized.

[16] **veritatem dicere habeo,** *I shall say the truth.*

TECHNICAL

XXXII

COMPOSITIONES

This is part of a collection of formulæ for dyeing skins, making parchments, gold leafs, paints, dyes, alloys, etc., included in a sort of handbook of practical chemistry. It is entitled: *Compositiones ad tingenda Musiva, Pelles, et alia, ad deaurandum ferrum, ad Mineralia, Chrysographiam, ad glutina quædam conficienda, aliaque artium documenta, ante Annos nongentos scripta.* The document was composed or compiled in the eighth century, and the manuscript is probably of the same period. Marcellin Berthelot mentions and comments on these texts in his *History of Chemistry,* to which the reader is referred for all technical interpretations, which are not always very clear. The Vulgar Latin characteristics are indicated in the Vocabulary.

1. *De tinctio Pellis Prasinis*

Tinctio Pellis Prasini. Tolles pellem depelatam, et mitte stercos caninus et columbinus et gallinacium. Et solbes ea in jotta. Et mittis in ipsa pelles, et conficies eas ibi per tres dies. Et post hæc eice illas exinde, et labas utiliter. Demitte desiccare. Et post hæc 5
tolles alumen Asianum, et secundum quod superius docuimus de alithina; et tolle post egluza. Et ipsas decoques utiliter cum urina. Dimittis refrigidare. Et cuse ipsas pelles, sicut utres, quomodo diximus de alithina. Et coctione mittis in ipsos utres, et confrica 10
bene, et insufflas modicum, ut habeant ventum. Et confice bene, donec combibat ipsum medicamen. Et post hæc refundis ex ipsis. Et tolles ipsas pelles. Laba

semel. Et postea tolle de Lulacim ÷ IV. per pellem, et urinam despumata Libras VI. Et commisce ipsum ut Lulacim. Mittis in ipsos utrem sicut jotta luze, et conficis bene, donec sumatur ipse humore [1] confec-
5 tionis. Et refundis, quod superat, in pecorina jotta luza et lulacin sicut prediximus in alithina. Et exiet pecorinas secundo Prasinum.

2. *Quarta tinctio*

Quarta tinctio melini. Confices similiter ipsas Pelles alumina eodem modo. Et post hæc labas de post
10 alumen. Et tolle Luza, pisa, et decoques bene cum hurina dispumata. Et postquam refricdaberit, mittis ipsa jotta in ipsos folles. Et conficis, sicut prediximus per dies quinque vel sex. Et post hec refundis; et tinguis pecorinas, sicut superius diximus, et labas:
15 desiccas.

3. *De Pargamina*

Pargamina quomodo fieri debet. Mitte illam in calcem, et jaceat ibi per dies tres. Et tende illam in cantiro. Et rade illam cum nobacula de ambas partes; et laxas desiccare. Deinde quodquod volueris scapila-
20 tura facere, facere fac, et post tingue cum coloribus.

4. *De Petalo auri*

Quomodo Petalum auri fiet. Aurum Bizantium ÷ 1. Argentum mundum sicut . . . ÷ 1. commisce in unum, et purgat [2] illum per plumbum. Et post funde: exinde commisce, et batte lacmina; et post illa battuta sub-
25 tiliter recide illam per pensum usquecumque tremisses Bizantii. Et postquam perfecti et qualiter: et si una

[1] **humore = humor.** Oblique case used for the nominative. Cf. *Tardif*, notes 31, 34 and 40.

[2] **purgat = purga.**

longa fuerit aut curta, per martellum adequetur tam de latum quam de longum, si qua fuerit. De ille ÷ duas, octo petiæ fieri debent. Scaldato illo in foco, batte, et tene illud cum tenalea ferrea,[3] et cumque battis, sed tornatur de intro in foras ut curtæ in medio 5 ad paris eat; et quando crescens emisce unum, recide illas super cultellum per pensum tertias vices, et in quarta vices, ubi equale penset super totum, et plicatum illud caput ad caput, et pensat equale et dextende et a forfice recide;[4] et super ipsas capillatoras capud 10 ad capud ponatur et battatur manu una lebiter, et mittatur in oleo.

5. *Picmentum pandium*

Pandius porfirus: jotta decoctionis coquilii Lib. I Cinnabrim ÷ 1. siricum d . . . ÷ I. Omnia trita, et cum modica hurina commisce. Mitte in vaso vitreo, 15 et reponis ad Solem, donec dicsiccetur.

6. *De tictio porfire*

Tictio porfire. Tolle alumen Alexandrinum, et terres utiliter, et pones in gabata, et mittis supra caldam bullientem, et permove diutius et dimitte residere. Et post hec cola ipsam caldam, et exagintat. Mitte ibi[5] 20 quod habes stinguere, et quod periet. Dimitte duos dies. Et post dies duos commobe, et fac quod josu susu.

[3] **cum tenalea ferrea,** *with iron pincers.*

[4] **a forfice recide,** *cut it with the shears.* Observe in this and the preceding note that **cum** = **a** (**ab**) = *avec* (**ab hoc**).

[5] **Mitte ibi**; cf. French *mets-y.*

VITÆ SANCTORUM

XXXIII

PASSIO LEUDEGARII

In this selection we find the authentic and contemporary story of a man concerned with the most troubled struggles of the time: the struggle for power between the Mayors of the Palace representing central government and Lords or Bishops striving for independence. The contention between Léger (Leudegarius) and Ebroïn — the subject of the *Passio* — is perhaps the most remarkable of all the struggles. The martyrdom which crowned Léger's love for justice made him a very popular Saint in France, as is shown by the number of villages named after him, and the existence, as early as the tenth century, of an Old French poem, *La Vie de Saint Léger*. Saint Léger was killed in the year 679 after a six-year struggle. He had been bishop of Autun since 660. His life was written before 692 by a monk of Autun at the order of Bishop Hermenarius, the successor of Léger. (Cf. also the *Historia Francorum*, Selection XXIII.) The manuscript of the text is of the ninth and tenth centuries. In spite of the late date, the great historical and literary interest of this *Passio* has recommended it. The Vulgar Latin characteristics have evidently been removed in great part by a copyist.

FROM THE *PASSIO*

Gloriosus igitur ac præclarus Leodegarius urbis Agustedunensis episcopus, qui christianorum temporibus effectus est martyr novus, ut terrena generositate nobiliter exortus, ita, divina gratia comitante, dum a
5 primeva ætate in virili robore adcresceret, in quodcumque gradu vel ordine provehebatur, extitit præ ceteris

erectus. Cumque a Didone avunculo suo Pectavi urbe episcopo, qui ultra adfines suos prudentia divitiarumque opibus insigne copia erat repletus, fuisset strinue ænutritus et ad diversis studiis,[1] quæ sæculi potentes studire solent, adplene in omnibus disciplinæ esse lima politus, 5 in eadem urbe ad onus archidiaconatus fuit electus. Tanta in eo subito fortitudinis atque sapientiæ robor emicuit, ut inpar præ suis antecessoribus appareret; præsertim cum mundanæ legis censuram non ignoraret, sæcularium terribilis iudex fuit. Et dum canonicis 10 dogmatibus esset repletus, extitit clericorum doctor egregius. Erat quoque in disciplina delinquentium vividus, qui carnis luxo numquam extitit resolutus; sagati cura pervigil in ecclesiasticorum offitiis, strinuus in ratiociniis, prudens in consiliis, rutilans in eloquiis. 15

Incubuit interim causa necessitatis, ut in Agustudunense urbe eum ordinare deberent episcopum. Siquidem nuper inter duos contentio de eodem episcopatu exorta fuerat et usque ad sanguinis effusionem certatum. Cumque unus ibidem occubuisset in morte, et 20 alter pro perpetrato scelere datus fuisset in exilii etrusionem, tunc Balthildis regina, qui cum Chlothario filio Francorum regebant palatium, divinum, ut credimus, inspirata consilium, ad memoratam urbem hunc strinuum direxit virum ibidem esse episcopum, qua- 25 tenus et ecclesia, quæ pene biennium iam quasi viduata in sæculi fluctuatione remanserat, huius gubernationem vel fortitudinem tueretur et ab his quibus inpugnabatur defensaretur.

Erat enim in illis temporibus Ebroinus, ut dicimus, 30 maiordomus, qui sub rege Chlothario tunc regebat palatium; nam regina, quam supra diximus, iam in monasterio, quod sibi antea præparaverat, resedebat.

[1] **ad diversis studiis** is very likely an original use of the ablative for the oblique case.

Præterea memorati invidi adeunt Ebroinum et contra Dei virum eius in furore suscitant animum, et dum veritatis accussationem non invenerunt, mendatium falsitatis confingunt, quasi dum omnes Ebroini iussionibus obœdirent, solus Leodegarius episcopus eius iussa contempneret. Erat enim memoratus Ebroinus ita cupiditatis face succensus et in ambitionem pecuniæ deditus, ut illi coram eo iustam causam tantum haberent, qui plus pecuniam detulissent. Cumque alii timoris causa, alii pro redimenda iustitia eum auri argentique inmensa replessent pecunia, quorundam animi ob huius causam expolii dolore tacti, contra eum fuerant iam commoti, et quia non solum rapatitatis exercebat commertium, verum etiam pro leve offensa sanguinem nobilium multorum fundebat innoxium. Sanctum itaque Leodegarium episcopum ideo habebat suspectum, quia eum superare non valebat in verbo, nec adulationis ut ceteri ei inpendebat obsequium, et contra omnes minas suas semper eum cognoverat permanere intrepidum. Tyrrannicum edederat tunc edictum, ut de Burgundiæ partibus nullus præsumeret adire palatium, nisi qui eius accepisset mandatum. Tunc de metu prioris fuerunt omnes suspecti, quod excogitaret ad suum facinus commulandum, ut aut quosdam capitis amissionem damnaret aut dispendia facultatum infligeret.

Itaque cum ob metum hostium certatim populi undique se recipissent in urbe et meatus portarum forte obturassent serratu et super omnia stabilissint in ordine propugnacula, iussit vir Domini universos ingredi in ecclesia, cunctorum insimul postulans indulgentiam, ut si quempiam illorum, ut adsolet, dum pro zelo rectitudinis increpasset aut in verbo ledisset, ei indulgentiam darent. Sciebat autem vir Dei, iter passionis ingrediens, non prodesse martyrium, ubi livore deterso non prius fuerit cor emundatus vel caritatis lampade inlustratum. Nullus tunc fuit ibidem tam ferreum possidens pectus, qui etiamsi fuisset graviter lesus, non omnem cordis malitiam indulsisset devotus. Post hæc nec diu vallatur civitas ab exercitu, eodemque die 5 ab utraque populo fuit fortiter usque ad vespera demicata. Sed cum ab agmen hostium esset civitas obsidione valida circumdata et die noctuque vociferantes ut canes circuirent urbem, respiciens vir Domini civitatis inminere periculum, conpescuit omne supermurale 10 conflictum et his verbis suum exortare adgressus est populum: 'Sinite, queso, contra hos pugnandum confligere. Si mei tantum causa huic isti advenerunt, de memet ipsum[2] paratus sum eorum satisfacere voluntatem eorumque mitigare furorem. Tamen, ne inauditi 15 videamur egredere, mittatur unus ex fratribus eis inquirere, de qua causa hanc obsederunt civitatem.' Cum subito his Meroaldo abbate per muri repagulum parassent discensum, perveniens ad Deidonem, ait ei: "Si hæc nostra comiserunt facinora, peto, ut interim euan- 20 gelica recordatis sententiam, ubi Dominus dixit: *Si non dimiseritis hominibus peccata eorum, nec pater vester cælestis dimittet vobis peccata vestra*, et illud: *In quo enim iuditio iudicaveritis, iudicabimini.*" Simulque inprecans, ut hostem conpesceret et redemptionem quam 25 volebat acciperet. Sed quia iam tamquam lapides duritiam, sicut quondam rex Ægyptius obduraverat corda, ad verba divina nullatenus potuit emollire, comminans, non se ab inpugnatione civitatis discedere, quodadusque Leudegarium valeat conprehendere et suæ furores vesa- 30 num desiderium satisfacere, nisi Chlodoveum, quem falso regem fecerant, promittere fidem. Hæc enim erat simulata occansio, quia omnes cum sacramento Theudericum adserebant fuisset defunctum.

[2] *on my own accord;* cf. French *de moi-même.*

Audita itaque vir Domini hæc verba dedit illis hæc responsa: 'Hoc vobis notum sit omnibus, tam amicis et fratribus quam inimicis et hostibus, quia, quodusque me Deus in hac vita iusserit superesse, non mutabor a
5 fide quam Theuderico promisi coram Domino conservare. Corpus meum decrevi potius in morte offerre, quam anima per infidelitatem turpiter denudare.' Hostes, vero, his auditis responsis, cum telorum iacula, cum incendia festinanter undique insistebant inrum-
10 pere civitatem. Ipse vero universis fratribus vale dicens, panes et vini participatione communicans[3] eorumque dubia corda confirmans, suam eis ut Christus discipulis memoriam passionis comendans, ad portarum aditus perrexit intrepidus, apertisque claustris, spontæ
15 se obtulit pro civitate inimicis. Adversarii vero gavisi tamquam ovem inocuam et tamquam lupi suscœperunt eam in predam, iniquissimum pœne excogitantes comentum, nam ab eius capite lumen evellerunt oculorum, in qua evulsione ultra humana natura incisionem ferri
20 visus est tollerare. Testes enim sunt multi inlustri viri, qui aderant in presente, quia nec vinculum in manibus est passus inponere, nec iemitum processit ab ore, dum eius oculi fuerunt abstracti a capite, nisi glorificans Dominum modolamine semper studuit canere
25 psalmorum.

Etenim cum Ebroinus de supradictis rebus suum satiasset furorem, rursum occansionis cœpit exquirere, ut blasphemiam suæ crudelitatis valeret ab[4] oculis humanis afferre. Tunc de Childerici morte simulans

[3] Observe the testimony for communion.

[4] **ab** = **apud.** Notice this general shifting of meaning of the prepositions **ab, apud, ad,** which brings about the disappearance of **cum** in French, Provençal, and Catalonian. — **blasphemiam . . . afferre,** *how he could excuse the blame of his cruelty in the eyes of men.*

se dolere, cum nullus eum prior quam ipse voluit interire, — publice enim aliter eos quem [5] odisset non audebat persequere,[6] — sanctum igitur Leudegarium iam ab occulis [7] retrahit de exilio, et hunc asserens cum iermano suo Gaireno de Childerici morte primarium. 5
Quam ob rem labia eius et faciem concava crudeliter iussit incidere [8] ferro necnon et linguæ plectrum ferro secante auferre.[8] Predictum vero Gairenum lapidibus iussit obprimere [8] ipseque a sancto fratre comonitus, Deo gratias agendum amisit spiritum. 10

Igitur ut cognovit vir Domini suum adesse iam terminum, mulierem cœpit consolare lugentem, dicens: 'Noli, quæso, mei transitus causa flere, quia nequaquam, tibi mors mea ad vindictam requiretur, sed potius benedictio de cælis datur a Deo, si corpusculum 15
meum devote condideris in sepulchrum.' Et cum hæc dixisset, urguentibus ministris, vale dicens educitur in silva, ut iussionis inplerent sententiam. Igitur enim antea quesierant puteum, ubi corpus illius absconderent, sicut fuerat iussum; et nullatenus fuit ultra ab eis 20
repertum. Dum querentes puteum, errassent frustrati et ob hoc eum morassent [9] percutere, interim Dei martir passus est [10] orationi incumbere suoque transitu Domino comendare. Imminentibus vero percussoribus,

[5] **eos quem.** Observe the use of one form of the relative pronoun for singular masculine and feminine, a forerunner of the future Romance use.

[6] **persequere = persequi.** Cf. note 8.

[7] **Leudegarium iam ab occulis,** *Léger, already blind.* Cf. French *aveugle* < **ab oculis.** Observe the orthography of **occulis.**

[8] Observe the active form of the infinitive for the passive. Cf. note 6 and *Greg*, notes 3, 5 and 6; *Liber*, note 4; *FA*, note 19; *Mem*, note 10; *Euf*, note 2.

[9] **morassent.** This is an active form from the deponent verb.

[10] **passus est,** *he was allowed.* Cf. English *suffer* in a similar permissive sense.

cœpit utrisque per spiritum prophetiæ futura prædicare. Unus enim ex illis, ab antiquo hoste succensus, ad hoc perpetrandum nimium erat cupidus; alter vero, mansuetudinis habens spiritum, tremens deprecabatur ei,
5 ne super ipsum redderet vindictam. Ille vero utrisque respondit, dicens: 'Tu quidem, qui invitus comples mandata, statim confitere sacerdoti peccata tua priora et penitendo etiam hanc poteris evadere culpam.' Alteri namque ait: 'Et tu si non similia feceris, statim
10 Deo subitanea ultione præsentandus eris.' Rursumque in oratione decumbens, animam suam cum fidutia Christo domino comendavit. Et exsurgens, cervicem tetendit, gladiatorem commonuit, ut, quod sibi iussum fuerat, adimpleret. Cumque ille, quem supra diximus,
15 huius caput subito amputasset, beati martyris Leodgarii spiritum angelorum choros Domino præsentandum gaudens perduxit ad celos, cum omnibus sanctis regnaturum, ubi Dominus noster Iesus Christus in leticia est sanctorum, qui cum Patre et Spiritu sancto
20 vivit et regnat in sæcula sæculorum. Amen.[11]

[11] Observe the epic ending and the striking similarity with the incident of Roland's death when the angels also take the knight's soul to heaven.

XXXIV

VITA WANDREGISELI

Saint Vandrille, of noble origin, was the founder of the monastery of Fontenelle near Rouen in Normandy, where he died in the year 672, after having converted to Christianity the brutal inhabitants of that region. His life was written by a monk of the monastery of Fontenelle about the year 700. In this selection it is explained how the Saint came to found the monastery, after wandering over Christendom. The facts he has related in this *Vita* are very significant of the times. The manuscript is of the early part of the eighth century.

FROM THE *VITA*

Igitur[1] fuit vir vite venerabilis, Deo inluminante, Wandregiselus cognomento Wando oriundus terreturio Verdonensium, natalibus nobilis, sed relegione nobilior. Que[2] cum summis parentibus quadam[3] committens tempore, et ab ipsis iuventutis suæ rudimentis studiis 5 iuxta moris secularium eum in accione instituerunt inter muntanecus. Qui accipiens honoris terrenus exercebat exactura commissam sibi. Sed tamen mens eius non erat alienata a mandatis Dei, quia sancti euangelii iussionem explebat; reddebat enim que cæsari sunt 10 cæsare et quod Dei Deo.

Non post multis diebus rogatus a parentibus suis, ut sibi aliqua puella disponsarit, qui ipsi iuxta eorum iussione sublimis parentibus et bene nata sibi quidem puella disponsavit; erat enim a sæculo nobilissima. 15 Porro cæpit ipsi vir tacite in cogitatione sua dicere, quid exinde facere deberit. Volebat oblectamenta mundi deserere et in Dei servicio subiogare et pavibat, se ei innotisceret, consensum ei minime darit. Cogitavit, ut acciperit eam et postea ei de conversationis 20 habetum fabolarit. Qui accipiens eam et post acceptam suam volens lucrare coniugem, sicut scriptum est: *Diligis proximum tuum sicut te ipsum*, prudente ortamine, ut erat eruditus, suadebat ei conversacionis graciæ virtutem magna habire mercidem, et qui hic in una 25 carne coniuncti fuerant, in gloria sanctorum sine fine copularentur. Illa autem accensa ab Spiritu sancto,

[1] Notice the analogy with the *Vie de Saint Alexis*. The scene takes place in the regions of Verdun (**Verdonensis** = **Viridunensis**), where Wandregiselus was born. Montfaucon is northwest of Verdun.

[2] **que** = **quem**, although the writer forgets it in using the nominative form of **committens.**

[3] **quadam** = **quodam.**

talia verba prerupit dicens: "O domine meus, quid tibi fuit, quod antea mihi hac rem non devulgasti? Scias certissime, quia et ego mihi absque omne dubitacione volo tradere [4] ad Dei servicio adque vanitatis huius 5 mundi deserere et regnare in Christi gloria. Quod tibi in tantum suppleco, domine meus, ut quo ore proferis, explere opere contendas, et temet ipsum liberis et me ancilla tua ad iugum Dei cum summa festinatione tradas." Ad illi hæc audiens versus in gaudio et glori- 10 ficavit Deo et admiratus est de tam excellente desiderio eius. Fit ex utraque parte consensus; ipsi autem sibi comam capitis deposuit et ei velamenti gracia circumdedit. Qui, Deo adiuvante, talis fuit sua conversacio seu puritas cordis, quod per eam Dominus adhuc in 15 hoc corpore degente plurimas virtutis operare dignatus est.

Post quod ipsi vir Dei reliquid mundi istius oblectamenta, cupiebat in sancto cænubio sub relegione habito conversare. Inprimitus cum quendam sene in 20 loco qui cognominatur Monte Falcone habitavit non multum tempore. Qui erat homo multum inlex, coronam capitis decoratam, oculos speciosus, faciem liliabilem, manus prolexas, et frequenter per latice cupiebat eas abluere. Qui, erogatis omnis facultatis suas, in 25 camino paupertatis petiet obsedendum. Sed quia diabulus invidiosus est ad nocendum et contra bonitatis formam pugnat malicia, invidia diabulus maxima in eum exarserat, que per semet ipsum seu per suos fautoris eum inquietare non cessabat. Sed ipsi, precinc- 30 tus galleam salutis et scutum fidei, contra omnis sagittas inimici fortiter demicabat.

[4] **ego mihi . . . volo tradere.** It seems that **mihi** is already used as an emphatic or disjunctive pronoun; cf. Spanish *mí*. This tendency appears also from the frequent use of such forms as **me metipsum, se metipsum,** etc.

Videns Deus militem suum, quia fortiter contra adversarium pugnabat, misit angelum suum, qui ei iuvarit. Quadam nocte iuxta moris consuetudine in tegurio suo in celicio iacebat et translatus est in spiritu ab angelo sancto, ductus est in monasterio qui 5 vocatur Bobius, in regione Langobardorum qui dicitur Italia, ostendens ei omnis habitacionis eius, quomodo aut qualiter adessent. Qui cum eum reliquisset, cæpit ipsi sanctus Dei infra semet ipso volvere, quid hoc esset. Qui memorans in sancto euangelio mandatum, Christo 10 dicente: *Nisi qui reliquerit omnia quæ possedit, non potest meus discipulus esse*, et: *Qui vult post me venire, abnegit semet ipsum, tollat crucem suam et sequatur me*, adimplens Dei præceptum, surgens et reliquid omnia, accipiens secum tres puerolus cum asello, aliis nes- 15 cientibus, exibit de terra sua et di cognatione sua et de domu patris sui et ambulabat, nesciens, qua viaticum ducerit; sed Dominus per suum angelum demonstrabat ei, qua via pergere deberit. Pervenit ad predicto loco, ubi ei demonstratum fuerat. Cum autem introisset et 20 vidisset omnis habitacionis monasterii, certissime cognovit, quod antea Dominus in extasi æducto demonstraverat, et conversatus est ibi aliquantum tempus. Qui cognoverunt omnis, quia hic vir Dei athleta erat, et eius devocio adque origo omnibus in noticiam ad- 25 venit, et multas condicionis ei Dominus ibidem revelare dignatus est. Ipsi autem semper cupiens habire secretum, ut virtutes eius non essent manifestate hominebus, sed placite Deo, quia cavebat illud, quod Dominus dixit ad falsus servus: *Vos estis qui iustificatis vos* 30 *coram hominibus; Deus autem novit corda vestra*, congregabat in armarium cordis suæ [5] virtutis Dei adque ei placere cupiebat, qui cotidiæ eum prospiciebat ex alto; remotiore loco volebat inhabitare et arta et angusta

[5] suæ = sui: æ = e = i.

via presidere. Disposuit in Scoccia ambulare; ardebat enim ex desiderio Dei, quia caretas Christi diffusa erat in corde ipsius per Spiritum sanctum, qui datus erat ei.

5 Cum autem pergeret, veniens per monasterio, qui est constructus Ultraiuranis partibus, cognominatur Romanus, petiit ibidem hospicium. Qui ipsi abba eum cum summa diligencia recœpit. Ubi iuxta moris consuetudinem mandatum Domini adimplentes ad lavan-10 dum pedes venissent, cognovit ipsi sanctus Dei, quod ibi erat illa vita arta, quam illi per desiderio Christi volebat sectare, et cercius per spiritum Dei notum ei fuit, quod ad hoc eum Dominus adduxerat, ut sub relegionis habito conversare debiret, et se in obœdienciam 15 ibidem deligavit. Qui multis diebus ibidem sub institucione regulare habitavit.

Sed quia semper ad illam fontem [6] humilitatis repetebat, nolebat enim in terrenis actibus occupare, querens locum, ubi ei Dominus demonstrarit, qualiter 20 sub sancta regula degerit vita. Qui Dominus talem locum dedit, ubi plurimum gregem Christi bonus pastor curam gessit. Adsedit iuxta fontem uberimam, qui vocatur Fontanella, in heremo qui dicitur Gemeticus, ex fisco quem adsumpsit regale munere. Ibi monas-25 terio fundavit adque ex multorum sanctorum animarum preciosis lapidibus eum instruxit, quia edificavit in eum baselicas in honorem sancti Petri, beati Pauli vel sancti Laurenti et alio oraculo non multum distante a monastirio, quasi miliario uno, in honore sancti Amanci 30 Rotininse presole pro amore ipsius sancti Dei construxit. Erat enim pro sanctitatis studio carus Dadone pontefice,[7] cuius in parocie est ipse cenubius. Non fuit

[6] **illam fontem = illum fontem.** Cf. *Bellefont* in the Côte d'Or.

[7] **Dadone pontefice = Dadoni pontifici;** the oblique case for the dative.

contemptor canonum, sed tantum erat humilis, ut etiam, se itinere pergere conarit, presole permisso susciperit, et sine predicto eius non volebat pergere itinere, quia sciebat scriptum esse: *Omnia quecumque legaveritis super terra, erunt legata et in cælis, et quecumque solveritis super terram, erunt soluta et in cælis.* 5

XXXV

PASSIO MEMORII

Saint Memorius was deacon of the church of Troyes in France. When Attila invaded Gaul, Bishop Lupus sent Memorius with several companions to the camp of the Hun to beg him to spare the city. Attila, however, caused the Franks, including Memorius, to be put to death. This story is recounted in the text given below. The manuscript of the selection was written in the first part of the eighth century.

PASSIO SANCTI HAC BEATISSIMI MEMORII PRESBITERI

Peculiaris patroni nostri, qui urbem Tricassium civitates gloriosum sanguinem inlustravit, sublimen adque venerabilem passionem . . .

Cumquæ sanctus Lupus episcopus adquæ apostolicus 10 sacerdocium fungeretur, tunc tempores [1] adveniens rex iniquos nomen Atthela cum gentem nequisimam, ubiquæ per totam Galleam fortis exercetus dommenaret, tunc sanctus Lupus orationibus et vigiliis instantissimi deprecabat ad Dominum cælestem, ut populus chris- 15 tianus, qui urbem Tricasium morabantur, magis non inritarintur. Post vigiliam noctis suporem deprehensus, eccæ! angelus Domini per visum adparuit ei, dicens: 'Surge, fidelissime sacerdos Christi, iube perquirere duo-

[1] **tunc tempores = tunc temporis,** *at that time.*

decem innocentes et eos baptiza. Transmitte una cum Memorio presbitero similiter Filicem et Sinsatum diaconibus vel Maximiano subdiacono. Eant cum crucis, verbo Dei psallentes, obviam inimicorum, ut Deus mi-
5 sereatur super hanc civitatem.'

Factum est autem, iam solem orientem, baptizati sunt puæri, sicut sancto Lupo episcopo ostensum fuerat. Et egressus cum multitudinem populi una cum psallentis, eduxit eos extra civitatem, et ælevatis manibus
10 suis, benedixitquæ eos, horans, lacrimis fundens, ait: *Angelus Domini commitetur vobiscum. Spiritus sanctus sit in viscæribus vestris. Vias tuas, Domine, notas fac mihi et semitas tuas ædocæ me.* Et iterum oravit: *Perfice gressus meus in semitis tuis, ut non moveantur*
15 *vestigia mea.* Et ambulavit sanctus Memorius cum fratribus suis una cum innocentes; pervenit ad locum, cuius vocabulum est Brolium. Cum audisset silentium sanctorum ipsorum, expavit rex, et æquos suos contremuit; cæcidit in terra et dixit ad præfectum suum:
20 'Quis sunt isti, qui talem iniuriam præparaverunt?' Et ait sanctus Memorius ad regem: 'Nos sumus misi ad [2] sancto Lupo episcopo. Tibi notum sit, ut civitatem huic, unde egressi sumus ad te, eam non permittas captivare nequæ incendium concremare.' Præfectus
25 ait ad regem: 'Eccæ quidem te grave iniuriam præparaverunt cum magias eorum! Iubeas eos gladio ferire.'

Ad eum rex respondens: 'Obtime iudicasti,' et extractis gladiis suis, amputaverunt capita diaconorum
30 vel innocentum. Et ait rex: 'Senece, nolite eum gladium ferire; sed eat, nunciet civitatem vel hominibus, qui morantur in eam, scælera, quod factum fuit, quia prior sum ego quam Deus eorum, quem ipse ad-

[2] **ad** = **ab**, *by*, for the dative of the agent. Cf. *Tardif*, notes 27, 41 and 44 and *Examen*, note 1.

horant.' Præfectus ait ad sanctum Memorium: 'Eccæ! vidis eos interfectus; tu autem eis adiuvare non potæris.' Et ait rex ad ministros suos: 'Magias eorum, quas in manus ferebant ante se, confrangite eas, et incændium concræmentur.' Ad ubi incendius de crucis 5 sanctas [3] fervebat, egressa est scentilla, percuciens in oculo pincerne regis, et cæcidit vocæferans. Et ait sanctus Memorius ad regem: 'Si credis Deum meum, potens est hunc puerum sanum facere.' Rex ei respondens: 'Fiat.' Tunc sanctus Memorius inponens 10 signum crucis super oculum puæri, et statim oculus suos restauratus est, sicut antea fuerat.

Et ait rex ad sancto Memorio: 'Quod est nomen tuum?' Respondens autem sanctus Memorius: 'Si credis in Deum meum, quem ego adhoro, dico tibi 15 nomen meum.' Respondens rex: 'Credo.' Et ego tibi dico: 'Memorius vocor. Dic ergo tu, rex, nomen tuum, si credis in deum meum, vel præfectus tuus dicat nomen suum.' Et ait rex: 'Ego Atthelam nomen habeo, et præfectus meus Selenus vocatur.' Præfectus ait ad 20 regem: 'Eccæ! omnes magias suas [4] tibi iniuriam præparaverunt; adhuc nomen tuum vel meum interrogare præsumet. Propterea iube ei caput amputare.' Et ait sanctus Memorius ad regem: 'Antequam mihi martyrium tradas, licentiam habeam in orationibus 25 meis Dominum confiteri peccatis meis.' Ad ubi sanctus Memorius presbiter in oratione discumbens: 'Domine Deus [5] omnipotens, qui fecisti cælum et terram, mare et omnia, quæ in eis sunt, te deprecor, ut civitatem Tricassium non captivitatem perferent, neque 30

[3] **de crucis sanctas.** A typical Vulgar Latin declension, both words being in the oblique case; **crucis** = **crucibus.**

[4] **omnes magias suas,** although an accusative, is in a nominative function. Cf. *Ind*, note 14; *Euf*, note 9.

[5] **Domine Deus,** etc. A prayer formula, beginning with a confession of faith, which is preserved in the Old French epics.

incendium concrementur, sed libera eos de manibus istius inimicorum.[6] Tibi enim, Domine, conmendo spiritum meum.' Et inpleta oratione sua, elevans oculus suos ad cælos, dixit: 'Gratias tibi ago, domine
5 Iesu Christe, filius Dei; miserere mei.' Et ait ad regem: 'Perficæ, quod cepisti.' Ad ille, extracto gladio, amputavit caput eius ad exemplum cæterorum, qui orbem Tricassium morabantur.[7] Ad ille sacer sanguinis suis unda perfusus est.

10 Maximianus vero subdiaconus oculis suis lacrimis suis fundens, in corde suo omnia scelera vel conlucutionem ipsorum, iuxta quod factum fuerat, tractabat. Et ait rex ad ministros suos: 'Capete hunc magum accipitæ et in fluvium istum proicite.' Quæ ministri
15 fecerunt, sicut eis a rege iussum fuerat. Deinde redeuntes et intendentes inter se de spolia sanctorum martyrum, gladiis eorum inæstuantes alter alterius mortem dedit. Unus quidem ex ipsis missus nunciavit regem, quæ factum fuerat. Maximianus vero subdia-
20 conus collegens de arboribus ramis et stravit[8] super corpora martyrum. Cumquæ Maximianus subdiaconus pavore repletus ad fluvium pergeret, invenit vestimenta sanctorum martirum cum corporibus interfectis et accepit vestimentum sancti Memorii et habiit ad
25 Siquane fluvium,[9] abscondit se sub folia auseriæ.

[6] **inimicorum** becomes in the Christian terminology an absolute designation of the enemies of Christ, like the word *aversier*, 'adversaries,' in Old French. We might translate, *this man's devils*.

[7] **ad . . . morabantur,** *as an example to those who lived in the city of Troyes;* **orbem = urbem = urbe.**

[8] **collegens de arboribus ramis (ramos) et stravit.** The text might read: **collegens et stravit** or **collegit et stravit,** or **collegens stravit.** This is a fairly frequent paralogical construction.

[9] **ad Siquane fluvium,** *to the river Seine;* French *au fleuve de Seine.* It is a genitive similar to the one found in the expression 'city of Rome.'

Media autem noctæ tremuit cælus et terra, et inimici ipsi repleti sunt pavore magno, et perterriti nimis, egressi fugierunt ab urbe Tricasium.

Sequenti autem diæ accepit Maximianus subdiaconus vestimentum sancti Memorii martyris et inposuit eum super corpus ipsius et habiit ad civitatem, nuntiavit omnia, quæ facta fuerant. Sanctus vero Lupus episcopus ait: 'Dominus dedit, Dominus abstullit. Sicut Domino placuit, ita factum est; sit nomen eius benedictum in secula.' Post hec lacrimis fundens et induit sibi penitentiam gravem. Et venientes ad civitatem sacerdotes, sepelierunt corpus sancti Memorii martyris et eos qui cum ipso passi fuerunt; nam genetoris Sancti Memorii antædicti presbiteri ex urbe Tricassium civitatis fuerunt, Deo timentis. Post dies autem viginti apparuit in somnis Maximiano subdiacono, eccæ! angelus Domini, adnuntians ei dicens: 'Surge et vade ad Pimenium piscatorem. Accipiat retiam suam, et extendete in lacum fluvii, ubi sub folia auseriæ absconsus fuisti.' Et habierunt ad locum, extensa retia in aqua tragentes ambe partes ausiricas, ad litus pervenerunt et invenerunt caput sancti Memorii presbiteri martiris, hodorem flagrantem quasi balsamum.

Ipsi autem eum deportantes ad locum, ubi corpus sancti Memorii ipsius requiescebat, puella quidem habebat demonium, venit obviam eis, qui a nullo sacerdote sanare [10] potuit. Et exclamans vocem diabulus: 'O sancti Memorii martyris, nullus me de hunc corpore eiecere potuit, nisi oratio tua,' et exivit satanas, et

[10] **sanare = sanari**, an ordinary confusion of active and passive infinitive endings. Cf. *Greg*, notes 3, 5 and 6; *Liber*, note 4; *FA*, note 19; *Leud*, notes 6 and 8; *Euf*, note 2. These examples all point very clearly to the fact that there can be a passive connotation in the active form and not simply that the passive meaning has disappeared with the confusion of the endings.

sanata est puælla ex illa hora. Sanctus vero Memorius presbiter passus est, quod mensis September facit dies septem, et sepultus in laudem Domini cum omne pacæ, et benedicætur illic Christus, Dei filius, cui est 5 honor, virtus, gloria et potestas in secula seculorum. Amen.

XXXVI

VITA VEDASTIS

Saint Vaast lived in the sixth century and was a fellow-worker with Saint Remegius in the conversion of the Franks. He had charge of the diocese of Cambrai and Arras. He died in the year 539 in Arras, after many years of distinguished service. The following text tells of some of the miracles and good deeds of the Saint. The manuscript was written in the eighth century. The final paragraph added has been taken from another life of this Saint re-written by Alcuin at the end of the eighth century.

VITA SANCTI AC BEATISSIMI VEDASTI EPISCOPI

Cumque iam cæleberrimæ famæ in prefata urbæ Remorum esset, et beatus Remegius eum venerationis cultu adtollere niteretur, fuit tandem consilii, ut Atra-10 patum urbi eum pontificem faceret, quo Francorum gentem ad baptismi gratiam paulatim docendo ac de industria monendo adtrahere curaret. Suscepto itaque pontificalis cathedræ onus,[1] ad urbem Atrapatum venit; dumque intra muros adire vellit, obvios habuit 15 cæcum et clodum, alimoniam postulantes. Cumque

[1] **Suscepto . . . onus.** A typical Vulgar Latin declension, in which the neuter oblique case of the third declension is the same as the nominative, while the adjective follows the rule of its own second declension. Cf. *Tardif*, note 28.

ille apostolica de fonte auriens verba [2] depromeret ac diceret, se nequaquam subplimento auri argentique honerari, illi adtentius pulsant ac de industria pecuniam quam haberet extorquere vim nitebantur. Ille deinceps inportunæ opem petentibus ait: 'Pro auri argentique munera, si fides vestra meo commitaretur affecto, divine muneris mox uberius affluentia reddundaret.' Illi aiunt, sese ad omnia paratos. 'Si fides,' inquid, 'vestra meis commitatur dictis, pristinam sospitatem utriusque vestrum omnipotentis pietas largiatur.' Manuque mox oculos superposita ac debilia membra adtrectata, crucis signo facto, sursum cælos aspiciens, quæ poposcit impetravit. Nam statim cæcus visum, clodus gressum recipiens, ovantes uterque ad propriam remearunt.

Pervenit ergo, ut ecclesiam introiret. Quam cernens incultam ac neglegentiam civium paganorum prætermissam, veprium densitatem oppletam, stercorum ac bestiarum habitaculum pollutam, merore corda subdit omnique tristicia colla submittit. Nec prorsus hominis habitatio urbem frequentabat, que olim ab Attilane [3] Chunorum rege diruta ac torpens squalore relicta fuerat. Ibi et habitatio ursi reperta; quem cum animæ dolore a vallo urbis eiecit, ac ne Crientium fluviolum, qui ibi fluit, ultra progrederetur, imperavit, nullatenus illuc visus fuit revertisse.

Erat gratus pænes regiam aulam nec valebat Francorum viris a profanis erroribus ex integro deviare, sed paulatim, ut se per dulcia municionis effamina relegioni subdebant,[4] ecclesiæ recipiebantur sinu. Ac-

[2] **Cumque . . . verba** refers to *Act. Apost. III*, 6, *Petrus autem dixit: Argentum et aurum non est mihi.*

[3] **Attilane.** Observe the declension; **Attila, Attilane.** Cf. *CI*, note 6.

[4] **ut se . . . subdebant,** *as they bowed down to religion through the sweet expression of his preaching.* Observe the relatively

tumque deinceps, ut, mortuo Chlodoveo, Chlothacharius, filius eius, patris in locum suffectus, Francis regnaret, et cum egregiæ regni regimina regeret, evenit, ut aliqui vir e Francis nomine Hocinus regem Chlo-
5 thacharium ad prandium vocaret ac inter aulicos regis venerabilem virum Vedastem pontificem invitaret. At ille, — non quod eis consentiendo gulæ faverit, sed quoadunatam ad regis prandium turbam suis salubribus doctrinis edocerit ac per regiam auctoritatem
10 plerosque ad sacrum baptismum provocare vellit, — cumque ergo adtonitus ad prandium vocatus venisset, domum introiens, conspicit gentile ritu vasa plena cervisæ domi adstare. Quod ille sciscitans, quid sibi vasa in medio domi posita vellent, inquirerit, respon-
15 sum est, se alia christianis, alia vero paganis opposita ac gentile ritu sacrificata. Cumque ita sibi denuntiatum fuisset, omnia vasa de industria signo crucis sacravit, ac omnipotentis Dei nomen invocato, cum fidei adminiculum, cælitum auxiliante dono, benedixit.
20 Cumque benedictionem cum crucis signo super vasa, quæ gentili fuerant ritu sacrificata, premisisset, mox soluta legaminibus, cunctum cervisæ ligorem quem capiebant in pavimentum deiecerunt. Unde rex miraculo perculsus ac omnes procerum caterva sciscitare,
25 quid gestæ rei causa fuerit, et sibi in propatulo narraret. Cui venerandus vir Vedastus ait: 'O rex, tuorum decus Francorum, cærnere potes, quanta sit diabolicæ fraudis astutia ad animas hominum decipiendas. Nam quam putas hic demonum fuisse coniecturam, quæ per hunc
30 ligorem cervisæ corda infidelium, prævaricationem suffocata, æterne mortis subdere studerent, sed nunc

---

high-flown language which may have been prevalent in the monasteries even in France, although much more conspicuous in England, where a sort of rhetorician style and vocabulary were widespread and characteristic.

virtute divina pulsata ac effugata demonis arte? Scire cunctis necessarium est, qualiter ad salubria medicamenta vere fidei christiani descant confugire et has superstitiones gentilium omni nisu studeant pretermittere.' Quæ causa multis qui aderant profuit ad 5 salutem; nam multi ex hoc ad gratiam baptismi confugerunt ac sanctæ relegionis colla submiserunt.

Erexit ergo supradictam ecclesiam multa per spatia temporum annis circiter XL, ac cursum vitæ consummatum, cum iam vellit eum Dominus de huius vitæ 10 erumnis ad cælestem provehere regnum, febre corripuit ac exitum denuntiavit. Nam cum in eadem urbi in quadem cellolam iaceret, ignis columna e cælo diffusa super cellole tegumenta capud tenuit ac per longa noctis spatia plus quam duarum fere horarum 15 inmobilis istetit. Quod cum vir venerabilis audisset, suum exitum denuntiavit, ac omnibus vale dicens, post monitionis effamina animam creatore reddedit VIII. Idus Febroariis, felicemque de ac vita exitum agens, solum desiderium viventibus reliquid. Multi 20 in hac hora psallentium audierunt in cælo.

* * *

. . . Sicut magno labore domum Dei optime habes ornatam et largissimis donis decoratam,[5] ita tibi subiectos bonis moribus ornari contende et eos in divina laude devotissime fac consistere, et quod angeli semper 25 agunt in cælis, hoc fratres iugitur faciant in ecclesiis.

[5] **habes ornatam et . . . decoratam.** Observe the analytical past tense.

XXXVII

VITA EUFROSINE

This charming tale of a maiden born at Alexandria who, disguised as a youth, fled from her father's home to escape marriage and dedicate herself to God, has been beautifully retold in French by Anatole France in *L'Étui de nacre*. The manuscript was written between the eighth and ninth centuries, by an anonymous author. The original was composed, probably, one century earlier in the north of France under the Merovingian kings.

INCIPIT VITA EUFROSINE

QUI INTERPRETATUR IN LATINO CASTISSIMA

Fuit in Alexandrinæ civitate vir magnificus, nomine Pafnutius, curam habens pauperum et continentiam. Verum tamen ipse duxit conjugem cristianissimam de gentem altam: sterelis inventa est. Vir autem suus
5 in grandem tribulationem erat: dum divitia erat illi, non sperabat dimittere posterius ut suam substantiam post exitum eorum bene disponeretur. Vidensque eum mulier in merore vallido non cessabant nocte hac die, jejunio et adflictione, in venerabilia loca exposcens ut
10 semen illis concedat Dominus; et multam pecuniam ad pauperes erogans non cessabat. Similiter et maritus suos circuibat monasteria et sancta loca, ubi invenerit servos Dei, rogans ut orarent pro illa, ut merito habiat semen dimitere in seculo. Et in una die ambolabat in
15 monasterio, ubi abbas sanctissimus erat, in quo loca non pauca pecunia pro victo fratrorum erogavit.

Et dum frequentabat, in ipso monasterio, crededit verbo sanctissimo abbatis qualem tribulacionem haberet in corde, supplicans ut oraret pro illo. Quod ita in
20 summa adflictione ipsi abbas suppliciter rogabat Domi-

num, ut impleat desiderium suum, et Deus exaudivit tam pauperibus quam servis Dei petentibus, et concessit illi infantulam. Facta septem annorum baptizata est et nominavit illi castissimam; cumgaudebant autem parentes in eam, dum decora erat valde in forma, et 5 paciens in conversationem.

In una autem die fuit festivitas dedicationis monasterii, et transmisit abbas fratrem de monasterio, ut invitaret patrem puelle in ipsa festivitatem accedere ad illos. Et veniens in domo ejus nunciavit ei. Et 10 erat pater puelle in ipso domi [1]; audiens autem castissima puella rogavit introducere [2] ipso monacho, et cœpit interrogare illum, dicens: "Quanti sunt fratres in monasterio?" Illi autem dixit: "Trecenti quinquaginta et duo sunt servi Dei in isto monasterio." Dixit- 15 que ei puella: "Rogo te ut dicas mihi si adetum habet qualiscumque homo volens in monasterio vestro habitare, si suscipitur de [3] vos?" Et dixit monachus: "Per omnia, apertum est omnibus volentibus esse salvos ustium monasterii nostri." Iterum interrogavit puella 20 si omnes in una ecclesia cantant, aut æqualiter jejunant. Dixit ei monachus: "Omnes omnino in una ecclesia cantant, jejunare autem unusquisque juxta voluntatem certaminis sui agit."

[1] **domi** is the old locative for the ablative; **ipso** is used somewhat as an article and seems to have become masculine. Cf. *PL*, 198: **son dom,** *his house.*

[2] **introducere** = **introduci.** — **puella . . . monacho,** *the girl had the monk introduced;* cf. French *la fille fit entrer le moine.* — **rogare** is equivalent to French *faire* when it is followed by the infinitive; cf. O.F. *Eulalie,* 22, *Ad une spede li roveret* (**rogaverat**) *tolir lo chief.* For the active infinitive with passive meaning, cf. *Greg,* notes 3, 5 and 6; *Liber,* note 4; *FA,* note 19; *Leud,* notes 6 and 8; *Mem,* note 10.

[3] **de vos** = **a vobis. De** governs also the agent of the passive, as in O.F., French and Italian. Cf. note 4.

Omnem conversationem eorum perinquirebat puella, et dixit illi: "Volebam, si datur mihi de[4] Deo virtus, sic in hoc seculo conversare quomodo vos, nam timeo genitore meo quia destina . . . sociare me maritum."
5 Dixit illi monachus: "Non tradas corpus tuum in corrupcione, nec tradas talem formam contumilio temporali; sed cum omni integritate te ipsam Christo offer qui potest pro temporalia sempiterna tibi preparare premia." Dixitque ei puella: "Et quomodo
10 possum hoc facere?" Dixitque ei monachus: "Occulte fuge, et intra in monasterio, et salvas eris." Puella autem vero, a verbis monachi ipsius inrigatus est cor ejus, et dixit: "Quis me potest tundere, dum in orientem consuetudo est monechas tundere sicut et viros,
15 ego non volo (?) . . . de . . . nisi de servo Dei." Et dixit ei monachus: "Ecce invitare veni patrem tuum pro festivitate quam habemus in monasterio, et ibi commorabitur tres dies aut forsitan et quatuor. Perinquire tibi unum servum Dei, et tundat te."
20 Ipsa autem castissima cogitavit in se ipsam dicens quia: "Si ambulavero in monasterio puellarum, pater meus querit me, et si invenerit, me habet pro meo sponsum, dum potens est trahit me de monasterio. Verumtamen muto me sicut eunuchus nimine cognus-
25 centi, et intro in monasterio virorum, ubi nulla erit suspectio." Et expoliavit femineum vestimentum et induit vestimentum virile, et post occubitum solis exivit de domo sua portans quinquaginta solidus nimine cognuscenti. Et deluculo venit pater suus in civitate re-
30 vertens de monasterio, et circuibat ecclesias orans. Et ipsa castissima venit in monasterio, in quo erat ipse beatus abbas, cum que[5] pater suos festa cælebraverat et dixit ostiario: "Nuncia domno abbati

[4] de = a. Cf. note 3.
[5] que = quem = quo.

quia [6]: Eunuchus aliquis de palatio occurrere tibi volit." [7] Et intrans ustiarius dixit abbati. Et ordinavit abbas introducere illum; et salutavit abbatem, et, dicto capitello, sederunt. Dixitque abbas: "Unde venis . . ., venerantissimi vir?" Et respondit illa: "Ego, pater, de palatio sum, et cogitavi liberare me de potestate istius seculi. Servire Deo volo; et civitas ubi commoratur imperatur non habet loco quietudinis. Audivi autem pro monasterio vestro multa bona, et veni consistere vobiscum, si jubis me suscipere. Habeo res multas, et se salvaveris animam meam, in isto loco offero omnia."

Dum autem erat decorus in corpore, quomodo autem intrabat in refecturio aut in ecclesia, multus fecit inimicus [8] scandalum in anima pro furma ejus, et resurrexerunt monachi clamantes contra abbatem: "Pro quid talem hominem suscepit in monasterium, unde animas [9] scandalizentur?" Audiens hæc abbas adduxit Ismaracdo, dixitque ei: "Fili, dum tibi formam talem dedit Dominus, et aliquis [10] de fratribus inimicus scandalum in te generat, volo ut in una cella retrudas te et solitariam vitam agas, et foras ustium per fenestram magister tuos doceat te omnia salubria." Quod ita et fecit. Et erat in retrucionem, in jejunium et adflictionem et lacrimis nocte ac die, incessabiliter laudans et rogans Dominum ut magister suos miraret in sua conversatione.

Dum autem pater suos reversus est in domum suam, querens filiam, et non inveniens, cœpit lagmentare et

[6] **quia = ut.** Observe the development of the conjunctive **que: quia > qua > que.** *Per*, note 5.

[7] **volit = vult.** Cf. French *veut* and Italian *vuole*, derived from **volit.**

[8] **multus . . . inimicus = multos inimicos.**

[9] **animas = animæ.** Cf. *Ind*, note 14; *Mem*, note 4.

[10] **aliquis = aliquos.**

tribulatus esse valde. Et interrogabat familiam suam quidevenisset [11] filia mea. Ipsi dixerunt ei: "Nocte vidimus illam, postea ne paruit." Cogitabat pater male dicens in corde suo in se ipsum: "Forsitan sponsus
5 suos rapuit illam." Et mandans interrogavit consocrum suum. Audiens autem ipse pater sponso confilio quid contegit, venerunt ad patrem puelle laimentantes, et dixerunt ad illum: "Quidivinit [12] filia tua, aut quis seduxit illam?" Statim directi sunt [13] in omnem
10 patriam querere beatam puellam, et non solum naves maris, sed et de Ni . . . lo fluvio detenti sunt. Et exquerebantur [14] domi, monasteria, cavernas; et quod querebant non inveniebantur. [14] Dum autem, omnem locum inquirentes, non invenitur beatissima ancilla
15 Dei, disperata pro mortua illam laimentabant, socer noram, juvenis sponsam, pater dulcissimam filiam, familie multitudo domnam, hoc dicente patre:

"O filia mea dulcissima!
O lumen oculorum meorum!
20 O mihi consolacio animæ!

"Quis meum thesaurum furavit?
Quis meam substanciam rapuit?
Quis meam diviciam dispersit?

"Quis meam lucernam extinxit?
25 Quis meam spem captavabit?
Quis domui meæ ornatum abstullit?

[11] **quidevenisset** = **quid devenisset.** Cf. French *qu'était devenue*, 'what had become of.'

[12] Cf. **qui** in Vocabulary.

[13] **directi sunt.** Observe the use of the passive for the reflexive. Cf. French *ils se sont dirigés.*

[14] **exquerebantur** = **exquirebant.** — **inveniebantur** = **inveniebant.**

"Qualis [15] lupus meam agnam devoravit?
Qualis [15] lucus radium solis abscon . . . dit?
Qualis [15] pelagus regiam formam captivabit?

"Ipsa erit senectutis meæ baculus!
Ipsa [erat] progeniis [meæ] ornatus! 5
. . . .

"Ipsa erit macorum [16] emutatio!
Ipsa erit laboris meæ repausacio!
Ipsa erat laborum elevacio!"

"Terra, non illa cooperies usquequo videam quod quero." Audiens verom etiam ipsa et alias laimentationis circumstantes amici,[17] et illi clamabant cum fleto, unde omnes habitantes civitatem honesti nimium facti fuerunt.[18] 10

Dum autem vidit sancta castissima ancilla Dei se paratam esse ut migraret de hoc seculo ad Dominum, rogat venire patrem suum,[19] dixitque ei: "Dum, pater boni, Deus pro me disposuit salutem et implevit desiderium meum, volo ut non habeas de istam tristiciam[20] 15

[15] **Qualis?** means *which?* Cf. French *quel?*

[16] **macorum** is written perhaps for **magorum** for **maiorum** (?). But the sentence is obscure: *She was the change* (*the succession, the goal*) *of the ancestors.* Probably the rhythm is more important here than the sense.

[17] **Audiens . . . amici,** *But she, hearing* (*heard*) *and the friends standing around* (*gave forth*) *other lamentations.* Or, *She heard her father's lamentations, as well as those of his friends.* Observe the paralogical sentence.

[18] **facti fuerunt** = **facti sunt.**

[19] **rogat venire patrem suum.** Cf. French *elle fait venir son père.* Cf. *Liber*, note 4; *FA*, note 19.

[20] **volo ut non habeas de istam tristiciam.** Cf. French *je veux que tu n'aies pas.* Observe the Romance construction instead of the Classical infinitive construction. — **de istam tristiciam** shows a partitive use.

pro filia tua que tibi inparuit.[21] Ego sum paupera[22] et peccatrix quem queris, ecce vide et satisfactum tibi sit.[23] Nam rogo te, pater boni, ut nullus cognuscat secretum hunc nec demittas alium lavare corpusculum 5 meum. Tu, sicut pater bonus, per te digna[24] me sepellire, et dum promisi abbati quia abeo substanciam, et salva fuero, dono illam in hoc loco sancto, aut quidquid mihi in dote preparabis dona in manibus abbati, ut illi dispensit illa pio ordine, et oret pro mea pau-10 pertatæ." Et hoc dicens tradedit spiritum fidelibus angelis Dei.

[21] **que tibi inparuit,** *who disobeyed you.*

[22] **paupera** = **pauper.** Cf. *Appendix Probi,* no. 39: **pauper non pauperus.** Cf. Italian *povero, povera.*

[23] **satisfactum tibi sit,** *and be satisfied.*

[24] **digna** = **dignare.** — **per . . . sepellire.** There is a confusion of two constructions: *deign to bury me* and *let me be buried by you.*

APPENDIX

XXXVIII

CHRODEGANGUS

Saint Chrodegangus, nephew of King Pippin, was bishop of Metz from 743 to 766, when he died. He modeled his rule for the canons of his church after the Rules of Saint Benedict. In this passage he indicates the manner in which the clothing of his clergy may be bought. The manuscript is posterior to the ninth century.

DE VESTIMENTIS CLERICORUM, VEL CALCEAMENTIS, VEL LIGNA [1]

Illa media pars cleri qui seniores fuerint annis singulis accipiant cappas novas, et veteres quas præterito anno acceperunt semper reddant, dum accipiunt novas. Et illa alia medietas cleri illas veteres cappas quas illi seniores annis singulis reddunt accipiant, et illi seniores 5 illas cappas quas reddere debent non commutent. Sarciles accipiant illi presbyteri, qui ibidem in domo assidue

[1] This passage is remarkable for the use of the demonstrative used actually as an article, to a greater extent, in fact, than in the French texts of the old period. It is the first clear example of the use of the demonstrative as an article in Romance. Although the spelling of the text is more correct than many others given in this Chrestomathy, yet the syntax, the use of the demonstrative and of the passive bear the earmarks of the year in which the *Regula* was written (*ca.* 750). Notice all through this extract the frequent use of the Romance analytical passive with *esse* or *fieri*. This use is all the more remarkable because, in the monasteries principally, even before the reformation of letters by Charlemagne, an effort to write correctly is evident everywhere. Cf. the introduction to the *Capitulare Francicum*, no. 40.

deserviunt, et illi diaconi VII qui in eorum gradu consistunt, aut lanam unde ipsos sarciles binos in anno habeant, et ille alius clerus unusquisque singulos. Camisiles autem accipiant illi presbyteri, et diaconi annis
5 singulis binos; subdiaconi camisile et dimidio, et illi qui in reliquis gradibus sunt, singulos. Calciamenta vero omnis clerus annis singulis pelles baccinas accipiant, solas paria quatuor.

De ligna consideravimus, ut de quatuor libras de-
10 denarios possint comparare ligna sufficienter et annum; ipsa ligna de illos telones, quod eis in civitate, vel in villabus sunt, sint comparata, hoc est quatuor libræ ad hoc mittantur. Et Kal. Maii ipsum teloneum accipiant, et tunc ipsa ligna comparent. Et illas cappas,
15 et illos sarciles, et illa calceamenta de illos teloneos superius nominatos quod exinde superat, et de illo calciatico, quod ille episcopus annis singulis ad illum clerum reddere consuevit, et de eorum eleemosyna quod ad ipsum clerum specialiter Deus dederit, sint com-
20 parata.[2] Et si aliquid exinde fuerit, aliud quod eis necesse est comparent, aut in eorum camera recondant. Et si ibidem ad hoc comparandum sufficienter non habuerint, ille episcopus hoc prævideat et mittat, unde hoc totum adimpletum sit ad eorum necessitatem, sicuti
25 superius scriptum est.

Ipsa autem vestimenta, illas cappas, et sarciles, ad transitum sancti Martini accipiant; illos camisiles viginti dies post Pascha accipiant; illa calciamenta Kal. Septembris habeant. Et si aliquis ex ipso clero
30 de ecclesia tale beneficium acceptum ab episcopo habet, ut exinde possit procurare necessaria sua, id est cappas et calceamenta.

[2] **sint comparata = comparentur.** Cf. French *qu'ils soient achetés* = **comparentur.**

XXXIX

ALCUIN

Alcuin, theologian and English scholar and one of the teachers of the Palace School founded by Charlemagne, writes a somewhat humorous letter recommending a pupil of his to the bishop of Salisbury. The note is one of the numerous and informative letters written by Alcuin. It was composed in the year 801 or 802 and the manuscript is of the ninth century.

A LETTER OF RECOMMENDATION

Dilectissimo Aquilæ Albinus Matricularius Perpetuæ Beatitudinis in Christo Salutem

Direxi hoc animal, vitulum enchiridion meum; ut adiuves illi et eripias eum de manibus inimicorum suorum. Et adiuva, quantum valeas. Quia venerabilis episcopus multum ardet super nos, id est Teodulfus. Misi quoque in ora pueri huius, quamvis 5
vitulus contra naturam rationale sit animal, quod ipse in auribus sanctitatis vestræ habet mugire.

Habeo enim illum ad erudiendum Deo mecum in domo mea. Et poterit proficere, Deo donante, in lectionis studio seu grammaticæ artis disciplina in domo 10
sancti Martini. O Aquila! 'Hi in curribus et hi in equis; nos autem in nomine Domini nostri magnificabimur.'

Valeas vigeas semper in æternum.

XL

CAPITULARE FRANCICUM

In this capitulary, written in the year 783 under Charlemagne, is found a regulation for the operation of hospitals, churches, etc. Here again, in apparently more Classical Latin, the use of the new analytical passive with *esse* or *fieri* stands out more conspicuously, as it does in all these Carolingian documents.[1] We find it only in the moods and tenses in which it has replaced the Latin synthetic passive in the Romance languages. That is to say, we do not find it, e.g. in the present indicative. In this tense the Latin passive has not been replaced by the analytical for verbs of action, and various substitutes had to be found.

A DECREE

INCIPIT CAPITULARE QUALITER PRÆCIPIT DOMNUS REX DE QUIBUSDAM CAUSIS

1. Primo capitulo de senedochia iussit ut quicumque senedochia habent, si ita pauperes pascere voluerint et consilio facere quomodo ab antea fuit, habeant ipsa senedochia, et regant ordinabiliter. Et si hoc facere
5 noluerint, ipsas dimittant; et per tales homines in antea sint gubernatæ, qualiter Deo et nobis exinde placeant.[2]

2. De ecclesiis baptismalibus, ut nullatenus eas laici homines tenere debeant, sed per sacerdotes fiant,
10 sicut ordo est, gubernatas. Et neque illi pagenses neglegentiam habeant de hoc quod ibidem facere de-

[1] Cf. *Chrod*, note 1.

[2] Observe in this first paragraph: **senedochia . . . ipsas . . . sint gubernatæ.** The uncertainty about the neuter plural and the feminine (Cf. *Grammatical Survey*, p. 53) still continues in the early part of the Carolingian renaissance.

beant. Et illi sacerdotes eas sic regant quomodo ordo canonicus exposcit.

3. Si cui res in elymosina datæ sunt, et ipse mortuus fuerit antequam eas dispenset, tunc missus dominicus una cum episcopo parrochiæ ipsius consideret, qualiter in 5 domni regis mercede ipsa ælymosina fiat facta, et infra triginta noctes impleta esse debeant.

4. De filia cuius pater per manum arrogatoris omnes servos suos iussit fieri liberos, et quia contra legem esse videntur, instituimus quod ipsa filia in tertia por- 10 tione de præfatis servis iterum introire possit.

5. De mancipiis palatii nostri et ecclesiarum nostrarum nolumus mundium recipere, sed nostras ipsas mancipias habere.

6. Placuit nobis, ut illos liberos homines comites 15 nostri ad eorum opus servile non opprimant; et quicumque hoc fecerit, sicut iudicatum habemus emendet.

7. De rebus quæ Hildegardæ reginæ traditæ fuerunt, volumus ut fiant descriptæ breves, et ipsæ breves ad nos fiant adductæ. 20

8. Sicut consuetudo fuit sigillum et epistula prendere, et vias vel portas custodire, ita nunc sit factum.

XLI

CAPITULARE DE VILLIS

This selection shows Charlemagne as a great landowner. It demonstrates the advance of the self-supporting villa and the interest which great landowners took in the proper exploitation of their domain. It practically covers the output and disposition of the product, shows the care given to the individuals and the consideration for the economic and spiritual welfare of the villa. The document was composed in the early years of the ninth century. The manuscript is of that time.

A LANDOWNER'S INTERESTS

(Volumus) ut familia nostra bene conservata sit [1] et a nemine in paupertate missa.

Ut non præsumant iudices nostram familiam in eorum servitium ponere, non corvadas non materia cedere nec 5 aliud opus sibi facere cogant.

Volumus ut iudices nostri decimam ex omni conlaboratu pleniter donent ad ecclesias quæ sunt in nostris fiscis, et ad alterius ecclesiam nostra decima data non fiat,[1] nisi ubi antiquitus institutum fuit.

10 Ut iumenta nostra bene custodiant et poledros ad tempus segregent; et si pultrellæ multiplicatæ fuerint, separatæ fiant [1] et gregem per se exinde adunare faciunt.

Omnino prævidendum est cum omni diligentia, ut quicquid manibus laboraverint aut fecerint, id est 15 lardum, siccamen, sulcia, niusaltus, vinum, acetum, moratum, vinum coctum, garum, sinape, formaticum, butirum, bracios, cervisas, medum, mel, ceram, farinam, omnia cum summo nitore sint facta vel parata.[1]

Ut ædificia intra curtes nostras vel sepes in cir- 20 cuitu bene sint custoditæ,[1] et stabula vel coquinæ atque pistrina seu torcularia studiose preparatæ fiant, quatenus ibidem condigne ministeriales nostri officia eorum bene nitide peragere possint.

[1] Observe here the new analytical passive.

XLII

THE GLOSSES OF REICHENAU

The manuscript dates from the end of the eighth or the beginning of the ninth century and was used as early as the ninth century in the convent of Reichenau. The Glosses were composed in Northern France at different periods and were compiled there. Words which have become unintelligible are translated or interpreted for Romance-speaking students. The lists were employed in monasteries and schools principally for interpreting the Bible. Only a small number of the complete Glosses have been included here. When there is no title given with the numbers, those numbers refer to the book of the Bible given last above: 2, for instance, refers to *Genesis;* 40 to *Exodus*, etc.[1]

1. CENACULA: mansiunculas (*Gen.* 6, 16)
2. BINAS: duas et duas (6, 19)
3. CATARACTA: ostium fenestre (7, 11)
4. MANDI: manducare (6, 21)
5. UEGITAT: portat (9, 15)
6. DEINCEPS: postea (9, 11)
7. EXERCERE TERRAM: operare in terra (9, 20)
8. AUERSA: distornata (9, 23)
9. PULCRA: bella (12, 11)
10. INGREDERETUR: intraretur (12, 11)
11. SUBLATA: subportata (12, 15)
12. OPPIDIS: castellis uel ciuitatibus (13, 12)

[1] It will be remarked that not every word in these Glosses has been commented on. The student himself should look up or work out Romance expressions. For instance: 1. CENACULA: **mansiunculas.** Cf. *Maisoncelles*, a place name in France derived from **mansiuncellas,** a synonym of **mansiuncula.** Or, 2. BINAS: duas et duas. Cf. French *deux à deux, deux et deux.* These words have not been put in the Vocabulary because they are thus self-explanatory.

13. Leuam: sinistram (14, 15)
14. E regione: contra [2] (16, 12)
15. Pronus: qui a dent[ibus] [3] iacet (17, 3)
16. Mares: masculi (17, 23)
17. Feruore: ardore, calore (18, 1)
18. Semel: una uice (18, 27)
19. Ablactatus: a lacte ablatus (21, 8)
20. Statuit: stare fecit (21, 28)
21. Arenam: sabulo (22, 17)
22. Ager: campus (23, 9)
23. Femur: coxa (24, 2)
24. Cuncti: omnes (24, 19)
25. Sexagenarius: qui LX annos habet (25, 26)
26. Inludere: deganare (27, 12)
27. Minatur: manatiat [4] (27, 42)
28. Dem: donem (29, 19)
29. Liberos: infantes (30, 1)
30. Conduxi: locaui (30, 16)
31. Opilio: custos ouium uel berbicarius (38, 12)
32. Teristrum: genus ornamentum mulieris. quidam dicunt. quod sit cufia uel uitta (38, 14)
33. Officium: ministerium (40, 13)
34. Canistra: cofini (40, 16)
35. Culmus: festuca uel planta (41, 5)
36. In munipulos redacte: in garbas collecte (41, 47)
37. Biennium est: duo anni sunt (45, 6)
38. Plaustra: carra (45, 19)
39. Scirpeam: de iuncis factam (*Exod.* 2, 3)
40. Flare: suflare (10, 19)
41. Uorabitis: comeditis (12, 9)

[2] **contra** > French *contrée*, Italian *contrada*.

[3] Cf. O.F. *adenz*.

[4] **manatiat**, *menace*, shows an interesting opening of the initial vowel before the liquid: **mĭnatiat** > **menatiat** > **manatiat.**

42. SUBMERSI: dimersi. necati (15, 4)
43. COTURNICES: quacoles (16, 13)
44. NEGOTIUM: opus. causa (18, 18)
45. PIGNUS: uuadius (22, 26)
46. UITALIA: uiscera. intranea (29, 22)
47. UESTIBULUM: porticus (29, 32)
48. PAPILIONIS: trauis (33, 8)
49. ÆS: eramen (35, 5)
50. ABGETARII[5]: carpentarii (35, 35)
51. CRATICULA: ubi ligna desuper ardet (37, 26)
52. SAGMA[6]: soma uel sella (*Levit.* 15, 9)
53. DETESTARE: plasphemare (*Numeri* 23, 7)
54. ITALIA: Longobardia (24, 24)
55. ULCISCERE: uindicare (31, 2)
56. ICTUS: colpus (25, 17)
57. IN CARTALLO: in panario (*Deuter.* 26, 2)
58. INCEDEBANT: ambulabant (*Jos.* 3, 17)
59. UOMERE: cultro (*Jud.* 3, 31)
60. POPLITE: iuncture ianiculorum uel reliquum menbrorum (7, 6)
61. SINDONES: linciolos (14, 12)
62. TORUM: lectum (21, 12)
63. GERULE: portatricis. baiole (*Ruth* 4, 16)
64. NOUACULA: rasorium (*Reg.* I, 1, 11)
65. ENSIS: gladius (13, 22)
66. OCREAS: husas (17, 6)
67. SARCINA: bisatia[7] (17, 22)
68. ONERATI: carcati (*Reg.* II, 16, 1)
69. MUTUO ACCEPERAM: inpruntatum[8] habebem (6, 5)
70. COMENTARIIS: macionibus (*Reg.* IV, 22, 6)
71. CONCIDIT: taliauit (24, 13)

[5] **Abgetarii = Abietarii.**

[6] **sagma = soma.** Observe: **sagma > sauma > soma.**

[7] **bisatia = bisaccia.**

[8] **inpruntatum** (French *empruntê*) = **impromutuatum.**

72. Iecore: ficato (*Tob.* 6, 5)
73. Solidates (Soliditates): firmates (firmitates) (*Jud.* 5, 12)
74. Inermes: sine arma (5, 27)
75. Rerum: causarum (6, 10)
76. Ofendas: abattas (*Matth.* I, 4, 6)
77. Ethnicus: paganus (5, 47)
78. Mutuari: prestari (5, 42)
79. Canere: cantare (6, 2)
80. Uuas: racemos (7, 16)
81. Ita: sic (12, 22)
82. Id: hoc
83. Fouea: fossa (15, 14)
84. Macillentiores: magriores (*Dan.* 1, 10)
85. Statuo: stare facio (*Psalm.* 17, 34)
86. Esurio: phamem habeo (33, 11)
87. Poto: do tibi bibere (35, 9)
88. Mutuare: inpruntare (36, 21)
89. Calamus: penna unde litteras scribuntur (44, 2)
90. Dirigantur: recti fiant (118, 5)
91. Axis: ascialis
92. Aper: saluaticus porcus [9]
93. Ab his: ab istis
94. Caseum: formaticum
95. Flasconem: buticulam
96. Fusiles: fundutas
97. Fores: ostia
98. Fenicium: nigra tinctura
99. Gallia: frantia
100. Hiems: ibern[us]
101. Is: ille
102. Imum: [quod] iusu[m] est
103. Morent: demorent
104. Minas: manaces
105. Non pepercit: non sparniauit
106. Obuiare: incontrare
107. Oues: berbices
108. Profectus: alatus [10] fact[us]

[9] **saluaticus porcus.** Cf. French *porc sauvage.* One wonders why he did not translate **aper** by **singularis,** French *sanglier,* which the Greek knew as *μονιός.*

[10] **alatus** (French *allé*) < **ambulatus.**

109. PESTILENTIA: gladis
110. QUISQUILIAS: paleas
111. RESPECTANT: reuuardant
112. SUCCENDUNT: sprendunt [11]
113. SALSUGO: salsa causa
114. SPADO: castrad[o]
115. SORTILEGUS: sorcerus
116. SARCINIS. saccus vel bulzia [12]
117. SANIORE: meliore. plus sano
118. TEDET: anoget
119. TUMENTES: inflantes
120. TRANSFRETAUIT: trans alaret
121. TRANSILIUIT: trans alauit
122. TUGURIUM: cauanna
123. UESPERTILIONES: calues sorices
124. UISCERA: intralia. et dicta eo quod ibi uita continetur
125. FURUUM: brunus (*Gen.* 30, 32)
126. LATERIS: tegulis non coctis de terra et paleis efficitur (*Ex.* 1, 14)
127. SAGA: una tela in cortinis (26, 7)
128. MALUM PUNICUM et MALA GRANATA unum sunt. pome mire pulchritudinis (28, 3)
129. CORCODRILLUS: bestia in flumine similis lacerte sed grandis (*Lev.* 11, 29)
130. NOUERCA: matrastra (20, 11)
131. COCCINEA: rubeas (*Num.* 4, 8)
132. NAUSIA: uomitus [13] (11, 20)
133. SUBTILISSIMA: per pitina (*Jos. A*)
134. SARCINULAS: saomas (*Ruth* 2, 9)
135. ET ABEGIT IUMENTA EORUM: abstraxit uel expulut id est minauit (*Reg.* I, 23, 5)
136. PINGUES: qui natu-

[11] **sprendunt** = **exprendunt** (French *éprennent*).

[12] **bulzia** (French *bourse*) answers better the Spanish or Portuguese form, *bolsa*.

[13] Considering 132 NAUSIA: uomitus and 138 COLERA: nausia, we can see that **nausea** had not yet evolved semantically into the stage next to O.F. *noise*, English *noise*.

raliter grassi sunt (*Reg.* III, 4, 23)

137. EBURNEUS: eboreus (*Paral.* II, 9, 17 B)

138. COLERA: nausia [14] (31, 23)

139. DE RADICE COLUBRI nascitur regulus qui manducat aucellas (*Isaias* 14, 29)

140. CLIUUM: montania (*Reg.* I, 9, 11)

141. ABIGEBAT: inde minabat [15] (23, 5)

142. PAGUS: uilla (27, 8)

143. CASTRA: castellum (28, 1)

144. LUDEBANT: iocabant (*Reg.* II, 5, 6)

145. DOLATURA: manaria [16] (*Reg.* III, 15, 18)

146. BIBERES: potiones uel parui calices in quibus potos monachorum mensurant (*Reg. S. Bened.*)

[14] See footnote 13, page 253.

[15] **inde minabat** evidently shows the beginning of a compound announcing French *emmener*.

[16] **manaria** (French *manière*) shows that it was originally a carpenter's or stone-cutter's word.

XLIII

THE GLOSSES OF CASSEL

These Glosses were composed in the eighth and ninth centuries for the use of Germans traveling in Romance-speaking countries. They relate to very practical details: 1. cut my hair; 2. shave my neck; 3. shave my beard, etc. Only a very small number of these Glosses have been included here.

1. TUNDIMEOCAPILLI skir minfahs.
2. RADIMEMEOCOLLI skirminan hals.
3. RADIMEOPARBA skir minanpart.
4. PEDES foozi.
5. ORDIGAS zaehun.
6. UNCLA nagal.

XLIV

THE OATHS OF STRASSBURG

These Oaths of alliance were pronounced between Louis of Germany and Charles of France, grandsons of Charlemagne, and their armies, against their brother, the Emperor Lothaire. They were composed in the year 842 in the Rhone region and were handed down by the historian Nithard, grandson of Charlemagne. The manuscript is of the tenth century. The Oaths, the first documents in the Romance tongue, were spoken in Strassburg, although scholars have set the place of composition in the Rhone region. King Ludwig (Louis) of Germany pronounced in Romance the first selection quoted here. In it he swears before the French army to an alliance with his brother, the French king Charles. The next part of these Oaths has been omitted; it was spoken in German to the German army, by the French king Charles, swearing alliance to their king, his brother. The third part is No. 2 of our text. The French army speaks in Romance accepting participation in this alliance. The fourth part, omitted here, contains a similar statement in German by the German army.

1. *Oath of King Louis of Germany*

Pro Deo amur et pro christian poblo et nostro commun salvament, d'ist di in avant, in quant Deus savir et podir me dunat, si salvarai eo cist meon fradre Karlo et in adiudha et in cadhuna cosa, si cum om per dreit son fradra salvar dift, in o quid il mi altresi fazet, 5
et ab Ludher nul plaid nunquam prindrai, qui meon vol cist meon fradre Karle in damno sit.

2. *Oath of the French Army*

Si Lodhuuigs sagrament, que son fradre Karlo jurat, conseruat, et Karlus meos sendra de suo part non lo stanit,[1] si io returnar non l'int pois, ne io ne neuls, cui eo returnar int pois, in nulla aiudha contra Lodhuuuig nun li iu er.

[1] **stanit** is unintelligible. Possibly it stands for **lo(s) tanit** = **tenet,** or for **extenet** = **stenet** = **stanit,** since we find in the *Glosses of Reichenau* **sprendunt** for **exprendunt.**

XLV

GLOSAS EMILIANENSES

A SERMON BY SAINT AUGUSTINE

(*Sermo cotidiani*)

This selection is taken from MS. 60 of the monastery of San Millán and forms part of the *Glosas Emilianenses,* one of the oldest linguistic monuments of Spain. The text is of the ninth or tenth century and the glosses of the middle of the tenth century. The passage contains a sermon of Saint Augustine. The glosses, included in brackets, represent the Vulgar Latin of the tenth century. It is to be observed that a Vulgar Latin, different both from the vulgar speech and from Mediæval Latin, persisted several centuries in Spain. This Vulgar Latin, strongly influenced by the common speech, is the language of these glosses and throws light on many linguistic features of the period.

Rogo uos fratres karissimi nemo dicat in corde suo
5 quia peccata carnis non curat Deus, Sed audite [kate uos] apostolum dicentem . . . siquis [qualbis uemne] . . . Dicit etiam [Esajas[1]] testimonium [ficatore] omnis caro fenum et omnis claritas ejus ut flos [flore] feni [jerba] . . . Sed ad tempus moritur non resurgit [non
10 se uiuificarat] cum crimine [peccato]. Ayt enim apostolus [zerte dicet don Paulo apostolo] quia corpora

[1] An allusion to *Isaias, XL,* 6.

uestra templum est Spiritus Sancti . . . tu jpse es [tue-
leisco jes] templum Dei . . . ja domo tua manes [tu
siedes] . . . uide quid agas [ke faras], uide ne offendas
[tunon jerras] templi hauitatorem, ne deseras te [tunon
laisces] et jn ruinam uertaris [tornaras]. Nescitis 5
jnquid [dicet] quia corpora uestra templum est Spiritus
Sancti quem habetis a Deo et non estis uestri [reputa-
tiba] emti enim estis pretio magno.

XLVI

DOCUMENTOS LINGÜÍSTICOS

These legal documents form one of the most important and interesting collections of Spain, from the linguistic as well as historical point of view, for the year and fairly sure indications of the place in which they were composed are given. They range from the years 1044 to 1492 and were written in various regions comprising the kingdom of Castille. One of the most interesting features of these documents is that they point to the continued use, as late as the twelfth century, of a Vulgar Latin akin to the Merovingian Latin but crystallized in that form and not evolving any longer, and used by the side of the Romance or Spanish and the more correct Mediæval Latin of the Church and Schools. In France this Vulgar Latin disappears at the beginning of the ninth century through the efforts of the Carolingian Renaissance. The following selection taken from those contained in the Rioja Alta group, is a deed of exchange of property between the Abbot of San Millán and Lope Íñiguez. The date given is approximately 1150, and the location as San Millán de la Cogolla, a part of Nájara in the province of Logroño. In the archives of the monastery of San Millán the documents of the abbot Lucas include the years 1144 to 1153.

A TRANSACTION IN REAL ESTATE

El abad de San Millán cambia unas haciendas con Lope Íñiguez

Sub Cristi nomine redemptoris nostri. Ego igitur, abbas Lucas Sancti Emiliani, una cum sociis meis facimus, cambium ticum Lope Ennecones: tu das nobis una vinea in Lahun circa la nostra de Sancti
5 Emiliani z[1] ke nos aiudes fer el portal del palacio; z nos damus tibi in nostro corral del palacio. 1. pedazo circa la nostra porta kese aiuntat al tuo; et hoc est scriptum firmum permanet ineternum. Fortum Sanchez z Sancho Escudero et Garcia Ennecones, testes.

[1] z means *and*.

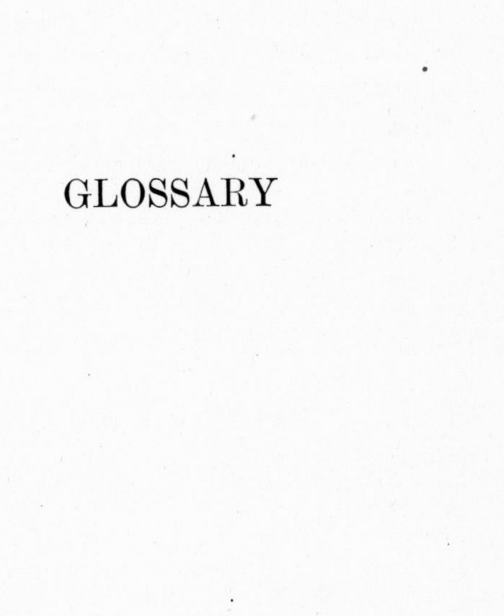

GLOSSARY

ABBREVIATIONS

Alcuin = Alcuin
Ambrose = Saint Ambrose
Anon = Anonymous
AP = Appendix Probi
Aug = Saint Augustine
Ben = Saint Benedict
Britt = Historia Brittonum
Cæna = Pseudo-Cyprian
Cap = Capitularia Merowingica
Cassel = The Glosses of Cassel
CF = Capitulare Francicum
Chrod = Saint Chrodegangus
CI = Christian Inscriptions
Comm = Commodian
Comp = Compositiones
CV = Capitulare de Villis
Doc = Documentos Lingüísticos
Euf = Vita Eufrosine
Examen = Examen Testium
FA = Formulæ Andecavenses
FM = Formulæ Marculfi
Fortunatus = Fortunatus
Fred = Fredegarius
FS = Formulæ Senonenses
GE = Glosas Emilianenses
Greg = Gregory of Tours
Greg Great = Gregory the Great
Ind = Frodebertus and Importunus
Isidore = Saint Isidore
Leud = Passio Leudegarii
Lex = The Salic Law
Liber = Liber Historiæ Francorum
Mem = Passio Memorii
Mul = Mulomedicina Chironis
Oaths = The Oaths of Strassburg
OLI = Old Latin Inscriptions
Per = Sylvia
Petron = Petronius Arbiter
PI = Pagan Inscriptions
Reich = The Glosses of Reichenau
Sed = Sedulius
Tardif = Cartons des Rois of Tardif
Ved = Vita Vedastis
VL = Vetus Latina
Vulgate = Saint Jerome
Wand = Vita Wandregiseli

GLOSSARY

A

a *PI* annos, annis; *OLI* asses; *Examen* ad; — **forfice** *Comp* cum
ab: — **invicem** *Fred* together (*observe the strong connotation of* **cum** 'with,' *as well as the use of the two prepositions* **ab** *and* **in**)
ABCdarius *Aug; a poem of* 26 *stanzas, of a religious nature, each stanza of which begins with a letter of the alphabet*
abdoucit *OLI* abducit
abeas *CI* habeas
abeat *CI* habeat
abet *PI* habet
abias *Tardif* habeas
abiis *Tardif* habeas
abitat *Tardif* habitat
abnegit *Wand* abneget
Abraham *Cæna*
abstolit *CI* abstulit
abstullit *Mem* abstulit
abstutus *CI* astutus
Abuccia *PI*
Abuccius *PI*
ac *Ved* hac
accepemus *Examen* accipimus
accibimus *Tardif* accipimus
accidere *FA* to come before law
accione *Wand* actione
accipitæ *Mem* accipite
accolabus *FM* accolis
accort *CI* occurrit
accussationem *Leud* accusationem
Acennano *Examen*
actorebus *Tardif* actoribus
ad *Mem; Wand; Tardif* at; — **bonis hominebus,** etc. *Tardif* ab (*as frequently here*); — **subito** *Per* suddenly
Adaltrute *Tardif* Adaltrude
Adam *Cæna*
adceperunt *VL* acceperunt
adcipientes *VL* accipientes
adcresceret *Leud* accresceret
Adeodatus *Examen*
adequetur *Comp* adæquatur
adetum *Euf* aditum
adfici *Greg* affici
adfirmaverunt *FA* affirmaverunt
adflictione *Euf* afflictione
adflictionem *Euf* afflictionem
adherant *FA* aderant
adhorant *Mem* adorant
adiudha *Oaths* adiuta
adlegare *FA* (allegare) to put on record
adleta *Leud* athleta
adliticare *FA* (litigare) to plead
admallare *FA* to bring before the court
adou. *OLI* adqu.
adplene *Leud* in full; *cf.* It. *appieno*
adprobatum *Lex* (approbatum) proved
adque *PI; Wand* atque
adsalierit *Lex; from* **adsalire** to attack; *cf.* Fr. *assaillir* < **salire**
Adsula *PI*
adsumerit *Fred* adsumeret = assumeret

adsumturus *Greg* assumturus
adtentius *Ved* attentius
adtonitus *Ved* attonitus
adtractu *FM* attracto
adtrite *Fred* adtriti = attriti
Æbreduno *Tardif* Embrun (*France*)
æclesiæ *CI* ecclesiæ
æclisiæ *Tardif* ecclesiæ; *cf.* Fr. *église;* Sp. *iglesia* (*which are derived from such a form with one* **c**)
æcontra *FA; Tardif* (econtra) opposite, in opposition to
ædis *VL* hœdis
ædocæ *Mem* edoce
æducto *Wand* educto
Ægrefredo *Tardif*
Ægypti *Vulgate*
Ægyptius *Leud*
Ægyptum *Vulgate*
æi *FA* ei
æjectus *Tardif* ejectus
ælevatis *Mem* elevatis
Ælianeti *PI; CI; dative of* Æliane
ælymosina *CF* eleemosyna; *cf.* Greek ἐλεημοσύνη
ænutritus *Leud* enutritus
æpiscopatum *Tardif* episcopatum
æquos *Mem* equus
æstabolarius *Fred* stabularius
æteneris *Fred* itineris
Æthiopia *Vulgate*
ætiam *Ind* etiam
Ag *CI* Augusto
Agar *Cæna*
agentis *Tardif* (agentes) agents
Aggarius *Per*
aginare *Petron* to ruminate in every way
Agned *Britt;* Aconbury? (*scene of one of King Arthur's battles*)
agneglus *CI* agniculus
agolitus *CI* (acolythus) a cleric of the minor orders
Agusta *Fred* Augusta
Aguste *PI* Augustæ
Agustedunensis *Leud* of Autun
Agustudunense *Leud*
aide *OLI* ædem
aidilis *OLI* ædilis
Aione *CI* Aio (*a Lombard dux of the sixth century*)
aiuntat *Doc* is adjoining
Alamannos *Greg* Alamanni (*a Germanic tribe whose territory extended across the Rhine into Alsace*)
alatus *Reich* ambulatus
Alba Fucens *PI* Alba Longa (*in Latium*)
Albinus *Alcuin* Alcuinus
Albofledis *Greg; a sister of Clovis*
Alcuinus *Alcuin*
Aleria *OLI; a town in the island of Corsica*
Alexander *Fred* Alexander the Great
Alexandre *CI* Alexandræ
Alexandri *VL*
Alexandriæ *Euf*
alico *FA* aliquo
alicus *FS* aliquis
aliqui *Fred; Ved* aliquis
alithina *Comp* (purpurea) purple
alitu *PI* halitu
allec *AP* brine; *see* **hallec**
allio *Tardif* alio
alliqua *Tardif* aliqua
aloariæ *FS* (alaudarii) landowners
alode *FM; cf.* **alodis**
alodis *Ind* property *or* inheritance; *cf.* Fr. *alleu*
alote *FA* alode; *cf.* **alodis**
Amalbertus *Liber*
Amanci *Wand* Amanlii (Sancti)
Amazonas *Fred* the Amazons (*a legendary race of women supposed to have inhabited the coast of the Black Sea and the Caucasus Mountains*)
ambasia *Lex; from* Germanic

andbahtjan mission; *cf.* Eng. *embassy;* Fr. *ambassade;* It. *ambascia*
ambe *Mem* ambas
ambolabat *Euf* ambulabat
ambolare *Tardif* ambulare
Ambrosio *Examen*
Ambrosius *Ambrose*
Amelsad *Cæna*
Amelystus *PI*
Ametyssianus *PI*
amiticia *Ind* amicitia
amititias *Ind* amicitias
Amos *Cæna; Vulgate*
Ampsani (**Sancti**) *Examen*
amur *Oaths* amore
amure *CI* amore
amycdala *AP* (amygdala) almond
Ananias *Per*
Anastase *Per; the Church of the Resurrection in Jerusalem*
Anastasius *Greg; a priest of Clermont-Ferrand*
anculus *PI* auunculus
Andecavis *FA* Angers
Andicavis *FA; cf.* **Andecavis**
Andreas *Cæna*
Andree (**Sancti**) *Examen*
Andria *PI*
anemis *CI* animos
anemola *PI* animula
Angelo (**Sancto**) *Examen*
animalia *Lex; cf.* O.F. *aumaille*
annolus *FA* annulos
anns *CI* annis
anocla *PI* annucula
anoget *Reich* anoiet < anodiet; *from* **inodiare** < **in odium;** *cf.* Fr. *ennuyer*
anolis *Fred* annulis
anolo *Tardif* annulo
anona *Lex* (annona) provisions, victuals, bread
anone *Ind* annona; *cf.* **anona**
antædicti *Mem* antedicti
antestetis *CI* antistes
Antiparta *PI*
antiphonæ *Per* anthems (*sung in alternate parts*)
Antoninus *PI*
Antunia *Fred* Antonia (*the wife of Justinius, according to Fredegarius; his wife was, in reality, Theodora, and Belisarius' wife was named Antonina*)
anua *OLI* annua
anulum *Per* annulum
anum *Tardif* annum
anus *CI* annos
anuversario *PI* anniversarium
Aoste *PI* (Augustæ) Aosta (*a town in Piedmont*)
apoculamus *Petron* we skip; *from Greek* ἀπό + **culare**; *cf.* Fr. *reculer*
apostare *Ben; from* Greek ἀπό + **stare** *under the influence of* **apostatare**; *cf.* **apoculamus**
appellit *Lex* appellet
appropiavit *Vulgate; from* **appropiare** to approach; *cf.* Fr. *approcher*
apud *Tardif* cum (*as frequently here*)
aput *FA* (apud) with
aquærumve *FM* aquarumve (ve = vel)
aquarumvæ *FM* aquarumve
aquerumve *FM* aquarumve
Aquila *PI* Alcuin
Aquilæ *Alcuin; surname of Arno (at the court of Charlemagne the members of the monarch's intimate circle had surnames)*
Aquileia *PI; a town of Italy, west of Triest*
Arator *PI*
arca *Cæna* coffer
Archelais *CI* Archelaus
Archesidane *Tardif; oblique case of* **Archesida**
archiotepam *Per* archetypum
Aretine *Examen* of Arezzo

Aretinus *Examen*
Aretio *Examen* Arezzo
Argentus *PI*
argus *CI* largus *or* argutus
aripennis *Tardif* (arepennis, arapennis) acre; *cf.* Fr. *arpent*
Aritio *Examen* (Aretio) Arezzo
Arnoni *Alcuin* Arno
arra *Fred* (arrhas) first deposit (*as a guaranty*)
Arretinum *Examen*
arrogatoris *CF* associate
Artemidora *CI*
Arthur *Britt; a king of Britain of the sixth century, first mentioned in the Historia Brittonum*
arundo *Ind* (harundo) hirundo; *cf.* O.F. *aronde*
Arvernam *Greg* Auvergne
ascensu: de caballo —, *Lex* (ascenso) a horse which one has mounted
Asia *Fred*
aspalto *Mul* (aspalatho) broom (*a plant*)
Assyriorum *Vulgate*
Asterius *CI*
at: — superos; — me facta *PI; Tardif* ad
atfirmare *Tardif* affirmari
Atinia *PI*
atnis *PI* annis
atquæ *FM* atque
Atrapatum *Ved* (Atrebatum urbi) Arras (*France*)
Atthela *Mem* Attila
Attilane *Ved; oblique case of* Attila
auctoretas *Tardif* auctoritas
audebam *Greg* audiebam
Audoberctho *Tardif* Aubert
Audoinus (Sanctus) *Liber* Saint Ouen
Audovera *Liber; queen of Chilperic*
Augurius *PI*
Augustodunense(m) *Greg* Great of Autun
Aur. *CI* Aurelius
aura *Ind* auras *or* aureum (?)
Aurelia *CI*
Aurelius *PI*
auriens *Ved* hauriens
Auriliano *Greg* (Aureliano) Aurelian (*Roman emperor,* 270–275; *the city of Orléans [Aurelianum] is named after him*)
aus: — non anucla *AP; for* anus
auseria *Mem; cf.* Fr. *osier*
auspece *Tardif* auspice
Auster *Liber* Austria, Austrasia (*Eastern Frankish region, in opposition to the kingdom of Neustria, of which Paris is the capital*)
Austeris *VL* Austerus
Austrasii *Liber; cf.* **Auster**
Austrea *Tardif* Austria; *cf.* **Auster**
avetat *PI* habitat
Avienus *CI*
avonculo *PI* auunculo
avuncolo *Liber* (auunculo) uncle on mother's side; *cf.* Fr. *oncle*
A☧Ω *CI; Christ's symbol: Alpha and Omega, together with the Greek letters* XP = *Chr(istus)*
AXPW *CI; symbols and initials of Christ:* A(*lpha*), X(*ristus*); P *is the Greek* R; W *stands for Omega*
ayt *GE* ait
Azarias *Cæna*
Azotum *Vulgate*

B

bacciballum *Petron* jewel, darling
baccinas *Chrod* vaccinas
Bacivo *Liber* Baizieux, France
Baddone *Tardif; father of Dodo, abbot of Saint-Denis*
Badonis: monte —, *Britt* Mount

Badon (*scene of the twelfth of King Arthur's battles*)
Balaam *Vulgate*
Balac *Vulgate*
Balentes *CI* (Valentis) Valens (*a Roman emperor*, 364–378)
Baletiniani *CI* Valentiniani
baptistirii *Greg* (baptisterii) baptismal font
baptistyrium *Liber* baptisterium
Barabas *VL*
barbarico: in —, *PI* at the front, in war against barbarians
Barbatus *OLI*
baronem *Ind; Lex* virum
baselica *Examen* basilica
baselicæ *FM* basilicæ
baselicas *Wand* basilicas
basilice *Tardif* basilicæ
basilici: — sui *Tardif* basilicæ suæ (*a confusion of declension resulting from the weakening of final* e *and* i)
Bassas *Britt; a river, scene of one of King Arthur's battles*
Batania *Per; a town in Syria, mentioned by Saint Jerome*
Bathildis *Leud*
batte *Comp* battue
battuta *Comp; cf.* It. *battuta;* Fr. *battue*
Baugulfo *Tardif*
Bellesarius *Fred* Belisarius (*a general of the Byzantine empire*, 505–565)
benedicætur *Mem* benedicetur
benegnus *CI* benignus
benemereti *PI* benemerenti
benemoria *Petron* of good morals (*a vulgar formation*)
beni *PI* bene
benite *VL* venite
Beornica *Britt*
Bercharius *Tardif*
Beriani *PI* (Veriani) of Verus
Bertechildis *CI*
Bertichildus *CI*
bes: — ccss. = consulibus *CI* bis (*Theodosius was consul fourteen times and Valentinianus twice*)
Bethleem *Per* Bethlehem
Bethzacharam *Vulgate*
Betilienus *OLI*
Betuedia *PI*
bibo *PI* vivo
Bictorina *PI* Victorina
bifurcum: per —, *Petron* on both sides of the face
biginti *CI* viginti
biolare *CI* violare
bis *PI* vis
bisit *CI; PI* vixit
bixit *PI* uixit
Bizantium *Comp* Byzantium
blasphemiam *Leud* blame
Blidramno *Tardif*
B.M.F. *PI* bene merenti fecit
Bobius *Wand*
Bodilo *Liber*
bolueri *CI* voluerit
bone *Examen* bonæ
boni *Euf* bone
Bonosa *CI*
Bonumhomine(m) *Examen*
Bonushomo *Examen*
Borgundia *Tardif* Burgundia
bovid *OLI* bovi = bove (*ablative*)
bracco *Ind* hunting dog; *cf.* Fr. *brac*
bracia *PI* brachia
bracile *FA* brachile (*a sort of apron or a bracelet*)
bracios *CV* malt; *cf.* Fr. *brasserie*
brattea: — non brattia *AP* bractea
breve *Examen; CF* letter
Brinnacum *Liber* Berny-Rivière
Brittania *Britt* Great Britain (*the island of*)
Brittonum *Britt* Britains (*inhabitants of Brittania*)

Brolium *Mem* Breuil; *from* Gallic *brogĭlos* enclosed wood; *cf.* Fr. *breuil;* It. *brolo, broglio* (*Breuil is a very common name for a* 'lieu dit' *or topographical designation*)
bruti *PI* wife; *cf.* Fr. *bru;* Ger. *Braut*
Bruttius *PI*
buca *PI* bucca
Burgundia *Liber; Tardif; Leud* Bourgogne (*France*)
Burgundiones *Liber*
buticulam *Reich; cf.* It. *bottiglia;* Fr. *bouteille*
butte *Ind* (buttis) barrel, cask *or* boot
Byzacena *PI; a region in Africa*
Byzacenus *AP* an inhabitant of Byzacena

C

c. *CI* qui
caballicaverit *Lex; from* **caballicare** to mount a horse; *cf.* Fr. *chevaucher*
cacalisto *PI* calisto = callisto
cadhuna *Oaths* cata una
Cadurcis *CI* Cahors (*the capital of the French department of Lot*)
cæcidit *Mem* cecidit
Cæcilius *PI*
cæleberrimæ *Ved* celeberrimæ
cælebrare *FM* celebrare
cælus *Mem* cælum
cæpit *Wand* cepit
cærnere *Ved* cernere
Cæsaraugusta *PI* Saragossa, Zaragoza (*a city in Spain, on the Ebro*)
cæsare *Wand* cæsari
Cæsaria *VL* Cæsarea Philippi (*a town in Palestine*)
Cain *Cæna*
Calcedona *Fred* Chalcedon (*modern Kadido, across the Bosporus from Constantinople*)
calciamenta *Chrod* calceamenta
calciatico *Chrod* (calceatico) footwear
calcostegis *AP* (chalcho stegos) bronze urn
calecandam *OLI* (calicandam) to be white-washed
Calicem *Examen*
Calvariæ *VL* Calvaria (*where Jesus was crucified*)
calves *Reich* (calves sorices = calvi sorices) bat; *cf.* Fr. *chauve-souris* (*Vulgar Latin for Classical* **vespertilio**)
Camiliacinse *Tardif* Chambly (*France*)
camino *Wand* (via) road
camiseles *Chrod; cf.* O.F. *chainsil; has same meaning as* **camisia** (*cf.* **camisa** > Fr. *chemise*)
Campania(s) *Liber* Champagne
Cana *Cæna*
caninus *Comp* (caninos) stercos caninus = stercora canina
cannela *AP*
cannonis *Tardif* canones
cano *Ind* cane
canonis *Tardif* canones
cantabundus *Petron* singing
cantiro *Comp* (canterius) wooden horse
Cantorum: regnum —, *Britt* Kent (*given to Hengist by King Guorthigirnus in exchange for Hengist's daughter*)
capete *Mem* capite
capilla *PI* capillos
capitale: excepto —, *Lex* the cattle *or* its value
capitello *Euf* capitulo (*a change of unaccented suffix* –**ulo** *for an accented suffix* –**ello**, *characteristic of the period*)
cappas *Chrod* capas *or* capes
Caprius *PI*
capsesis: — non capsessis *AP;*

neither word is correct; the author means either **capsaces,** '*oil-cruet,*' *or* **Capsensis,** *an inhabitant of Capsa, North Africa*

captavabit *Euf* captivavit

Capuanæ *CI* of Capua (*in southern Italy*)

capud *Ved; Fred* caput

caressemo *PI* carissimo

caretas *Wand* caritas

Caricus *PI;* from Caria (*a region of Asia Minor*)

Carlus *Tardif* Charles Martel (*natural son of Pepin of Heristal;* 714–741)

carra *Tardif* carriage

carrale *Tardif* carload

cartallus *Reich* basket

cartarum *Fred* (chartarum) archives

Cassanete *CI; dative of* **Cassana**

Cassius (Sanctus) *Greg; a local martyr of Auvergne; lived about the year* 266

castores *Mul* medicine (*extracted from the beaver*)

castrum *Greg* city

Cat *Britt* battle

cata *Per* (secundum) according to; *from* Greek κατά; *cf.* Sp. *cada uno;* Fr. *chacun;* It. *ciascuno* (*the two latter deriving from* **cata** *combined with* **quisque**)

catarticis *Mul* (catharticis) cathartics

Cato *Greg; a priest of Clermont-Ferrand*

catoleca *PI* catholica

causa *Reich; cf.* It. and Sp. *cosa;* Fr. *chose*

causacionis *FA* (causationis) lawsuit

cauta *Ind* cauda

Cautinus *Greg; an archdeacon of Clermont-Ferrand* (*this name has been preserved under the modern form of* Chouin)

cavanna *Reich* (cabanna < capanna) cabin

ccss. *CI* consulibus; *cf.* **bes**

cedere *Liber* cædere

cedre *OLI* cædere

celicio *Wand* cilicio

Celidon *Britt*

Celidonis: silva —, *Britt* wood of Celidon (*near Leeds?*)

cellerario *Ben* cellario

cellolam *Ved* cellulam

celos *Leud* cælos

cenodale *Tardif* synodale < synodus (*adjective is written for noun*)

Censorinus *OLI*

cenua *PI* genua

cenubio *Tardif* cœnobium

cenubius *Wand* cœnubium

cenula *Petron* cœnula

ceperit *Per* cœperit

cercius *Wand* certius

cerebru *PI* cerebrum

cernirent *Greg* cernerent

cesor *OLI* censor

Chadune *Tardif*

chanones *CI* canones

Chardericus *Tardif; abbot of Saint-Denis*

charitas *Aug* caritas

Childebertus *Fortunatus; Cap; son of Clovis and Clotilde; brother of Clotaire I; king of the Franks from* 511 *to* 558; **Childebertus** (II) *Liber; FA; king of Austrasia, nephew of Chilperic* (570–596)

Childericus (II) *Liber; Leud; king of Austrasia in* 660 *and of all France in* 671

Childesinda *Liber* Childesinde (*daughter of Audovera and Chilpericus*)

Chilpericus (I) *Liber; king of Neustria from* 561 *to* 584, *brother of Sigebert, husband of Fredegundis*

Chlodoveo *Ved; Leud* Clovis, 466–511 (*husband of Clothilde; founder of the Frankish monarchy*)

Chlodovius *Tardif* Clovis II (*son of Dagobert; king of the Franks from* 638 *to* 656)

Chlotarii *CI; several Frankish kings by that name*

Chlothacharius *Tardif* Clotaire II, 584–628 (*son of Chilperic and Fredegundis*); *Ved* Clotaire I, 511–561 (*son of Clovis*)

Chlothacharus *Tardif* Chlothacharius

Chlotharius *Tardif; Leud* Clotaire III, 652–670 (*son of Clovis II, and grandson of Dagobert*); *Liber* Clotaire II *cf.* **Chlothacharius**

Chramlinus *Tardif*

Chramnus *Greg; the rebellious son of Clotaire I, burnt alive with his wife and daughters by order of his father* (560)

christian *Oaths* christiano

Christus *VL*

Chrodichildis *Greg; a queen of the Franks, wife of Clovis* (475–545); *cf.* Fr. *Clotilde*

Chrothardo *Tardif*

cibitate *CI* civitate

cicindelis *Per* (cicendela) candle

cido *FA* cedo

cinnabrim *Comp* cinnabar (*Classical* **cinnabaris,** 'mercury ore,' *from the Greek* κιννάβαρι)

cinquæ *PI* quinque

cinque *CI* quinque

Cisauna *OLI; a town in Samnium* (?)

cispitatico *Tardif* cespitaticum (*tax for the upkeep of the turf along the roads or the earth walls of towns*)

cist *Oaths* ecce isto

civetate *FA* civitate

CL. *PI* Claudio

cleminx *CI* clemens

Climenciæ *Tardif*

clodum *Ved* claudum

Clotharii *Tardif* Clotaire, 511–561 (*king of the Franks, son of Clovis*)

Clottari *CI* Clotaire; *cf.* Ger. Chlothar

cluins *CI* cluens

Clusinas *Examen* of Clusium, Chiusi (*an Italian town in the province of Siena*)

cobicolum *Fred* cubiculum

coco *IND* cook

cœnubio *Liber* (cœnobio) monastery

cognuscas *FA* cognoscas

cognuscat *Fred; Tardif; Euf* cognoscat

cognuscens *Fred* cognoscens

cognuscenti *Euf* cognoscenti

cognusceret *Greg* cognosceret

cognuscite *FM* cognoscite

coiogi *PI* coniugi

coiravit *OLI* curavit

Coit *Britt*

cojovis *Tardif* (cojugis) conjux

colla *Ved* collum

collegens *Mem* colligens

colpus *Lex; Reich* (colaphus) a blow (*from the Greek; the word was introduced into Latin at a time when* **ph** *was* **p + h** *or* **p** + *aspiration; the aspiration falls and there remains* **p**); *cf.* Fr. *coup;* It. *colpo*

colu *PI* collum

columbarium *PI* funeral niches

comedo *PI* commendo

comendans *Leud* commendans

comendare *Leud* commendare

comendavit *Leud* commendavit
comentum *Ind* (commentum) *here possibly* bread (?); *Leud* a project
comes *Fred* (comes æstabolarius = comes stabularius) count (*originally*, 'one in charge of the stables and horses of the prince'); *cf.* Fr. *conestable, conetable, connétable* (*for connotation cf.* Fr. *maréchal* < Low Latin *mariscalcus* < Germanic *marah-scalc*, 'a horse-servant,' 'farrier')
cometante *CI* comitante
comex *Fred* comes; — **cartarum** (**chartarum**) one in charge of the archives (?)
comidi *PI* comedi
comis *Tardif* comes
comiserunt *Leud* commiserunt
comitebus *Tardif* comitibus
comitibus *Tardif; from* **comes**
commedit *Ind* comedit
commertium *Leud* commercium
commitaretur *Ved* comitaretur
commitetur *Mem* comitetur
commobe *Comp* commove
commulandum *Leud* cumulandum
commun *Oaths* commune
compascere *CI* compescere
compositiones *Comp* recipes, formulas
con *CI* cum
conarit *Wand* conaretur
conaverit *FM* conatus erit
concamiassit *Tardif* concambiasset; *from* **cambiare** to change, exchange
concamio *FM* (concambio) exchange
concammiare *FM* concambiare
concammio *Tardif* concambio
concatum *Lex* (concacatum) full of dung; *cf.* Fr. *conchié*
concessissi *Tardif* concessisse
concissus *Tardif* concessus
concræmentur *Mem* concrementur
condam *CI; Tardif* quondam
condempnavit *Liber* condemnavit
Condianus *PI*
condicionem *Examen* conditionem
condicionis *Wand* conditionis
confectorari *CI; genitive of* **confectorarius** pork-butcher
confrangat *Ind* confringat
confundetur *VL* confundet
coniunx *PI* coniux
conjuge: ad partem — sui *Tardif* conjugis suæ
conlaudentes *FS* co-jurors
conlocucione *Tardif* collocutione
conlucutionem *Mem* collocutionem
conmater *Liber* (commater) godmother; *cf.* Fr. *commère*
conmutacio *FM* commutatio
conpendio *FM* compendio
conpensatione *FM* compensatione
conpesceret *Leud* compesceret
conpescuit *Leud* compescuit
conplacuit *Tardif* complacuit
conplaguit *Tardif* complacuit
conponat *Cap; Tardif* componat; *from* **componere** to pay the price *or* fine for a crime
conprehendere *Leud* comprehendere
conquesitas *Ind* (conquisitas) remedies
conroboranda *Greg* corroboranda
conscribserunt *FM* conscripserunt
conscrivere *CI* conscribere
consegratus *Examen* consecratus
consegravit *Examen* consecravit
consenso *Fred* consensu
consentanius *FA* consentaneus
consile *CI* consilii

consocrum *Euf; accus. of* **consocer** father of the son-in-law
consol *OLI* consul
consolacio *Euf* consolatio
consolare *Greg* consolari
constabilitus *AP* non constabilitus (?)
Constantinople *Fred; the former Byzantium, capital of the Eastern Roman Empire since* 330; *so constituted by Emperor Constantine* (274–337), *from whom it took its new name*
consubrino *Examen* consobrino
consuetudines *Tardif* customs, taxes
contempneret *Leud* contemneret
contemserit *PI* contempserit
contenit *FA* continet
contubernio *Lex* in the band (*of bandits*)
convenencia *Tardif* convenientia
conversacio *Wand* conversatio
conversacione *Wand* conversatione
conviciis *Lex* convitiis
convinit *Tardit* convenit
coortans *Liber* cohortans
coquilii *Comp* (conchylium *or* Middle Greek κογχύλιον) shell; *cf.* Fr. *coquille;* It. *cochiglia*
coqus *AP* coquus
corcodrillus *Reich* corcodilus
Cornelio *OLI* Cornelius (*nominative, archaic*)
Cornelius *OLI; PI*
corral *Doc* (*from* **correr** = **currere**) yard
corrupcione *Euf* corruptione
Corsica *OLI; island in the Mediterranean*
corte *PI* cohorte
cortinas *Per* curtains, hangings
corupcionem *Mul* corruptionem
corvadas *CV* (< **corrogata**) tax in labor; *cf.* Fr. *corvée*
cos. *PI* consules, consulibus
cosentiont *OLI* consentiunt
cosol *OLI* consul
cotecis *FA* codicis
coticis *FA* codicis
cotidiæ *Wand* quotidie
cottidiæ *PI* quotidie
coturno *Greg* (cothurno) pride
couixi *PI* conuixi
Couoideoni *CI* Coideus = Quoddeus
coves *Examen* cupis; *cf.* O.F. *covir;* It. *covidare*
crebat *Ind* crepat
crederit *Greg* crederet
Crescentius *PI*
cresteanor *CI* Christianorum
Crientium *Ved* Crinchon (*a river which flows through Arras*)
Crisciæco *Liber* Crécy (*in Ponthieu, France*)
criscit *CI* crescit
crisma *Examen; Greg* chrisma; *from* Greek χρίσμα
cui: — **amas** *Ind* quem
cuiuslibit *FA* cuiuslibet
cumcubito *Fred* concubitu
cumgaudebant *Euf* congaudebant
cumquae *Mem* cumque
cumque *Comp* in all circumstances
curpure *CI* corpore
curte *FA; Tardif* (cohorte) farm (*by extension from* 'farmyard, property, villa'); *cf.* Fr. *cour;* Eng. *court; Examen* court
curtina *Greg* (cortina) curtain
cuse *Comp* (consue) sew together; *cf.* Fr. *coudre;* Sp. *coser;* It. *cucire*
custodent *Per* custodiunt
custus *Tardif* custos
cute *Greg* (cautis) rock
Cyriacum *Greg Great*
Cyrineum *VL*

D

d. *PI* dies
da *CI* de a(b); *cf.* It. *da*
Dacia *PI; a region of the Roman empire north of the Danube, now modern Rumania*
Dadone *Wand*
Dagobertus (I) *Tardif; king of the Franks* (628–638), *son of Clotaire II*
damno *Lex* (damnum) damage; domain (*a territory or land in which, if a crime is committed, the fine must be paid to the owner; it is used with both meanings in the Lex Salica; this use shows how both meanings of* **damnum,** 'damage' *and* 'domain,' *are combined to give the meaning of* 'danger')
dampnare *Ind* damnare
Daniel *Cæna*
Danuvium *Fred; the river Danube*
Daoberctho *Tardif* Dagoberto
daras *Fred* dare habes (dabis)
darit *FA* daret
datod *OLI* det (*archaic*)
datum *Tardif; cf.* Eng. *date*
David *Cæna; Fortunatus; Greg; king of Israel*
de: — **ambas partes** *Comp; cf.* Fr. *de(s) deux côtés;* — **clauso pugno** *Lex; cf.* Fr. *du poing fermé;* — **foris casa** *Lex; cf.* Fr. *dehors;* — **fuste percusserit** *Lex; cf.* Fr. *frapper d'un bâton;* **tam** — **latum quam** — **longum** *Comp; cf.* Fr. *tant de large que de long* lengthwise and crosswise
debirit *Tardif* deberet
debit *FA* debet
debosita *CI* deposita
debus *PI* diebus
decernemus *FM* decernimus
deciman *CV* tithe; *cf.* Fr. *dîme*
decrascianto *Ind* descrasciante (*possibly derived from* Ger. *croccizan* to crook)
decusatim *Mul* (decussatim) in the shape of X
dedenarios *Chrod* duodenarios
dedet *OLI* dedit
dedicisset *Liber* didicisset
dedigare *Examen* dedicare
deffensor *FA* (defensor) governor, defender
definisse *Tardif* definivisse
deiactus *Ind* dejectus
Deidonem *Leud*
deina *OLI* divina (*archaic*)
deintro *Comp; cf.* It. *dentro*
delebutus *Greg* delibutus
deleras *Liber* deliras
deliculo *Euf* diluculo
Delminium *PI; a town in Dalmatia, northeast of the Adriatic Sea*
demedium *Tardif* dimidium
demicans *Fred* dimicans
demicata *Leud* dimicata
demonium *Mem* dæmonium
demutare: — **habitus** *Cæna* to change clothes
denecabat *FA* denegabat
denunciatum *Liber* denuntiatum
depelatam *Comp* depilatam
deposeta *CI* deposita
depossone *CI* depositione
depræcans *Greg* deprecans
deprecabat *Mem* deprecabatur
depriment *VL; from* **deprimere** (*a nautical term*) to sink
derelinquentis *FA* derelinquentes
descant *Ved* discant
descendent *Per* descendunt
deservientebus *Tardif* deservientibus
despensante *Leud* dispensante
desub *Mul* de sub
detricare *Cap; a compound of* **tricare** to be absent (with an

excuse) from the assembly *or* trial; *cf.* Fr. *tricher*
Deusdedit *Examen*
devebet *PI* debebit
devocio *Wand* devotio
di *Wand* de; *cf.* It. *di; Oaths* die
diabulo *VL* diabolo
diabulus *Mem* diabolus
diacones *Per* diaconi
diaconias *Cæna; a new formation from* **diaconus**
diæ *FA* die = diem
diæbus *PI* diebus
diæs *CI* dies
dibeat *FM* debeat
dibirit *Tardif* deberet
dibus *PI* diis
dicatorei *OLI* (dicatori) *dative of* **dicator** accuser
dicet *Per* dicit
dicione *Fred* ditione
dicitos *PI* digitos; *see* A. Grégoire, *Un problème de latin vulgaire, 'dicitus' pour 'digitus'* (*Mélanges Paul Thomas*) Bruges, 1930
Didone *Leud*
dift *Oaths* debet
digido *Ind* digito
digina *PI* digna
dignetate *Tardif* dignitate
diis *CI* dies
dilator *Ind* delator
dilatura *Lex* fine (*paid to the king*), *or* price (*paid to the informer*)
dilatus *Ind* delatus
dileco *FA* delego
diligencia *Wand* diligentia
dimitere *Euf* dimittere
dinai *OLI* divina (*archaic*)
dinarios *VL* denarios
Diocea *Examen* (Dioecesis) diocese
Dioceas *Examen*
Dioninsis *Tardif* Dionysii
Dionisius (**Sanctus**) *Tardif; apostle and bishop of Paris, sent on this mission by Pope Saint Clement* (*approx.* 91–100); *beheaded on Monte Mercurii* (*Montmartre*); *he carried his head in his hands to the spot where his basilica was to be erected by Dagobert I, to be the latter's burial place and subsequently that of the kings of France*
Dionysii (**Sancti**) *Tardif* of Saint-Denis (*monastery in the north of Paris*)
discaregaverit *Lex* discaricaverit; *from* **discaricare** to discharge; *cf.* Fr. *décharger;* It. *scaricare*
disessit *CI* decessit
disperata *Euf* desperata
disponsandis *FM* desponsandis
disponsarit *Wand* desponsaret
disponsavit *Wand* desponsavit
dispumata *Comp* despumata
dist *Oaths* de isto
diviciam *Euf* divitiam
Divionensis: locus —, *Greg* Dijon (*in the Côte-d'Or, France*)
D.M.S. *PI* diis manibus sacrum
dni: in n. —, *CI* in nomine domini
dodece *CI* duodecim
Dodo *Tardif; abbot of Saint-Denis under Clotaire II*
doleus: — **non dolium** *AP; the latter word is correct; the author means* **dolium,** a cask
dolientis *CI* dolentes; *cf.* the palatalized l in French *deuil*
domenandum *Tardif* dominandum
Domeno *FA* Domino
domesticis *Tardif; from* **domesticus** a functionary
dominacione *FA* dominatione
domine *CI* dominæ

dommenaret *Mem* dominaretur
domna: — **Bonosa** *CI* domina *cf.* Romance Languages, *v.g.* It. *donna Bonosa;* Fr. *dame B.*
domnæ *Ind* dominæ
domne *Ind* dominæ
domni *CF; Examen; FA* domini
domno *Examen; Ind; FA; CI* domino
domnus *CF* dominus
domuncellas *Per* domuncula (*in Vulgar Latin the former diminutive ending in* –**cellus** *is preferred to the latter*)
don *GE* dominus
donaciones *Tardif* donationes
Donatum (**Sanctum**) *Examen*
Donatus *Aug; the name of two African bishops, one bishop of Casæ Nigræ* (313), *the other, bishop of Carthage* (315), *both leaders of the rigorists who excommunicated all who had weakened during the persecution; after that, their party excommunicated all those who held this attitude as exaggerated, and thus was perpetuated a schism which lasted as late as the seventh century, although Augustinus* (430) *reduced it to relative insignificance*
Draculo: vico —, *Examen*
dreit *Oaths* directum
Drogone *Tardif*
Drogus *Tardif*
Dubglas *Britt* the river Douglas (*scene of several of King Arthur's battles*)
dubitacione *Wand* dubitatione
ducibus *Tardif; from* **dux** duke
Duion *CI*
dulcessimo *FA* dulcissimo
dulcismo *PI* dulcissimo
dulure *CI* dolore
dunat *Oaths* donat
duonoro *OLI* bonorum

E

ē. *CI* est
eat *Comp* eant; *cf.* **paris**
Ebroinus *Liber; Leud; major-domus of the palace of Neustria* (659) *under Clotaire III, Thierry III, and Childeric II*
eccæ *Mem* ecce
ecclesie *Examen* ecclesiæ
eccontra *Tardif* econtra; *cf.* **æcontra**
eciam *Tardif* etiam
eclisie *CI* ecclesiæ
Edessa *Per; a city of Mesopotamia, an important Christian center and seat of learning in the fourth century and for some time after; it was also celebrated for its image of the Virgin as a place of pilgrimage*
edificavit *Wand* ædificavit
edocasti *Greg* educasti = educavisti
edocerit *Ved* edoceret
edonio *FA* idoneo
effiminatus *AP* effeminatus
egetur *CI* igitur
egluza *Comp* (luza = lutea = lutea herba) yellow-reddish tincture
egredere *Leud* egredi
egregiæ *Ved* egregie
eiqus *PI* eques
eitur *OLI* itur
Eleazar *Vulgate*
electos: juratores medios —, *Cap* chosen jurors *or* intermediaries
Eleona *Per; a place in Jerusalem*
elevacio *Euf* elevatio
Eliam *VL* Elias *or* Helias (*one of the Hebrew prophets*)
Elizabeth *Cæna*
elle *Fred* ille
elo *CI* illo
elymosina *CF* eleemosina; *cf.* **ælymosina**

Emellio *CI* Æmilius
enchiridion *Alcuin* handbook; *from the Greek*
eneum *Cap* caldron of hot water (*part of a system by which the defendant proved his innocence or guilt*)
Eobba *Britt; father of Ida*
Ephesus *Petron; a city in Asia Minor*
episcopa *CI* wife of a bishop
episcopato *Tardif* episcopatu
epylenticus *Greg* epilepticus
eq *PI* eques
equis *PI* eques
equs *AP* equus
er *Oaths* ero
Erchonoldo *Liber* Erchinoald (*major-domus of the palace of Neustria in* 640 *under Clovis II, and of Austrasia in* 656)
eredis *Tardif* heres
erit *Euf* erat
Erminigildus *CI* Hermenegild (*a Visigoth prince, died* 585)
errassent *Leud* erravissent
erumnis *Ved* ærumnis
Esaias *Cæna*
Esajas *GE* Isaias
Esau *Cæna*
Escotus *Ind* Irishman
Escudero *Doc* squire; *from* **scutarius** scutcheon-bearer
ese *OLI* esse
espistula *CF* epistola
esponsa *CI* (sponsa) wife
esposuerun *CI* exposuerunt
esposuerunt *CI* exposuerunt
estod *OLI* sit
estratus *Fred* (æstratus = stratus) bed; *usually* **stratum**
estus *VL* æstus
etrusionem *Leud* expulsion
ettum *CI* egentum
etunio *FS* idoneo
Eucisus *PI*
Eufrosine *Euf* Eufrosinæ
Eugenius *PI*
euguangelia *CI* euangelia
Eunias *CI* (Iunias) June
euorum *CI* eorum
eurum *CI* eorum
Eurupam *Fred* Europam
eus! *VL* heus!
Eva *Cæna*
evidenti *Tardif* evidentem
evindicatus *Tardif* granted
exacta *Tardif* tax; *cf.* **exactare** to levy a tax
exactura *Wand* charge
exagintat *Comp* exagita; *from* **exagitare** to stir
exemplarias *Ind* exemplaria
exequatio *FM* exæquatio
exercetus *Mem* exercitus
exferto *OLI* exferat (*archaic imperative*)
exibit *Wand* exivit
exindæ *FM* exinde
exinde *Tardif* of it; *cf.* Fr. *en*
exortare *Leud* exhortari
expoliatis *Lex* spoliatis, robbed
expolii *Leud* (exspolii) spoliation
expulut *Reich* expuluit = expulit
exquerebantur *Euf* exquirebantur = exquirebant (*passive form for active*)
extiblacione *Tardif* stipulatione
extinsis *Fred* extensis
extitit *Leud* exstitit
extrania *Tardif* extranea; *cf.* Fr. *étrange*
exvehito *OLI* exvehat (*archaic imperative*)
Eycenia *PI*
Ezechiel *Cæna*

F

f. *OLI* filius
Fabius *PI*
fabolarit *Wand* fabularetur; *cf.* Sp. *hablar*

facere: ad stelas —, *Petron* neutral meaning
facire *FM; Tardif* facere
facitur *Per* fit
falernum *Greg* Falernian wine (*of the Falernus Ager in Campania, north of Naples*); very good wine (*generic sense*)
falierit *Lex* fefellerit; *from* ***falliere, fallire** < **fallere**; *cf.* Fr. *faillir* (*observe the early palatalization surviving in French, while Classical* **fallere** *gave O.F.* faudre; *modern French* falloir *comes from* * **fallēre**)
faltus *Ind* falcus *for* falco; — **mit semper inanis** the hawk flies [runs] always hungry (*for another interpretation cf. p.* 179; *according to this latter translation* **faltus** > *A.S.* faldus > *Eng.* fold *may strengthen the hypothesis offered in the introductory paragraph to the "Indiculum" as to the date of the manuscript*)
familie *Euf* familiæ
famola *CI* famula
faras *GE* facere habes
Farisæi *VL* Pharisæi
fatum *VL* fatuum insipid
fazet *Oaths* faciat
febroarias *Ved* februarias
fecerit: sexta hora se —, *Per; cf.* Fr. *il se fait tard*
fefellitus *Petron* falsus; *from* **fallo** *formed on* **fefelli**
fei *Ind* fidei
feit *PI* fecit
Felice (Sancto) *Examen*
Felicisma *PI* Felicissima
Felicitas *PI*
Felix *CI*
femena *PI* femina
fenicium *Reich* phœnicium (*a stringed instrument of Phœnician origin*)
fenum *Lex* fœnum
fer *Doc* facere; *cf.* Fr. *faire*
fervunt *Comm* fervent
fetius *Ind* fedius, fœdius (*comparative neuter of* **fœdus**)
ficatore *GE* examining witness (?)
fici *FA* feci
ficierunt *CI* fecerunt
ficissent *Tardif* fecissent
Fidencius *CI* Fidentius
fidutia *Leud* fiducia
filæ *PI* filiæ
filex *FM* felix
Filicem *Mem* Felicem
filicissimo *FA* felicissimo
Filicitas *CI* Felicitas
filios *VL; OLI* filius
fimena *Tardif* femina
fimini *CI* (feminæ) wife; *cf.* Fr. *femme*
fine *Examen* until; *cf.* It. *fino a*
firmesima *Tardif* firmissima
Flavia *CI*
Flavius *PI*
fleummas *Ind; from* Gr. φλέγμα; *cf.* **saumas**
Flodoaldus (Sanctus) *Tardif* (*there lived a Saint Frodoaldus, bishop of Mende, France, posterior, however, to this one*)
flore *GE* flos *observe the oblique case used for the nominative*
Florentina *CI*
Florentius *CI*
foco *Comp* fire
foerunt *CI* fuerunt
Foldradus *Tardif; abbot of Saint-Denis under Pepin the Short*
folles *Comp* (utres) balloon
Fontanella *Wand* Fontenelle (*in Normandy*)
Fontanellensi *Wand*
foratico *Tardif* tax on wine
forcia *Tardif* with violence; *cf.* Fr. *par force*
formentum *Ind* frumentum
Formusanus *CI* Formosanus

fortinati *CI* fortunatus
Fortunata *PI*
Fortunatanem *CI* Fortunatam (*compare the Vulgar Latin declension of* **nonna, nonnane;** *cf.* Fr. *nonne, nonnain*)
Fortunatus *Greg* Fortunatus Venantius (*of Ceneda near Treviso, Italy; bishop of Poitiers in France,* 530–600)
fradra *Oaths* fratrem
fradre *Oaths* fratrem
Franci (**Francis, Francos, Franco**) *Fred; Liber* the Franks (*conquerors of Gaul of the fifth century; first mentioned by the historian Vopiscus,* c. 300, *as having been defeated by Aurelian, then tribune of a legion in* 241 *near Mayence*)
Francia *Liber*
Francicum *CF*
Francione *Fred; the eponymous ancestor of the Franks mentioned in Fredegarius for the first time; cf. the Remi, inhabitants of the Reims region, who attributed their origin to Remus, brother of Romulus*
Francorum *Liber; Leud; Ved*
frateres *PI* fratres
fraudolentus *Ind* fraudulentus
Fredegundis *Liber; wife of Chilperic I, sixth century*
frequentare *Cæna* to celebrate
Friga *Fred; probably Æneas, son of Priam; cf.* **Phryx, Phrygis** *in Ovid*
Frisiones *Tardif* Frisians (*in Holland*)
Frodeberto *Ind*
fromentus *Ind* frumentum
Fronto *PI*
frundo *Ind* fundo; *cf.* **funda** > Fr. *fronde*
Fruninone *PI*
frunte *PI* fronte
frute *PI* fronte
fuemus *Examen* fuimus
fuet *OLI; Examen* fuit
fuirint *Tardif* fuerunt
fuissit *FA* fuisset
furaverit *Lex; from* **furare** *for* **furari**
furma *Euf* forma

G

gabata *Comp* bowl
Gabriel *Sed*
Gærino *Tardif*
Gærinus *Liber*
Gai *Petron*
Gairefredus *Tardif; count of Paris, eighth century*
Gairehardus *Tardif* Gerard (*count of Paris, eighth century*)
Gaireno *Leud*
Gairenum *Leud*
Galilea *Cæna*
galleam *Wand* galeam
Galleam *Mem* Galliam
Gallia *PI*
Gallus *PI; CI;* — **Sanctus** *Greg; bishop of Clermont-Ferrand* (528–554)
garum *CV* fish-sauce
Gastoldius *Examen*
Gaudentius *CI*
Gavillæ *Petron*
Gemeticus *Wand*
Geminius *PI*
Geminus *CI*
Genesio *Tardif*
genetor *CI* genitor
genetores *Mem* genitores
genetoris *Ind* (genitores) parents
genoarias *CI* ianuarias
Genuarius *CI* Ianuarius
Germania *Britt; Fred* Germany
Germanus *Examen*
germanus *FA* germanos
Gervasius *Aug*
gesisti *CI* gessisti

Gessamani *Per* Gessemani = Gethsemane (*where Jesus was captured*)
gesta *Ind; cf.* Fr. *geste*
Getula *PI* Gætula (*from the name of a people in North Africa*)
giro *Per* gyro; *cf.* **in**
Gislehario *Tardif*
glatri: — non cracli *AP* clatri
Glein *Britt; a river* (*the Glenmore?*), *scene of King Arthur's first battle*
glutina *Comp* soldering, gluing
Gnaiuod *OLI* Cnæo (*archaic ablative*)
Godelricus *Examen*
Golgotha *Per; VL* Calvary (*where Jesus was crucified*)
gracia *Wand; Tardif* gratia
graciæ *Wand* gratiæ
grados *Greg* gradus
graffionibus *Tardif; from* **grafio, graffio** a count; *cf.* Ger. *Graf*
grassi *Reich* crassi; *cf.* Fr. *gras*
graticulatim *Mul* (craticulatim) in the shape of a gridiron (*parallel lines*); *cf.* Fr. *grille*
Gregorius *CI*
Grimaldo *Ind; cf.* **Grimoaldus**
Grimoaldus *Tardif; mayor of the palace, or major-domus under Childebert III* (695–714); *son of Pepin of Heristal and brother of Charles Martel*
Guinnion *Britt;* Vinovia in Binchester (*scene of one of King Arthur's battles*)
Gundoaldus *Liber; natural son of Clotaire I, sixth century*
Guntello *CI*
Gunteram *Examen*
Guntharius *Greg; bishop of Tours*
Guntheramo *Examen*
Guntramno *Liber; son of Clotaire I, sixth century*
gustus *Cæna* entrée
Guttus *CI* Gothus *or* Cottus

H

habæ *PI* habe
habe *VL* ave
habetes *PI* habetis
habetum *Wand* habitum
habiat *PI; Tardif* habeat
habiit *Mem* abiit
habire *Wand; Tardif* habere
habitacionis *Wand* habitationis
habuncolus *Tardif* auunculus; Fr. *oncle* < **aunculus**
habundare *Per* abundare
hac *Euf; Mem* ac
hæ *Leud* hæc
hallec *AP* brine
have *PI* ave
havitatorem *GE* habitatorem
hec *FA; Mem* hæc; *OLI* hic
Helias *Cæna*
Helmegaudo *Tardif*
heminam *Ben* half a pint
Hengisto *Britt* Hengist (*a Saxon, son-in-law of Guorthigirnus, king of Brittany*)
heremo *Wand* eremo
Hermio *PI* Hermeo; *from* **Hermeus** (?)
hiemps *Greg* hiems
hii *Per; Leud* hi
Hildegardæ *CF*
Hildegario *Tardif*
Hildericus *Tardif* Childeric II (*son of Clovis II; king of the Franks from* 660 *to* 673)
Hiltbertus *Tardif* Childebert III (*son of Thierry III; king of the Franks from* 695 *to* 711)
Hispana *CI* (Hispana tellus) Spain
hitur *Per* itur
Hocinus *Ved*
Hociobercthus *Tardif*
hodie *Per; cf.* **in**
hodorem *Mem* odorem
homenis *FA* hominis = hominibus

homfagium *AP* (homofagia) raw food
homicidum *Ind* homicidium
hominebus *Wand; Tardif* hominibus
homineus *CI* hominem
homino *FA* homine
Homulus *PI*
honc *OLI* hunc
honce *OLI* huncce
honerari *Ved* onerari
honesti *Euf* (onusti) 'fed up'
horans *Mem* orans
hornavit *Per* ornavit
hostem *Liber* army; *cf.* O.F. *ost;* Eng. *host*
hostiariis *Fred* ostiariis
h.s.e. *PI* hic situs est
humore: sumatur ipse —, *Comp* humor
hurina *Comp* urina
Hyble *CI* Hybla (*Sicilian mountain celebrated for its honey*)

I

Iacob *Cæna*
Iacobus *Cæna*
ianiculorum *Reich* (geniculorum) *for* **genuum** > **genua** knees
Ianus *Isidore; a mythological person, the most ancient king of Latium*
Iapeth *Cæna*
ibiquæ *FA* ibique
ic *PI* hic
Ida *Britt; king of Beornica*
idiota *Greg* a common man, ignoramus
idipso *Tardif* id ipso
iemitum *Leud* gemitum
Ienuarias *CI* Ianuarias; *cf.* It. *gennaio;* Sp. *enero*
iermano *Leud* germano
Ierusolima *Per* Jerusalem
Iesus *VL*
iferi *PI* inferi
iius *PI* eius
il *Oaths* ille
illa *Chrod* illas (cappas)
illi *FA* ille
imbolat *Ind* involat; *cf.* **imbulaverit**
Imbomon *Per; place from where Jesus ascended to heaven*
imbulaverit *Lex* involaverit; *cf.* Fr. *embler, d'emblée*
immo *Comm* imo
imperatur *Euf* imperator
imperiæ *Fred* imperii
imtoris *Tardif* emptore
in: — foras *Comp* outside; **— giro mensa** *Per* (in gyro mensa) around the table (*adverbial expression used as a preposition; cf.* Fr. *environ); —* **hodie** *Per* until this very day; **portabam — me** *Examen* apud
incændium *Mem* incendium
inculpatim *PI* faultlessly
ind. *CI* indictione (*a fiscal period of fifteen years established by Constantine the Great,* 313)
induæ *Fred* (indui) *passive of* **induere**
Indus *Vulgate; a river in India*
inergiam *Greg* (energiam) divine (*or* diabolical) possession
infera *OLI* infra
infidilitate *Tardif* infidelitate
infrangire *FM* infringere
ingenie *CI* ingenii
ingenium *Liber; Tardif* deceit; *cf.* O.F. *engin*
Ingobertus *Liber; a Frankish noble*
inicium *Liber; Fred* initium
inie *PI* in die
iniquos: rex —, *Mem* iniquus
iniuncxit *FA* iniunxit
inlex *Wand* illex
inlibata *FM* illibata

inluciscente *Liber* illucescente
inludere *Greg* illudere
inluminate *Wand* illuminante
inluster *FM; FA; Tardif* illuster
inlustratum *Leud* illustratum
inlustravit *Mem* illustravit
inlustri *Leud* illustri
inmensa *Leud* immensa
inmerito *Leud* immerito
inminere *Leud* imminere
inmobile *FA* immobile
inmobilis *Ved* immobilis
innotisceret *Wand* innotesceret
inocuam *Leud* innocuam
inparuit *Euf* (imparuit) disobeyed
inpinxerit *Lex* impinxerit; *from* **impingere** to push, assault
inplerent *Leud* implerent
inpleta *Mem* impleta
inponens *Mem* imponens
inponere *Leud* imponere
inportunæ *Ved* importune
Inportunus *Ind* Importunus (*bishop of Paris*)
inprimis *Leud* imprimis
inprimitus *Wand* imprimitus
inpruntatum *Reich* impromutuatum; *cf.* Fr. *emprunter*
inpugnabatur *Leud* impugnabatur
inpugnatione *Leud* impugnatione
inquid *Ved* inquit
inquirerit *Ved* inquireret
inquisibi *Examen* inquisiti (?)
inridens *Liber* irridens
inrigatus *Euf* irrigatus
inritarentur *Mem* irritarentur
inruamus *Liber* irruamus
inruerunt *Liber* irruerunt
inrumpere *Leud* irrumpere
inse *PI* ipse = ipsum
insitar *Fred* instar
instar: ad ipsum —, *Fred* in the same way
institucione *Wand* institutione
intellege *CI* intellige
intencione *Mul* intentione
interantem *CI* intrantem
interfeci *Fred* interfici
interficisse *FA* interfecisse
internitionem *Greg* internecionem
intrita *Cæna* soup
introducere *Euf* introduci (*active form with passive meaning*)
inueda *CI* invida
inveniebantur *Euf* inveniebant (*passive form for active*)
involare *Cap* to steal
io *Oaths* ego
Iob *Cæna*
iobeatis *FA* iubeatis
iobemus *FM* iubemus
iobis *Fred* iubes
iobit *Fred* iubet
iocali *FA* iugale
iocur *PI* iecur
iogo *Ind* ioco
Iohan *VL* Iohannes
Iohannes *VL Cæna*
Ioleni *PI; dative of* **Iole**
Ionas *Cæna; Greg; the Hebrew prophet swallowed by the whale*
Iordanis *Cæna; VL; a river in Palestine*
Ioseph *Cæna; Per* Joseph of Arimathæa
Ioue *OLI* Ioui (*dative*)
iouenim *CI* iuvenem
iousit *OLI* iussit
Iove *OLI* Iovi
Ipoliti (**Sancti**) *Examen*
ipsi *Tardif; Wand* ipse
ipsus *Tardif* ipsos
Irenæus *Ambrose*
Isaac *Cæna*
Isaiæ *Vulgate*
Isaias *Vulgate*
iscola *PI* schola
Ismaracdo *Euf* smaragdo
Ispalensi *CI* Sevilla
ispose *PI* sponsæ

Isra *Liber* (Isera *or* Isara) the Isère
Israël *Vulgate; Cæna*
isterco *Ind* sterco; *from* **stercus, stercoris**
istetit *Ved* stetit
Italia *Wand*
itestinas *PI* intestina
itrum *CI* iterum
iubis *Ind* iubes
Iuda *CI* Iudas
Iudas *Cæna*
iudecasse *Tardif* iudicasse
Iudei *VL*
Iudeorum *VL*
Iudith *Cæna*
iuditio *Leud* iudicio
Iulia *PI; CI*
Iulius *PI*
iumenta *CV* mare; *cf.* Fr. *jument*
iuratus *FA* a man who has taken an oath (*note the past participle used with an active meaning; cf.* Fr. *juré;* Eng. *jury; and below* **medios**)
iusso *Fred* iussu
iustæ *FM* iuste
Iustina *PI*
Iustinianus *Fred;* Justinian the Great (*Byzantine emperor,* 527–565)
Iustinus *Fred; a Byzantine emperor* (518–527) *uncle of Justinian*
Iustinus *PI*
iusum *Reich* down; *cf.* **deorsum**
iuvarit *Wand* iuvaret
iuveniores *Per* juniores; *cf.* O.F. *jouveigneur*

J

Jacob *Vulgate*
jecto *Lex* iacto; *cf.* Fr. *jet;* It. *getto*
jerba *GE* herba
jerras *GE* erras
jes *GE* es
jn *GE* in
jnquid *GE* inquid
Joannes *Sed*
jobeatis *FA* jubeatis
jodicio *Tardif* judicio
Johannis (**Sancti**) *Examen*
Johel *Cæna*
josu *Comp* josu = jusu = deorsum
jotta *Comp* jutta mess *or* mash
jpse *GE* ipse
Judas *Vulgate; Cæna*
judecati *Tardif* judicati
judicius *FA* judicium
Juliani *Examen*
jussemus *Tardif* jussimus
justisseme *Tardif* iustissime

K

ka. *CI* kalendas
karissimo *PI; GE* carissimo
karmin *CI* carmen
kate *GE* cata
ke *GE; Doc* que
kl. *CI* kalendas

L

Laban *Cæna*
labas *Comp* lavas
laborait *PI* laboravit
lacmina *Comp* lamina; *cf.* Fr. *lame*
lagmentare *Euf* lamentare
laici *CF from* Greek λαικός laymen
laimentabant *Euf* lamentabant
laimentantes *Euf* lamentantes
laimentationis *Euf* lamentationis
laisces *GE* laxas
Lambæsis *PI; for* **Lambæsensis** (?) *from* **Lambessa** (*a town in Numidia, the modern department of Constantine, Algeria*)
lanciariorum *PI* lanceariorum

Landericus *Liber* Landry (*mayor of the palace of Neustria, the probable instigator with his mistress Fredegundis of the murder of Chilperic I*)
Landobercthо *Tardif* Lambert
Langobardorum *Examen; Wand*
lardum *CV* lard, bacon
larvam: in —, *Petron* in delirium
Laseius *PI* from Lasos (*a town of Crete* ?)
latrocinius *Cap* latrocinium
laudaelis *CI* laudabilis (?)
Laurenti (**Sancti**) *Wand*
laxas *Comp; from* **laxare** = **demittere** to let, to allow; *cf.* Fr. *laisser;* It. *lasciare*
Lazarus *Cæna*
lebiter *Comp* leviter
lectario *FA* bedding; *cf.* Fr. *litière*
ledisset *Leud* lædisset
ledus *Cap* (litus) serf attached to the land
legata *Wand* ligata
legaveritis *Wand* ligaveritis
legebus *FA* legibus
Legionis: **urbe** —, *Britt* Legacester, *i.e.* Chester on the Dee (*scene of one of King Arthur's battles*)
legis *CI* legibus (?)
lei *FM* lei = illæi = illi; *cf.* It. *lei*
Leodegarius *Leud* Saint Léger (*bishop of Autun, assassinated in* 678 *by order of his rival Ebroïn*)
Leolonina *PI* Leonina (?)
lesus *Leud* læsus
leticia *Leud* lætitia
Leubaste *Greg* Leubastis (*an abbot in Touraine, France*)
Leudegarius *Leud; Liber; cf.* **Leodegarius**
Leudesius *Liber; major-domus, son of Erchonoaldus*
leudis *Tardif* (leudes) vassals (*of the Frankish kings*)
Leuthfredo *Tardif*
li *Oaths* illi
Liber *PI*
libera *Tardif* (libra) pound
liberis *Wand* liberes
licetod *OLI* liceat (*archaic form*)
lig.: **i** —, *PI* e legione
ligibus *Tardif* legibus
ligore *Ved* liquore
linciolo *Reich* linteolo
Lingonicam: — **urbem** *Greg* the city of the Lingones (*Langres, formerly known as Andomadunum, France*)
linguaris *Ind* talkative
Linnuis: **regione** —, *Britt* region where the river Douglas flows
l'int *Oaths* illo inde
liticare *FA* litigare
liuiri *CI* libri = liberales
Liutprandi *Examen*
Livvigildus *CI* Leovigild (*king of the Visigoths*, 569–586)
lo *Oaths* illo
loculus *CI* coffin
logua *FA* loca
Lolianus *PI* Lolianus
lopanar *Fred* lupanar
loquestem *Ind* loquacem (?)
Loth *Cæna*
Loucana *OLI; cf.* **Lucania**
loucom *OLI* lucum
lubes *PI* lubens
Lucania *PI; southern region of Italy, modern Potenza*
Lucceia *PI*
Luciom *OLI* Lucium
Lucius *OLI*
lucrefacere *VL* (lucrifacere) to gain
lue *FS; FM* lui = illui (*used as an emphatic pronoun*)
lugere *Greg* lugeri
lulacim *Comp* vegetal dye

Lupercianus *Examen*
Lupus *PI; Mem*
Luxovio *Liber* Luxeuil (*a celebrated monastery founded by Saint Columbanus in the sixth century*)
luze *Comp* (luze = lutie = lutiæ = luteæ) yellowish-reddish dye; *cf.* **egluza**
Lychoris *PI* Lycoris

M

Macedonia *Fred; the kingdom of Alexander the Great, north of Greece*
Macedonis *Fred* Macedones
macelum *OLI* macellum
Machabæi *Vulgate*
macorum *Euf; perhaps for* magorum = maiorum
madias *CI* (maias) May
madodinos *Examen* matutinas
Maganario *Tardif*
magnetudo *Tardif* magnitudo
magnifigo *Tardif* magnifico
Magnoaldus *Tardif*
magnu *PI* magnum
Magnus *Per; CI*
magriores *Reich* macriores
maicis *PI* magicis (?)
maiorem: — domato *Liber* function of the major-domus
maiorum: — domo *Liber* (maiorem domus) major-domus
malafacta *Ind* (malefacta) bad deeds
MALB. *Lex* Malbergium = Mallus + berg (*refers to the original assembly where the Salic Law was conceived*); *cf.* Malb. anthedio; Malb. sundela; Malb. texagæ; Malb. uito ido efa; Malb. uualfath; Malb. uualfoth; Malb. obtobbo; Malb. via lacina
Malcenis *Examen*
maleos *Mul* affected
malicia *Wand* malitia
Mallius *CI*
mallo *FS; cf.* **mallus** a public assembly (*where important affairs were treated and criminal suits tried*)
mallus *Cap; FS*
mama *PI* mamma
manaria *Reich* handling from hand; *from* **manus;** *cf.* Fr. *manière;* Eng. *manner*
manducabit *VL* manducavit
manebus *FA* manibus
manifestate *Wand* manifestatæ
manni *VL* manus
mannire *Lex* (manniri) to summon to court
mano: — vestita *Tardif* (manum vestitam) put in possession, invested with
manubus *Tardif* manibus
marcadantes *Tardif* (mercatantes = mercatores) merchants; *cf.* Fr. *marchands*
marcado *Tardif* mercato
Marcia *PI*
Marcias *FA*
marem *VL* mare
Maria *Cæna*
Mariæ *Britt* of the Virgin Mary
Marie *Examen* Mariæ
Marsias *AP* Marsyas (*celebrated flute-playing satyr*)
martheris *Tardif* martyris
Martinus *Greg; Alcuin* Saint Martin (*first bishop of Tours,* 371–397?); **domni Martini** *Greg* sancti Martini; *cf.* Fr. *Dommartin, Dammartin*
martir *Leud* martyr
martyrario *Greg; from* **martyrarius,** a priest attached to a church (*which contained relics of martyrs*)
martyria *Per* martyrs' graves
Martyrium *Per* (ecclesia maior)

the main church (*in Golgotha, where Jesus died*)
martyrorum *CI* martyrum
Maslaco *Tardif* Malay-le-Roy (*France*)
maso *Tardif* (mansu) a 'colonus' holding; *cf.* Fr. *mas*
Massiliensem *Greg Great* of Marseille
materia *CV* wood; *cf.* Sp. *madera*
matias *CI* martias or madias = maias
matricola *Leud* (matricula) registers (*of the poor in charge of church*)
matricularius *Alcuin* a pauper registered in the church; *cf.* Fr. *marguillier, which today means* 'a church trustee'
matropoli *Tardif* metropolitani
Matthæus *Cæna*
Maurentia *PI*
Maurianus *Examen*
Mauricius *Examen; CI*
Maurolenus *CI*
Mauurtii *CI* Mavortii
Maxenciam *Liber* (Maxentiam, Sanctam Maxenciam) Pont Sainte-Maxence (*on the Oise*)
Maxentius *PI*
Maximianus *Mem*
Maximus *PI*
mecu *PI* mecum
Mediolanum *Aug* Milan
medios: juratores —, *Cap* jurors, intermediaries
medum *CV* hydromel; *cf.* Ger. *Meth*
Melchisedech *Fortunatus; king of Salem, priest of God, and contemporary of Abraham*
Melissa *Petron*
memorie *Examen* memoriæ
Memorius *Mem*
memra *PI* membra
mendatium *Leud* mendacium
Menna *CI* Mena
menten *PI* mente
menus *CI* minus
meon *Oaths* meum
meos *Oaths* meus
mercato *Tardif; from* **mercatus** market, fair
mercidem *Wand* mercedem
mercidis: pro — causa *Tardif* (mercidis) mercy (*a new meaning; cf.* Fr. *merci*)
Mercuris: die —, *CI* Wednesday; *cf.* Fr. *mercredi;* It. *mercoledì;* Sp. *miércoles;* Prov. *dimercres*
merentessemo *PI* merentissimo
mereta *OLI* merita
meretod *OLI* (merito) willingly *or* well-deserved
Meroaldo *Leud*
merore *Ved* mœrore
meses *PI* menses
mesesis *CI* menses
mesoru *PI* mensium
messes *PI* menses
Messolas *Examen*
Metensem *Greg* Metz (*in Lorraine*)
metu *PI* mentum
meus *FA* meos
mi *Oaths* mihi
michi *Per* mihi
Miecio *Tardif*
miga *Ind* (mica) crumb, piece of bread; *cf.* Fr. *mie;* Sp. *miga;* It. *mica*
milæ *PI* mille
militis *VL* milites
Milone *Tardif*
minantur *Lex; cf.* Fr. *mener*
ministerio *Leud; Per* service, church apparatus; *cf.* Fr. *mystère*, 'religious play'
minse *Tardif* mense
minsis *CI* menses
minsus *FA* mensis
Minturma *PI* Minturna < **Minturnæ** (*a town of Latium, south of Rome*)

minuatus *Tardif* minutus
Minucius *PI*
miraret *Euf* miraretur
missa *Per* mass
missus: omnes — nostros *Tardif* missos
mit *Ind; from* **mio** to fly (?) *or* mingo
mitte *Comp; from* **mittere** to put; *cf.* Fr. *mettre;* Sp. *meter;* It. *mettere*
mittet *Per* mittit
Moabitarum *Vulgate*
modolamine *Leud* modulamine
Mœsia *PI; a Roman province, modern Bulgaria and Serbia*
mœsoleum *PI* mausoleum
molina *Greg* mill
molino *Lex* (molina) mill
moltæ *OLI* mulctæ
monasthirio *Tardif* monasterio
monastirie *Tardif* monasterii
monastirio *Wand* monasterio
monazontes *Per* monks
monechas *Euf* monachas
monitionis *Greg* munitionis; **totum — locum** the whole fortified wall
Montana *CI*
Monte Falcone *Wand* Montfaucon, Meuse
morassent *Leud* morati essent; *from* **morare** *for* **morari**
moratum *CV* mulberry wine
morent *Reich* morentur
moretur *Fred* moritur
moris *Wand* mores
morose *Ben* with care
mortalis: — deus *Greg* mortales deos
Moyses *Cæna*
mulgarium *Cæna* (mulctrale) milk-pail
mulomedicus *CI* veterinarian
mundium *CF* protection
municionis *Ved* munitionis
munifix *PI* (munifex) under the colors
muntancus *Wand* montaneus
mure *CI* more
murone *Ind; for* **murmurone** *or* **mucrone** (?)
murratum *VL* myrrhatum
murus: infra —, *Tardif* infra muros
mutatico *Tardif* sales tax (*tax on sale of merchandise*)
Mytileneis *OLI* (Mitylenei) *inhabitants of Mitylene on the Greek island of Lesbos*

N

n.: in — dni *CI* in nomine domini
Naaman *Cæna*
Nachor *Cæna*
naciones *Tardif* nationes
Namphamo *PI*
Narbo *PI* Narbonne (*a city in southern France*)
nausia *Reich* nausea
Nautlindo *Tardif*
navigale *Tardif* boat-tax (*here it must signify* 'carload' *and* 'boat load')
necessetate *Tardif* necessitate
necocia *Tardif* negotia
necuantes *Tardif* negotiantes
necuciantes *Tardif* negotiantes
negari *Greg* necari (**necare** *means* 'to kill'; *cf.* Fr. *noyer*, 'to drown'; *the meaning here is still general:* **fame negari;** *however in the Glosses of Reichenau, No.* 42, *we find* **submersi: necati**)
neglegentiam *Ved* negligentiam
Nemis *PI*
nemis *CI* nimis
Nemroth *Cæna*
neptes *PI* nepotes
nepus *Liber* nepos

neqe *Pl* neque
nequa *VL* nequam
nescioubi *AP* I do not know where
nesei *OLI* nisi (*archaic*)
neuls *Oaths* nec ullus = nullus
Niceta *PI; CI*
nichil *Per* nihil
Ni . . . lo *Euf; the river Nile*
Nithardo *Tardif*
niusaltus *CV* newly salted meat
Niuster *Tardif* Neuster = Neustria (*northwestern France, Normandy, etc.*)
Niustreco *Tardif* (Neustreco) Neustria
n̄o *CI* nomine
nobacula *Comp* novacula
Nocito *Tardif* Noisy-sur-Oise (*France*)
Noe *Cæna* Noah
nonna *Ben* mother
nonnus *Ben* father
noræ *FM; nominative should be* **nurus**; *observe change of declension*
noticia *FA; FS* notitia
noticiam *Wand* notitiam
noto *Fred* nutu
noviscum *AP* nobiscum
n̄re *CI* nostræ
nua *Ind* mea (?)
nubis *Tardif* nobis
nul *Oaths* nullo
numquam *AP* nunquam (*the usual form*)
numquit *AP* numquid
nun *Oaths* non
nuncia *Euf* nuntia
nunciavit *Euf* nuntiavit
nunciet *Mem* nuntiet
nuncopante *FM; Tardif* nuncupante
nuncopatur *Fred* nuncupatur
nupciarum *FA* nuptiarum
nus *Tardif; FA* nos
nuscetur *Tardif* noscitur
nuscitur *Tardif* noscitur
nuuelis *CI* nobilis
nuuilior *CI* nobilior

O

o *Oaths* hoc
obediebas *Examen* obœdiebas
obes *VL* oves
obi *CI* obiit
obicit *Cap* obiicit
oblata *Ind* bread *or* some bakery product (*from the* **oblata,** 'host,' *of the Church; cf.* Fr. *oublie*)
obœdienciam *Wand* obœdientiam
obpræssos *Greg* oppressos
obprimere *Leud* opprimere = opprimi (*active form with passive meaning*)
obsedendum *Wand* obsidendum
obteneat *FS* obtineat
obteniant *FW* obtineant
obtenire *Greg* obtinere
obtime *Mem* optime
obto *Ind* opto
oc *Ind* hoc
occansio *Leud* occasio
occansionis *Leud* occasionis
occessisset *FA* occidisset (*note the perfect in* –si *instead of* –**di**; *cf.* **preserit** *for* **prehenderit;** *many perfects in Romance show the result of this phenomenon:* pris, occis, etc.)
occidit *VL* occidi
occisi *FA* occidi
occort *CI* occurrit (?)
occulis *Leud* oculis
Ocianum *Fred* Oceanum
oclu *PI; CI* oculum
Octavianus *PI*
Octhta *Britt; son of Hengist*
odie *Examen* hodie
offeritur *Per* offertur
offitiis *Leud* officiis

oino *OLI* unum
oleserico *Per* (holoserico) pure silk
Olexo *Fred* Ulysses
Olibrio *CI* Olybrius (*a Roman emperor, year* 472)
om *Oaths* homo
omines *PI* omnes
omne: — **Loucanam** *OLI* omnem Loucanam
omnebus *Tardif* omnibus
omnes *FW* omnis
omneuos *CI* omnibus
omnis *Wand; OLI* omnes
Oneris *PI*
Onninus *Examen*
onor *CI* honor
opem *CI* ope
operarius *VL* operarios
oportunetate *Tardif* opportunitate
oppoponaco *Mul* opopanax (*the juice of the panax, a plant of of the family Araliaceæ*)
oppremens *Liber* opprimens
opsides *OLI* obsides
optematibus *Tardif* optimatibus
opteniat *FA* obtineat
optulit *VL* obtulit
optumo *OLI* optimum
oraculus *Examen* oraculum
oratorius *Examen*
orbem *Mem* urbem
ordenacione *Tardif* ordinatione
ordene *CI* ordine
origano: — **asinali** *Mul* origan, marjoram
ortamine *Wand* hortamine
ortigas *Cassel* articas < articulas; *cf.* Fr. *orteil*
os *FA* hos
Oscarum: — **fluvium** *Greg; the river Ouche at Dijon*
ospes *VL* hospes
ostaverit *Lex* obstaverit < obstare (*already with meaning of* Fr. *ôter; Leo Jordan however,* ZRP 43, *p.* 714, *refers it to* **hostis**)
Ostia *PI; Rome's sea-port at the mouth of the Tiber*
ouiit *CI* obiit
ovinus *Aug* (ovilis) of *or* pertaining to sheep

P

p. *PI* pedes
pacæ *Mem* pace
pacefekare *CI* pacificare
Pacena *Examen*
paciatur *Lex* patiatur
paciens *Euf* patiens
Pacina *Examen*
Pafnutius *Euf*
palacii *Liber* palatii
palacio *FA; Tardif* palatio
Pallecino (Vico) *Examen*
palma *Mul* cautery
pandium *Comp* (pandius) a paint *or* dye of orange color
pape *Ind* papæ
papertate *PI* paupertate
parabola *Vulgate; Ind* (parole) word; *cf.* Fr. *parler* < **paraulare** < **parabolare**
parba *Cassel* barba
parentis *FA; CI* parentes
pargamina *Comp* (pergamina = pergamena) parchment
paris: ad —, *Comp* ad pares
Parisiaco *Tardif;* the Parisis (*the region around Paris*)
Parisiaga (terra) *Ind*
Parisiago *Tardif* Parisiaco
Parisius *Tardif* Paris (*acc. of* **Parisii**; *the name of the people instead of* **Lutetia,** *the former name of the city*)
parisuma *OLI* parissima
Parochiis *Examen*
parocie *Wand* parochia
part *Oaths* parte

partebus *Tardif* partibus
Partenopeus *PI* Parthenopæus
parvolo *Liber* parvulo
pascencium *Liber* pascentium
Pascha *CI*
passiins *CI* patiens
passus *Leud* he was allowed
Patena *Examen*
Pauli *Wand*
Paulinus *Greg; of Nola, Italy* (409–431), *a poet of the Church*
Paulinus *CI*
Paulus *Cæna; CI*
paupera *Euf* pauper
pavibat *Wand* pavebat
paygo *Liber* pago (*observe that the* **y** *already marks the palatalization of the* **g**; *cf.* Fr. *pays*)
P.B.M. *PI* parentes benemerenti
PC. *CI* post consulatum (?)
pecia *Tardif* (* pettia *or* * petia) piece
pecorina *Comp* sheepskin
pecorinas *Comp for* **pecorina**
Pectavi *Leud* Pictavi; *cf.* Fr. *Poitiers*
pecture *CI* pectore
peculiares *Tardif* peculiaris
pedatio *Doc* piece of land
pedica: — **ad caballo** *Lex* fetters for horses; *cf.* Fr. *entrave* (*piège*) *à cheval*
pedisecus *PI* pedisequus
pelegre *VL* (peregre) abroad; *cf.* It. *pellegrino;* Fr. *pèlerin*
Peltuinum *PI; a town of Italy in the country of the Vestini, modern province of Teramo on the Adriatic, northeast of Rome*
pene *Examen; Leud* pæne
penetivit *Ind* pœnituit
penitendo *Leud* pœnitendo
penitentiam *Mem* pœnitentiam
pensa *Ben* ration
pensum *Comp* weight; *cf.* Fr. *poids;* Sp. *peso*
percuciens *Mem* percutiens
perexiens *Per* exiens
perficæ *Mem* perfice
pergirare *Per* to surround
Persæ *Per*
persequere *Leud* persequi
persequutus *Liber* persecutus
Persis *Per*
petalum: — **auri** *Comp* gold leaf
petiæ *Comp* pieces; *cf.* Gall. * *pettia*
peticione *Tardif* petitione
petiet *Wand* petiit = petivit
Petri *Examen; Wand*
Petrus *Cæna; VL; CI*
peucedanum *Mul* peucedaneæ (*family of plants to which parsley, hemlock belong*)
Pharao *Cæna*
Phario *Greg* (Pharius) of Pharos (*in Egypt*)
Philadelphus *PI*
Philippi *VL*
Photia *PI*
Phylipy *Fred* Philippi (*father of Alexander, king of Macedonia,* 382–335 B.C.)
piaclum *OLI* piaculum
picmentum *Comp* (pigmentum) paint
Pilatus *Per; Cæna; VL* Pilate (*Roman procurator of Judea,* 26–36)
Pimenium *Mem*
Pinciacinse *Tardif* Pincerais (*Oise, France*)
Pippinus *Tardif* Pepin the Short (752–768)
pisa *Comp* pinsa; *from* **pinsare** to crush; *cf.* Fr. *piser;* Sp. *pisar*
pitnam *VL* (pinnan) pinnacle, top
placit *Ind* placet
placite *Wand* placitæ
placitum *Liber; Cap* public assembly (*presided over by the king*)

plaid *Oaths* placito
plasphemare *Reich* blasphemare
plasta: — **blasta** *AP; cf.* Greek πλαστός
plebe *Examen* parish
plectoria *Mul* (plethoria) fulness (*from Greek*)
pleves *AP* basin, pot (?)
plicare *Per* to approach; *cf.* Sp. *llegar*
pliga *Ind* plica
ploirume *OLI* plurimi
plubs *FS* plus
pluris *PI* pluribus
poblo *Oaths* populo
Pociolus *Tardif* Pociollus; *cf.* Fr. *Puiseux, a village in Pincerais, France*
pociones *Mul* potiones
podir *Oaths* potēre *for* posse
pois *Oaths* possum
poledros *CV* colt; *cf.* Fr. *poulain*
Policiano (**Castro**) *Examen*
Politta *CI; cf.* Fr. *Paulette*
Pompegi *Fred* Pompei (*notice the transcription of the palatal sound*)
ponderatio *Per* weight
ponetur *Tardif* (ponitur) lies
Ponpeius *PI* Pompeius
pontatico *Tardif* bridge toll (*tax for crossing a bridge*)
pontefecum *Tardif* pontificum
pontefice *Wand* pontifici
Popilius *PI*
porciones *FA* portiones
porfirus *Comp* purple; *cf.* Fr. *pourpre*
portatico *Tardif* gate toll (*tax on passing through town gates*)
pos *CI* post
possemus *PI* possimus
possidebet *Greg* possidebat
post *Wand* post quod = post quam
posta *PI* posita
postmodumquam *Per* postquam
posuerum *PI* posuerunt
posurunt *PI* posuerunt
potabat *Greg* putabat
potæris *Mem* poteris
Potaissa *PI*
potibat *Tardif* poterat; *cf.* Fr. *pouvait*
potins *CI* potens
potis *Ind* potes
præsencia *Tardif* præsentia
Præsnte *PI* Præneste (*a town of Latium, near Rome*)
præsumatur *Tardif* præsumat
præsumcione *Tardif* præsumptione
præturianam *PI* prætorianam
$\overline{\text{PRBR}}$ *CI* presbyter
prebui *Examen* præbui
precepcione *Tardif* præceptione
precepit *Liber* præcepit
preceptum *FM* præceptum
precinctus *Wand* præcinctus
preciosa *Wand* pretiosa
preciosis *Wand* pretiosis
preciosus *Tardif* pretiosus
precurrere *FS* præcurrere
preda *Liber* præda
predam *Leud* prædam
predia *Liber* prædia
predicto *Wand* prædicto
predictum *Leud* prædictum
prefinito *Liber* præfinito
pregnante *Liber* prægnante
prelectus *Examen* prælectus
preliandum *Liber* præliandum
premet *Per* premit
premisset *Ved* præmisisset
premium *Euf* præmium
preparabis *Euf* præparabis
preparant *Liber* præparant
preparare *Euf; Liber* præparare
prepositis *PI* præpositis
prerupit *Wand* prærupit
presbiter *Mem* presbyter
presbiterato *Examen* presbyterato

presbiteros *Examen* presbyteros

presbiterum *Examen* presbyterum

presens *FM; Liber* præsens; **ad —,** *Liber* at hand

presente *FA* præsente

presentem *FM* præsentem

presentibus *FS; FA* præsentibus

preserit *Cap* prehenserit < prehensi (*formed on* **prehensum** *instead of the Classical* **prehendi**; *cf.* Fr. *pris;* It. *presi, preso*)

presidere *Wand* præsidere

presole *Wand* præsole

prestantur *FM* præstantur

Priamus *Fred; king of Troy*

primarium *Leud* first move *or* cause

primeva *Leud* primæva

Primus *PI*

prindrai *Oaths* prehendere habeo

prior *Ben* prior (*monastic officer below the rank of abbot; cf.* Fr. *prieur*)

Priscinus *PI*

prisserit *Lex* preserit *q.v.*

pristat *FA* præstat

probrio *Tardif* proprio

Procilla *PI*

Procla *PI* Procula

prolexas *Wand* prolixas

propensa *Ben* good weight

propia *CI* propria

propicio *FA* propitio

proprisi *FS* appropiavi (*Low Latin word meaning* 'to appropriate'; *notice the perfect in* **-si**)

propter *Ind* propterea

prosbiterum *CI* presbyterum; *cf.* O.F. *prouvaire, prêtre*

prosecutor *FA* an attorney (*he who brings suit for another agent*)

prosequere *FA* prosequi

Protasius *Aug*

provitu *PI* probatu

puæri *Mem* pueri

publigo *Tardif* publico

pudore *Ind; probably for* **putore**

pudoris *Ind* putores (?)

puellare *Ind from* **puellaris**

puelle *Euf* puellæ

Pulicianas (**Castello**) *Examen*

pulitas *Ind* politas

pulmentarium *Ben* a meal

pultrellæ *CV* filly

puplica *FA* publica

puplici *FA* publici

puplicis *FA* publicis

purgat *Comp* purga

putaverit *VL* potaverit

Puteoli *PI* Pozzuoli (*near Naples*)

Q

qarranta *CI* quadraginta

qem *PI* quem

qiiscit *CI* quiescit

qua *FA* quia

quadragesima *Ben* Lent; *cf.* Fr. *Carême*

quæm *FA* quas

qualbis *GE* qualisvis-quivis

qualem *Euf* quantam

qualem: de —, *Examen* de quo (Romance *duquel*)

qualis: —lupus? *Euf* what wolf? *cf.* Fr. *quel loup?*

quampluri *Tardif* quamplures

quant: in —, *Oaths* quanto

quanti: — in contubernio vel superventum *Lex* as many as are in the 'gang,' *or* concerned in the robbery

quare *Ind; PI* for; *cf.* Fr. *car*

quaru *PI* quarum

quator *PI* quattuor

quatuor *CI; Examen; Euf; Chrod* quattuor

que *PI; Per; Ind; Examen;*

Euf quem, quo; *FS; Oaths; Wand; Ved; Euf* quæ; *Wand* quem

quecumque *Wand* quæcumque

quei *OLI* qui

quem *FA* quas, quos, quæ; *FS* quam

quen *CI* quem; *cf.* Sp. *quien*

quendam *Wand* quemdam

querebant *Euf* quærebant

querens *Wand; Euf* quærens

querentes *Leud* quærentes

querere *Euf* quærere

querit *Euf* quærit

quero *Euf* quæro

quesierant *Leud* quæsierant

queso *Leud* quæso

qui *Wand* quod, quæ; — **devenisset** *Euf* quid devenisset; *cf.* Fr. *qu'était devenu;* — **divinit** *Euf* quid devenit; *cf.* Fr. *que devint*

quia *Per; Euf* ut (**quia** > **qua** > **que**; *cf.* Fr. *que*)

quiæverunt *Fred* quieverunt

quicqua *PI* quidquam

quim *CI* quem

Quintilus *PI* Quintillus

quiquagente *PI* quinquagenta

Quirici (**Sancti**) *Examen*

quisquo: per unum — iecto *Lex; either* quemque *or* quoque (**quisquo** *is written as though the particle* **que** *were to be declined and* **quis** *were invariable; cf.* Fr. *chacun* = **kata quisque unum**)

quit *PI* quid

quitquam *PI* quidquam

quitquit *Tardif* quidquid

quixit *CI* qui vixit

quoadunatum *Ved* coadunatum

quod: quam racione per —, *Tardif*

quodadusque *Leud* quo usque

quodusque *Leud* quo usque

quoinquinat *Ind* coinquinat

quoius *OLI* cuius

quot *PI* quod

quotienscumque *Per* quotiescumque

q.v. *PI* qui (quæ) vixit

R

raciniburdis *FA* rachembourg, jurymen

racione *Mul* ratione

Rancia *Examen*

rapatitatis *Leud* rapacitatis

rapto *Lex* raptu

Rasnehildus *CI*

Rauhone *Tardif*

Rebecca *Cæna*

recepere *FA* recipere

reciperat *Tardif* receperat

recollocet: se —, *Ben* go back to bed; *cf.* Fr. *se recoucher*

reddeberitur *Tardif* (redhiberetur *or* redeberetur) should be returned

reddebetum *FA* redhibitum

reddedit *Ved* reddidit

reddundaret *Ved* redundaret

redebio *FA* redhibeo

redebitum *FA* redhibitum

redibio *FS* redhibeo

refecturio *Euf* refectorio

referrere *Ind* referre

refragare *FM* refragari

refrigdaberit *Comp* refricdaverit < refrigidare

refrigidare *Comp* to cool off

refudat *Ind* (refutat) refuse

reges *FA* regis

Regia *Examen*

regnate *Tardif* regnante

relegendum *FA* religendum

relegione *Wand* religione

reliquid *Ved; Wand* reliquit

Remedius *Greg* Remegius (*bishop of Reims,* † 533; *the double spelling* –**dius** –**gius** *indicates one pronunciation* –**ius**)

Remegius *Ved* Remigius; *cf.* Remedius
Remensis *Greg* of Rheims
Remorum: urbs —, Reims (*formerly* **Durocortorum, Durocortum, Remorum**)
Remus *Liber*
rendis *Ind; for* **reddis**; *cf.* Fr. *rendre*
rennuerunt *Fred* renuerunt
Renum *Fred; the river Rhine*
repausacio *Euf* repausatio
repeticione *FA* repetitione
repetire *FA* repetere
replessent *Leud* replevissent
repotaverunt *FA* (reputaverunt) to accuse; *cf.* O.F. *reter*
reputatiba *GE* reputativa
requiiscit *Tardif* requiescit
requirire *Tardif* requirere
requiscunt *CI* requiescunt; *cf.* Fr. *quitte* < **quietus**
resedebat *Leud* residebat
resedere *FA* residere
respondes *VL* respondens
respunsis *FA* responsis
Ressiano *Examen*
retem *Lex* rete (*neuter*); **— ad anguillas** eel-net; *cf.* Fr. *rets* (*filet*) *à anguilles*
retenere *FA* retinere
retiam *Mem* rete (*archaic and vulgar*); *cf.* Old It. *rezza*
retrucionem *Euf* retrusionem < retrudo
returnar *Oaths* retornare
revellacionis *Tardif* (rebellationis) rebellion; *cf.* Eng. *revelry*
revellantes *Fred* rebellantes
rewardant *Reich* reguardant; *cf.* Fr. *regarder*
rictu *CI* recto
Riculfus *CI*
rige *Tardif* rege
riginæ *CI* reginæ
rigni *CI; Tardif* regni
ris *Tardif* res
Rocconi *Tardif*
Rodoald *Examen*
rogabimus *CI* rogavimus
rogum *Examen* request (*a verbal noun from* **rogare**)
Romane *OLI* Romani
Romanus *PI*
Romanus *Wand* monastery
Romanus *Examen*
rotatico *Tardif* road tax (*tax for the use and maintenance of highways*)
Rotininse *Wand* Rouen
rotore *Ind* (rudore) noise
Rotto *Examen*

S

sabbato: die —, *CI* Saturday, Sabbath; *cf.* It. *sabato;* Sp. *sábado;* Fr. *samedi*
sacerdotum *Greg* sacerdotium
sacramento *Tardif* oath; *cf.* Fr. *serment*
sacta *PI* sancta
sactitates *PI* sanctitates
sæcularium *Leud* civil world (*as opposed to ecclesiastical*)
sagati *Leud* sagaci (**c + i = tsi,** *written* **t**)
sagrament *Oaths* sacramentum
Sagratio *Examen*
sal: sub die —, *CI* (salvationis) on the anniversary of his baptism
Salisburgensi *Alcuin* of Salzburg (*a city in Austria, the ancient* **Juvavia**)
Salomon *Cæna; Ambrose; Ind; king of the Israelites, son and successor of David*
Salomoniaci *Fortunatus* of Salomon
Salona *CI; a city in Dalmatia destroyed in* 640
Salone *PI* Salona

sals *VL* sal
salte *Ind* saltem
salutatico *Tardif* tax in lieu of salutation *i.e.*, presents
salvament *Oaths* salvamento
salvar *Oaths* salvare
salvarai *Oaths* salvare habeo
salvaticus *Reich* silvaticus; *cf.* It. *salvatico;* Fr. *sauvage;* Sp. *salvaje*
Samarconi *PI*
sambuca *FA* chariot *or* carriage
Samnio *OLI* Samnium (*archaic accusative; a region southeast of Rome*)
sancte *Examen* sanctæ
sanctisima *PI* sanctissima
santctificat *VL* sanctificat
sapiensie *CI* sapientiæ
sapit *Examen* scit
Sara *Cæna*
sarciles *Chrod* woollen cloth *or* tunic
Sargon *Vulgate; king of Assyria,* 722–705 B.C.
Satanas *VL*
Satarus *PI* Sataros = Patara (*a city in Lycia, a province of Asia Minor, celebrated for its oracle of Apollo*)
Saul *Cæna*
saumas *Tardif* burden; *from* Greek σάγμα (*neuter*); *cf.* Fr. (*bête de*) *somme* 'beast of burden'; It. *soma, salma*
Saura *Vulgate*
savir *Oaths* sapere
Saxones *Britt; Liber; Fred* Saxons
Saxsones *Tardif* (Saxones) Saxons (*in Germany*)
scælera *Mem* scelera
scaldato *Comp* (excaldato < excaldare) put in hot water; *cf.* Fr. *échauder;* It. *scaldare;* Eng. *scald*
Scalonum *Greg* the wine of Ascalon (*in Phœnicia, then imported in the west usually from Gaza*)
scapilatura *Comp* (capillatoras = capillatura) shavings; *cf.* Fr. *chevelure*
$\overline{\text{sce}}$ *CI* sanctæ
scentilla *Mem* scintilla
scies *OLI* sciens
Scipio *OLI*
Scipione *OLI accusative*
$\overline{\text{scm}}$ *CI* sanctum
Scoccia *Wand* Scotia
scribta *VL* scripta
scribtum *VL* scriptum
scribturarum *FM* scripturarum
scrittum *VL* scriptum
scuria *Lex* stable; *cf.* Fr. *écurie*
se *Ind; Tardif* si
secritius *Greg* secretius
secula *Mem* sæcula
Seculares *Examen* sæculares
secularium *Wand* sæcularium
seculi *Euf* sæculi
seculo *Euf* sæculo
sed *Ind* si
sedebamus *Examen* we were
sedere *Per; almost synonymous with* **esse** (*cf. Spanish and Portuguese for survival of this use*)
sedete: — **vobis** *Per; cf.* Fr. (*as*)*seyez-vous*
sedicionem *Liber* seditionem
seedes *OLI* sedes (**ee** *is a sign of long* **e**)
Segeberto *Ind* Sigeberto
sei *OLI* si
Selenus *Mem*
Sem *Cæna*
Semeris *Examen*
sempir *CI* semper
Sena *Examen*
senacula *FA* signacula
sendra *Oaths* senior
sene *PI; CI* sine

Senece *Mem*
senedochia *CF* (xenodochium) hospital; *cf.* Greek ξενοδοχεῖον 'hospitality'
Senense(m) *Examen* of Siena
Senensi(s) *Examen* of Siena
seo *Tardif* seu
sepedictis *FA* sæpedictis
sepedicto *FA* sæpedicto
sepelit *PI* sepelivit
sepellire *Euf* sepelire
sepissim *Mul* sæpissime
Sepphora *Cæna*
septebris *CI* septembris
septimana *Per* week; *cf.* It. *settimana;* Sp. *semana;* Fr. *semaine*
sepulhro *CI* sepulcro
sequis *Ind* sequeris (*active form for deponent verb*)
serbe *VL* serve
Serena *PI*
Serenum *Greg Great*
servicio *Wand* servitio
Sestuleius *PI* Sextuleius; *cf.* **Sextilius**
set *VL; CI* sed
Severus *Greg* Sulpicius Severus (*disciple of Saint Martin and his historian,* † 410?)
sevr *PI* sevir, sexuir
Sextano *Examen; note ending in* **–anus** *of the village, a domain in Italy, by contrast with the ending* **–acus** *in* **Francia**
Sextus *PI*
siccamen *CV* dried meat
siedes *GE* sedes
siet *OLI* sit (*archaic*)
Sigamber *Greg* Sugambri, Sicambri (*a German tribe occupying, in Cæsar's time, the territory occupied later,* c. 242, *by the Franks, and seemingly identified with the latter by Remy through Classical reminiscences*)
Sige *PI*
Sighibertus *Liber* Sigebert I (*son of Clotaire I, assassinated by Fredegundis; king of Austrasia,* 561–575)
sigillare *Tardif* to put on the seal
signum *Ben* bell; *cf.* O.F. *sein* 'bell'
Silvestris *Greg; Pope of Rome,* 314–335
similato *Greg* simulato
simmelus *FA* similes
Simpliciani (Sancti) *Examen*
Sinai *Ind*
Sinallus *Tardif*
Sinsatum *Mem*
Sion *Ind*
Siquane *Mem* Sequanæ (*the river Seine*)
siquis *GE* si quis
sirico *Per* serico
siricum *Comp* (cerussum) ceruse *or* white lead
sitibi *VL* sitivi
so *PI* sum; *Ind* suo
Soanachylde *Tardif; one of the wives of Charles Martel*
sol *PI* solus
solbes *Comp* solves
soledas *OLI* solidas
soledis *FA* solidis
soledus *FA* solidus
solidos *Lex solidus* (*in the Lex Salica equal to forty denarii*)
solidus *Euf* solidos
solledis: argenti —, *Tardif* **solidis** *for* **solidos**
Sollius *Greg* Sidonius Apollinaris (*a Gallo-Roman poet,* 430–482)
somniare *Anon* to dream; *cf.* Fr. *songer;* Sp. *soñar*
son *Oaths* suum
sont *OLI* sunt
sorcerus *Reich* (sortiarius?) sorcerer; *cf.* Fr. *sorcier*
sortem: — judicium dei *Cap*

God's verdict (*like that of the hot water*)
Spalato *CI; the modern town occupying the site of Salona*
Spania *Fred* Hispania
sperne *CI* spernere, superne
SPM *CI* spiritum
sponsaliæ *Fred* sponsaliorum (*plural neuter used in the singular*)
sponsaliciæ *FA* sponsaliæ
sprendunt *Reich* exprehendunt; *cf.* Fr. *éprendre*, *literally* 'to take fire'
spunsavi *FA* sponsavi = sposavi; *cf.* Fr. *épouser*
stabeli *Tardif* stabili
stablum *AP* stabulum
stanit *Oaths; perhaps for* **non lo(s) tanit** *for* **non illo tenet**
Statilia *PI*
statiliu *PI* statilius
Stephanus (**Sanctus**) *Examen; Aug*
stercos *Comp; for* **stercora,** *as if declined* **stercus, sterci** *and not* **stercus, stercoris**
sterelis *Euf* sterilis
Sterpiniaco *Tardif* Étrépagny, Eure
stinguere *Comp* (tingere) to dye; *cf.* Fr. *teindre*
stip *PI* (stipendia) years of service
stodeat *FA* studeat
stratura *FA* outfit, horse cloth
strinue *Leud* strenue
strinuum *Leud* strenuum
strinuus *Leud* strenuus
studire *Leud* studere
suæ *Wand* sui (æ = e = i)
subdiuanus *Per* in the open (*from* **sub divo**)
subigit *OLI* subegit (*or possibly a present tense used for a past*)
subiogare *Wand* subiugare
sublecetavet *CI* sollicitavit
sublinteata *Per* (linteata) covered with a cloth
subplimento *Ved* supplemento
subscribcionibus *Tardif* subscriptionibus
substanciam *Euf* substantiam
subulele *PI* suboles
succursionibus *Mul* help, aid
Sucesu *PI* Successus
sudem *Lex* pig-sty; *cf.* O.F. *sou* (*still used in the 17th century; not found in Littré*)
Suessionico *Liber* (Suessionis civitate) Soissons (*on the Aisne*)
suffitiant *Leud* sufficiant
Sufua *CI*
sulcia *CV* brine
sunnis *Cap* excuse for being absent from trial; *cf.* **sunnea, soina**; Fr. *soin*
sunt *CI* **sum** *for* **suo**
suntelites *FM* (satellitibus) the officers (?)
suntod *OLI* sumet (*archaic*)
suos: pater —, *Euf* pater suus
sup *CI* super
supervenientibus *Lex; from* **supervenientes** robbers; *cf.* O.F. *sourvenue*, 'attack'
superventum *Lex* robbery
suporem *Mem* sopore
suppetium *Comm* help (*for* **suppetiæ**)
suppleco *Wand* supplico
sus *CI* suus
suscripcionibus *FA* subscriptionibus
susorrone *Ind* susurrone
susu *Comp; Per* sursum; *cf.* Fr. *sus, dessus*
Syagrium *Greg Great; co-bishop of Autun*
Syggolenus *Tardif*
Symonem: — Cyrineum *VL* Simonem Cyrenæum
Syon *Per* Sion, Jerusalem

T

tabescete *PI* tabescente
tabuli: vico —, *AP* stabuli
tadro *PI* trado
talone *Ind; from* **talus** heel; *cf.* Fr. *talon*
tanodono *FM* gift
tantus *FA* tantos
Tarentina *Petron*
Taurasia *OLI; a town in Samnium*
tegetur *CI* tegitur
telloneos *Tardif* telonea (*the word is neuter*)
tempestatebus *OLI* tempestatibus
tempores *Mem* temporis
temptabatur *VL* tentabatur
tenalea *Comp* plyers, pincers; *cf.* Fr. *tenailles;* It. *tenaglia*
tenias *Tardif* teneas
teniatur *Cap* teneatur
tenio *FA* teneo
tenuntur *FA* tenentur
Teodulfus *Alcuin; bishop of Orleans,* 781
Terentius *Petron*
Ternisco *Tardif*
terre *FA* terræ
terreturio *Wand* territorio
Tertia *PI*
testimuniavit *Tardif* testimoniavit
tetolo *CI* titulum
Tettius *PI*
texagæ *Lex* robbery (?) (*the formula* Malb. **texagæ** *refers to the old Germanic draft of the Salic Law, and the special paragraph in which the crime question was mentioned; but the way it is used here seems to show that the scribe did not understand the reference*)
Tharthan *Vulgate*
Theodeus *Examen*
Theodorus *CI*
Theodosius *CI* Theodosius I (*a Roman emperor,* † 395); Theodosius II, † 450
Theodovaldus *Greg* Theodebald, Thibaud (*king of Austria from* 548 *to* 555)
Theuderico *Liber; Tardif; Leud* Thierry III, 654–691 (*son of Clovis II; it was under his reign as king of Neustria that the long and cruel quarrel between Ebroïn, major-domus of Neustria or western France, and Saint Léger, bishop of Autun, took place*)
Thomas *Per*
Thunsone valle *Tardif* Tussonval
Ticene Carisi *PI* Ticenem Carisim
tinctio: — **malini** *Comp* yellow; — **præsini** *Comp* leek, green dye
tinore *CF* tenore
tintinnabolis *Liber* tintinnabulis
tintinno *Lex* tintinnum
titolis *Tardif* titulis
tolemus *Examen* tollimus
tollemus *Examen* tollimus
tolonium *AP* (telonium) tax (*from tax-collector's office*)
tomolo *CI* tumulus
tonecas *FA* tunicas
Torcorum *Fred* (**Turquorum** < **Turci**) Turks
toritus *Ind; possibly for* **tortus** (?)
tornaras *GE* tornare habes
tornatur *Comp* it is turned; *cf.* Fr. *tourné*
Toronica: — **regio** *Ind* Tours
torquere *Leud* torqueri
Torquoto *Fred* (*the eponym of the*) Turks
totundunt *Liber; for* **tondunt** (*Classical* **tondent**)
Tracia *Fred* Thracia (*the ancient name of the region west of Constantinople*)

tracturia *Tardif* letter of requisition
tradedit *Euf* tradidit
tragentes *Mem* trahentes (**g** = **j**, *as a glide in a hiatus*)
transægerunt *Fred* transegerunt
trapa *Ind* trappa; *cf.* Fr. *trappe*
trasit *CI* transivit
tredeci *PI* tredecem
tremisse *Cap; a third part of a* **solidus**
tremisses: — **Bizantii** *Comp; the weight of a third of an* **aureus**
Tribruit *Britt; a river*, (*Goyt*?) *scene of one of King Arthur's battles*
tribulacionem *Euf* tribulationem
tri *CI* tri centi = trecenti
Tricasium *Mem* (Tricassium) Troyes (*in Champagne*)
tristiciam *Euf* tristitiam
Trucia *Liber* Droizy (*near* Soissons)
tue *Ind* tuæ
tueleisco *GE* tu ille ipse
tunon *GE* tu non
tuos *Ind* tuus
Turonicum *Greg* of Tours
Turonus *Greg* Tours
tyrrannicum *Leud* tyrannicum
Tzucetzinus *CI*

U

uadent *Per* vadunt
ube *PI* ubi
ubei *OLI* ubi
ubiquæ *Mem* ubique
ublicu *PI* umbilicu
u.c. *CI* vir clarissimus
uemne *GE* homine (*note diphthongization*)
uenedicti *VL* benedicti
ueruis *CI* verbis
uircinium *CI* virginio
uirginie *CI* virginiæ
uisit *CI* vixit
uixxit *CI* vixit
ula *PI* ulla
ulciscere *Reich* ulcisci
Ultraiuranis *Wand*
umeros *PI* humeros
uncla *Cassel* ungula
unde *Tardif; FM* of whom, of which; *cf.* Fr. *dont*
undecumquæ *FM* undecumque
uolontas *CI* voluntas
upua *Ind* upupa
urbæ *Ved* urbe
urdene *Tardif* ordine
Ursus *Examen*
ustiarius *Euf* ostiarius
ustium *Euf* ostium; *cf.* Fr. *huis*
ut: **et** — **filios abes** *CI* tu
utiletas *CI* utilitas
utris *Comp* utres; *cf.* Fr. *outre*

V

Vaarus *OLI* Varus (**aa** *is a sign of long* **a**)
vadent: — **se** *Per* vadunt; *cf.* Sp. *se van;* Fr. *s'en vont;* It. *se vanno*
valente *FA* valentes
Valentinianus *CI* Valentinianus I (*a Roman emperor*, † 375); Valentinianus II, † 392; Valentinianus III, † 455
valento *FA* valente
valentus *FA* valentes
Valerius *PI*
valit *Lex* valet
vallido *Euf* valido
vaneloquio *Ind* vaniloquio
Vardagate *PI* Vardagata (*a town of Venetia*)
vecariis *Tardif* vicariis; *cf.* Fr. *vigier*
vecinus *Examen* vicinus; *cf.* Fr. *voisin;* Sp. *vecino*
Vedastus *Ved* Vaast (*a certain number of towns and villages are named after Saint Vaast*

in the north and northwest of France)
vellit *Ved* vellet
Venafrum *PI; a town in Campania, modern Venafro*
venerabelis *Tardif* venerabilis
venerantissimi *Euf* venerantissime
Verdonensium *Wand* Virdunensium
Vericia *PI*
verom *Euf* verum
veteare *VL* vetare
vetre *PI* ventre
viaticum *Wand* (*for* **viam**) voyage (*adjective for noun; cf.* Fr. *voyage;* Sp. *viaje*)
vices *Cæna* chores
Vico Capitis *AP*
Vico Stroboli *AP*
vico: — tabuli *AP* vico stabuli
Victoria *CI*
victuriam *Greg* victoriam
vidis *Ind* vides
Vienne *PI* (Viennæ) Vienne (*a town in France on the Rhone, south of Lyons*)
vigo *Tardif* vico
Vilerat *Examen*
villabus: per —, *Tardif* villis = villas
Vincentia *PI*
vindemus *Tardif* vendimus
vindicione *Tardif* (venditione) deed *or* bill of sale
vindicit *Tardif* vindicat
vintores *Tardif* venditores
vio *PI* vivo
violasit *OLI* violasset = violavisset
violatod *OLI; for* **violato** (*archaic imperative third person for* **violet**)
vir *FS* virum
virginius *PI* husband
viro *Tardif* vero
viro *OLI* virum
virtutei *OLI* virtuti (*archaic dative*)
viscæribus *Mem* visceribus
visica *PI* vesica
Vitalianus *Examen*
vite *Wand; FA* vitæ
Viti (Sancti) *Examen*
vocabit *VL* vocavit
vocæferans *Mem* vociferans
vol *Oaths; verbal noun formed from* **volo**
volit *Euf* vult; *cf.* Fr. *veut;* It. *vuole, derived from* **volit**
volluires *Tardif* volueris
volomtas *FA* voluntas
volumtate *FA* voluntate
Vualthario *Tardif; cf.* Fr. *Gauthier*
Vuicberto *Tardif; cf.* Fr. *Guibert*
Vulfario *Tardif; cf.* Fr. *Gouffier*
Vulfoaldus *Liber*
vulnera *Ind* vulnerat (?)

W–Z

Wando *Wand*
Wandregiselus *Wand*
Warnefrit *Examen*
Wilerat *Examen; a Germanic name, curiously not Latinized, as regularly in Frankish documents*
Wintrio *Liber*

xantissimo *PI* sanctissimo
Xρι *CI* Christi
Xri *CI* Christi
Xρisti *Tardif* Christi
Xρisto *Tardif* Christo

ymnos *Per* hymnos

Zachæus *Cæna*
Zacharias *Cæna*
zebus *PI* diebus
zerte *GE* certe
zizipus *AP* (zizyphus) jujube
Zoilus *CI*
Zoticus *PI*
Zoviano *PI* Ioviano

BIBLIOGRAPHY

I. TEXTS

1. **Petronius Arbiter:** A. Ernout, *Le Satiricon*, Paris, Les Belles Lettres, 1922, par. 61–63, pp. 59–61, par. 111–113, pp. 121–125.
2. **Commodian:** E. Ludwig, *Commodiani Carmina, Instructiones*, Lib. II, Leipzig, Teubner, 1878, p. 29.
3. **Old Latin Inscriptions:** E. Diehl, *Altlateinische Inschriften*, Bonn, Marcus & Weber, 1911, nos. 214, 243, 458, 459, 460.
4. **Pagan Inscriptions:** E. Diehl, *Vulgärlateinische Inschriften*, Bonn, Marcus & Weber, 1910, nos. 41, 43, 45, 63, 72, 73, 75, 86, 105, 109, 118, 119, 140, 154, 159, 177, 186, 203, 209, 216, 246, 290, 301, 307, 428, 444, 495, 527, 539, 543, 679, 765, 775, 831, 852, 1066, 1509, 1535.
5. **Appendix Probi:** W. Foerster & E. Koschwitz, *Altfranzösisches Übungsbuch*, Leipzig, Reisland, 1921, pp. 226–232.
6. **Vetus Latina:** J. Wordsworth, W. Sanday, H. J. White, *Old Latin Biblical Texts:* No. 2, *Portions of the Gospels according to St. Mark and St. Matthew, from the Bobbio* (*k*), Oxford, Clarendon Press, Frowde, 1886, chap. VIII, par. 27–38, pp. 3–4, chap. IX, par. 38–50, pp. 6–7; E. S. Buchanan, *Old Latin Biblical Texts:* No. 5, *The Four Gospels from the Codex Corbeiensis*, Oxford, Clarendon Press, Frowde, 1907, chap. XX, par. 1–16, pp. 9–10, chap. IV, par. 1–13, p. 51, chap. XV, par. 15–26, p. 95; E. S. Buchanan, *Old Latin Biblical Texts:* No. 6, *The Four Gospels from the Codex Veronensis*, Oxford, Clarendon Press, Frowde, 1911, chap. XXIII, par. 15–31, pp. 44–45, chap. XXV, par. 14–36, pp. 48–50.
7. **Christian Inscriptions:** E. Diehl, *Lateinische Altchristliche Inschriften*, Bonn, Marcus & Weber, 1913, nos. 3, 16, 85, 229, 245, 254; E. Diehl, *Inscriptiones Latinæ Christi-*

anæ Veteres, Berlin, Weidmann, 1924–1930, Vols. I & II, nos. 50, 53, 150, 221, 616, 625, 1075, 1218, 1253, 1366, 1431, 2257, 2481, 2576A, 2710A, 2851C, 2891A, 2917, 3048Ba, 3544, 3855, 3877, 4394, 4408, 4446, 4618, 4729, 4827.

8. **Mulomedicina Chironis:** M. Niedermann, *Proben aus der sogenannten Mulomedicina Chironis*, Bk. III, Heidelberg, Winter, 1910 (Samml. vulg. Texte), pp. 34–35.

9. **Saint Jerome:** *Biblia Sacra Vulgatæ Editionis, Sixti V & Clementis VIII*, Lyon, Pelagaud, 1844, *Liber Numerorum*, chap. XXIII, nos. 1–8, p. 89; *Prophetia Isaiæ*, chap. XX, nos. 1–6, p. 422; (not in Jerome's *Vulgate*) *Liber I. Machabæorum*, chap. VI, nos. 33–46, p. 566.

10. **Saint Ambrose:** J. P. Migne, *Patrologiæ Latinæ*, T. XVI, Paris, Migne, 1844–1864, *Sancti Ambrosii Mediolanensis Episcopi Opera Omnia*, t. 2, 1, *Epistolarum Classis* I, Epis. 32, pp. 1114–1115; *Hymni*, Hym. 1 & 4, p. 1474 (selections 2 and 3 are quoted from J. Kayser, *Beiträge zur Geschichte und Erklärung der ältesten Kirchenhymnen*, Vol. I, Paderborn, Schöningh, 1881–1886, pp. 150–159 and 172–180).

11. **Sedulius:** J. P. Migne, *Patrologiæ Latinæ*, T. XIX, Paris, Migne, 1844–1864, *Cœlii Sedulii Hymni*, pp. 763–770 (the poem cited has been taken from J. Kayser, *Beiträge zur Geschichte und Erklärung der ältesten Kirchenhymnen*, Vol. I, Paderborn, Schöningh, 1881–1886, pp. 350–362).

12. **Anonymous:** J. Kayser, *Beiträge zur Geschichte und Erklärung der ältesten Kirchenhymnen*, Vol. I, Paderborn, Schöningh, 1881–1886, pp. 471–472.

13. **Saint Augustine:** J. P. Migne, *Patrologiæ Latinæ*, T. XXXVIII, Paris, Migne, 1844–1864, *Sancti Aurelii Augustini Hipponensis Episcopi*, t. 5, 1, *Sermones*, Serm. 318, *De Martyre Stephano*, pp. 1437–1438; T. XLIII, *Psalmus contra Partem Donati*, pp. 23–32 (stanzas 1, 2, 3, of the *Psalm ABCdarius* can also be found in J. Kayser, *Beiträge zur Geschichte und Erklärung der ältesten Kirchenhymnen*, Vol. I, Paderborn, Schöningh, 1881–1886, pp. 246–247).

14. **Sylvia:** E. Heræus, *Silviæ vel potius Ætheriæ Peregrinatio ad Loca Sancta*, Heidelberg, Winter, 1908 (Samml. vulg. Texte), par. 19, pp. 20–22, par. 25, pp. 32–33, par. 35–37, pp. 40–44.

15. **Pseudo-Cyprian:** A. Harnack, *Drei wenig beachtete Cyprianische Schriften und die 'Acta Pauli,'* Leipzig, Hinrich, 1899, pp. 5–9, 11, 14 (Gebhardt & Harnack, *Altchristliche Literatur*, Neue Folge 4, 3b).

16. **Saint Benedict:** J. P. Migne, *Patrologiæ Latinæ*, T. LXVI, Paris, Migne, 1844–1864; *Sancti Benedicti Monachorum Occidentalium Patris, Regula Commentata, De mensura ciborum*, chap. XXXIX, pp. 613–616; *De Mensura potus*, chap. XL, pp. 641–642; *Quibus horis oporteat reficere fratres*, chap. XLI, pp. 655–658; *De iis qui ad opus Dei, vel ad mensam tarde occurrunt*, chap. XLIII, pp. 675–676; *De ordine congregationis*, chap. LXIII, p. 872.

17. **Fortunatus:** F. Leo, *Monumenta Germaniæ Historica, auct. antiq.* T. IV, Berlin, Weidmann, 1877–1919, *Venanti Honori Clementiani Fortunati, Carminum Epistularum Expositionum*, Lib. II, car. 10, pp. 39–40, car. 6, pp. 34–35 (for selection 2 in the *Chrestomathy* cf. also J. Kayser, *Beiträge zur Geschichte und Erklärung der ältesten Kirchenhymnen*, Vol. I, Paderborn, Schöningh, 1881–1886, pp. 397–409).

18. **Saint Isidore:** J. P. Migne, *Patrologiæ Latinæ*, T. LXXXIII, Paris, Migne, 1844–1864, *Sancti Isidori Hispalensis Episcopi*, t. 5, *De Ecclesiasticis Officiis*, Lib. I, chap. XLI, pp. 774–775.

19. **Gregory the Great:** L. M. Hartmann, *Monumenta Germaniæ Historica, Epistolarum*, T. II, Berlin, Weidmann, 1887–1899, *Gregorii I Papæ, Registrum Epistolarum, Indictio II*, letter 10, 208, p. 195.

20. **Gregory of Tours:** W. Arndt, *Monumenta Germaniæ Historica, Scriptorum Rerum Merovingicarum*, T. I, Hannover, Hahn, 1885, *Gregorii Episcopi Turonensis, Historia Francorum*, Lib. II, par. 30–31, pp. 91–93; Lib. III, par. 19, pp. 129–130; Lib. IV, par. 5–7, 11–12, pp. 145–149; B. Krusch, *Gregorii Episcopi Turonensis Libri octo Miraculorum*, Lib. I, *de Virtutibus sancti Martini Episcopi*, pp. 585–586.

21. **Fredegarius:** B. Krusch, *Monumenta Germaniæ Historica, Scriptorum Rerum Merovingicarum,* T. II, Hannover, Hahn, 1888, *Chronicarum quæ dicuntur Fredegarii Scholastici,* Lib. II, par. 4–6, pp. 45–46, par. 62, pp. 85–86.

22. **Historia Brittonum:** T. Mommsen, *Monumenta Germaniæ Historica, auct. antiq.,* T. XIII, Berlin, Weidmann, 1892–1898, v. III, *Arthuriana,* pp. 199–201.

23. **Liber Historiæ Francorum:** B. Krusch, *Monumenta Germaniæ Historica, Scriptorum Rerum Merovingicarum,* T. II, Hannover, Hahn, 1888, chap. XXXI, pp. 292–293, chap. XXXVI, pp. 304–306, chap. XLV, pp. 317–319.

24. **Frodebertus and Importunus:** K. Zeumer, *Monumenta Germaniæ Historica, Legum sect. V, Formulæ,* Hannover, Hahn, 1886, *Additamentum e codice Formularum Senonensium, Indiculum,* pp. 220–226.

25. **The Salic Law:** J. M. Pardessus, *Loi Salique* (*Lex Salica ou Lex Emendata*), Paris, Imprimerie Royale, 1843, par. I, 3, 4; III, 6; IX, 8; XI, 1; XIII, 9; XIV, 5; XVI, 4; XVII, 1, 6, 8; XIX, 1; XXII; XXIII; XXIV, 4, 7; XXVII, 2, 3, 9, 11, 12, 20; XXX, 2; XXXI, 1; pp. 4, 6, 8–13, 15–17.

26. **Capitularia Merowingica:** A. Boretius, *Monumenta Germaniæ Historica, Legum sect. II,* Hannover, Hahn, 1883–1897, *Capitularia Regum Francorum,* T. I, par. 1–8, pp. 4–5.

27. **Formulæ Andecavenses:** K. Zeumer, *Monumenta Germaniæ Historica, Legum sect. V, Formulæ,* Hannover, Hahn, 1886, pp. 4–5, 22.

28. **Formulæ Marculfi:** K. Zeumer, *Monumenta Germaniæ Historica, Legum sect. V, Formulæ,* Hannover, Hahn, 1886, Lib. I, no. 20, p. 56, Lib. II, nos. 15, 23, pp. 85, 91.

29. **Formulæ Senonenses:** K. Zeumer, *Monumenta Germaniæ Historica, Legum sect. V, Cartas Senonicas,* Hannover, Hahn, 1886, *Notitia Sacramentale,* no. 21, p. 194.

30. **Cartons des Rois of Tardif:** J. Tardif, *Inventaires et Documents, Monuments Historiques,* Paris, Claye, 1866, no. 55, pp. 46–47, no. 67, p. 55; Ph. Lauer et Ch. Samaran, *Les Diplômes originaux des Mérovingiens,* Paris, Leroux,

1908, pp. 4, 11, 13, 19 (nos. 1, 2, 3 and 4 of the extracts in the *Chrestomathy* have been taken from the edition of Lauer and Samaran).

31. **Examen Testium:** L. A. Muratorii, *Opera Omnia, Antiquitates Italicæ*, T. XV–XVI, Arretii, Bellotti, 1778, diss. 74, pp. 599–614.

32. **Compositiones:** L. A. Muratorii, *Opera Omnia, Antiquitates Italicæ*, T. III–IV, Arretii, Bellotti, 1774, diss. 24, pp. 678–679, 683, 687, 695, 703.

33. **Passio Leudegarii:** B. Krusch & W. Levison, *Monumenta Germaniæ Historica, Scriptorum Rerum Merovingicarum*, T. V, Hannover, Hahn, 1896–1920, par. 1, 2, 4, 23, 24, 29, 35, pp. 283–284, 286–287, 304–306, 310–311, 316–317.

34. **Vita Wandregiseli:** B. Krusch & W. Levison, *Monumenta Germaniæ Historica, Scriptorum Rerum Merovingicarum*, T. V, Hannover, Hahn, 1896–1920, par. 3–4, 6, 9–10, 14, pp. 14–19.

35. **Passio Memorii:** B. Krusch, *Monumenta Germaniæ Historica, Scriptorum Rerum Merovingicarum*, T. III, Hannover, Hahn, 1896–1920, par. 1–8, pp. 102–104.

36. **Vita Vedastis:** B. Krusch, *Monumenta Germaniæ Historica, Scriptorum Rerum Merovingicarum*, T. III, Hannover, Hahn, 1896–1920, par. 5–8, pp. 409–411 and p. 415.

37. **Vita Eufrosine:** A. Boucherie, *La Vie de Sainte Euphrosyne*, in *Revue des Langues Romanes*, T. II, Paris, Maisonneuve, 1871, par. 1–2, 5–6, 9, 11–12, 17, pp. 26–27, 29–33.

38. **Chrodegangus:** J. P. Migne, *Patrologiæ Latinæ*, T. LXXXIX, Paris, Migne, 1844–1864, *Sancti Chrodegangi Metensis Episcopi, Regula Canonicorum*, chap. XXIX, p. 1113.

39. **Alcuin:** E. Duemmler, *Monumenta Germaniæ Historica, Epistolarum* T. IV, Kar. Ævi II, Berlin, Weidmann, 1892–1928, *Alcuini Epistolæ*, Epis. 248, p. 401.

40. **Capitulare Francicum:** G. H. Pertz, *Monumenta Germaniæ Historica, Legum* T. I, Hannover, Hahn, 1835–

1889, *Karoli Magni Capitularia*, par. 1, 2, 8, 9, 12, 13, 14, 17, pp. 46–47.

41. **Capitulare de Villis:** A. Boretius, *Monumenta Germaniæ Historica, Legum sect. II*, t. 1, *Capitularia Regum Francorum*, no. 32, par. 2, 3, 6, 14, 34, 41, pp. 82–84, 86.

42. **The Glosses of Reichenau:** W. Foerster & E. Koschwitz, *Altfranzösisches Übungsbuch*, Leipzig, Reisland, 1921, pp. 1–34.

43. **The Glosses of Cassel:** W. Foerster & E. Koschwitz, *Altfranzösisches Übungsbuch*, Leipzig, Reisland, 1921, p. 39.

44. **The Oaths of Strassburg:** W. Foerster & E. Koschwitz, *Altfranzösisches Übungsbuch*, Leipzig, Reisland, 1921, pp. 46–47.

45. **Glosas Emilianenses:** R. Menéndez Pidal, *Orígenes del Español*, Vol. I, Madrid, Hernando, 1929, p. 10.

46. **Documentos Lingüísticos:** R. Menéndez Pidal, *Documentos Lingüísticos de España*, Vol. I, *Reino de Castilla*, Madrid, Hernando, 1919, no. 73, p. 117.

II. GENERAL WORKS, LATINITIES, AND DICTIONARIES

Adams, Sister M. A., *The Latinity of the Letters of Saint Ambrose*, Washington, Catholic University, 1927.

Ahlquist, H., *Studien zur spätlateinischen Mulomedicina Chironis*, Upsala, Berling, 1909.

Anglade, J., *De latinitate libelli qui inscriptus est "Peregrinatio ad Loca Sancta,"* Paris, 1905.

d'Arbois de Jubainville, H., *La Déclinaison latine en Gaule à l'époque mérovingienne*, Paris, Dumoulin, 1872.

—— *Études sur la déclinaison des noms propres dans la langue franque à l'époque mérovingienne*, in *Bibl. de l'École des Chartes*, XXXI, 1870, pp. 312–352.

—— *Études sur la langue des Francs à l'époque mérovingienne*, Paris, Bouillon, 1900.

Baehrens, W., *Sprachlicher Kommentar zur vulgärlateinischen Appendix Probi*, Halle, Niemeyer, 1922.

Bartoli, M., *Per la storia del latino volgare*, in *Archivio Glottologico Italiano*, XXI, 1927, pp. 1–58.

Battifol, P., *Histoire du bréviaire romain*, Paris, Picard, 1893, pp. 164–168.

Bayard, L., *Le Latin de Saint Cyprien*, Paris, Hachette, 1902.

Bechtel, E. A., *Sanctæ Silviæ Peregrinatio, the Text and Study of the Latinity*, Chicago, University of Chicago Press, 1902.

Bennett, C. E., *Syntax of Early Latin*, Boston, Allyn & Bacon, 1910–1914.

Berger, S., *Histoire de la Vulgate pendant les premiers siècles du moyen âge*, Paris, Hachette, 1893.

Berthelot, M., *La Chimie au moyen âge*, Paris, Imprimerie Nationale, 1893.

Bertoni, G., *Programma di filologia romanza come scienza idealistica*, Geneva, Olschki, 1922.

Beszard, L., *La Langue des formules de Sens*, Paris, Champion, 1910.

Blondheim, D. S., *Les Parlers Judéo-romans et la Vetus Latina*, Paris, Champion, 1925.

Bludau, A., *Die Pilgerreise der Ætheria*, Paderborn, Schöningh, 1927.

Blume, C., & Dreves, G. M., *Hymnologische Beiträge*, Leipzig, Reisland, 1897.

Bonnet, M., *Le Latin de Grégoire de Tours*, Paris, Hachette, 1890.

Boucherie, A., *La Vie de Sainte Euphrosyne*, in *Revue des Langues Romanes*, II, 1870, pp. 23–62.

Bourciez, E., *Éléments de linguistique romane*, Paris, Klincksieck, 1923.

Bresslau, H., *Handbuch der Urkundenlehre für Deutschland und Italien*, Leipzig, Veit & Co., 1912–1931.

Brüch, J., *Der Einfluss der germanischen Sprachen auf das Vulgärlatein*, Heidelberg, Winter, 1913.

Brunot, F., *Histoire de la langue française*, I, Paris, Colin, 1924.

Budinsky, A., *Die Ausbreitung der lateinischen Sprache über Italien und die Provinzen des Römischen Reiches*, Berlin, Herz, 1881.

Carnoy, A., *Le Latin d'Espagne d'après les inscriptions*, Bruxelles, Misch, 1906.

Claussen, T., *Die griechischen Wörter im Französischen*, Erlangen, Junge, 1903.

Clédat, L., *Les Origines latines du français*, Paris, 1926.

Cohn, G., *Die Suffixwandlungen im Vulgärlatein und im vorlitterarischen Französisch*, Halle, Niemeyer, 1891.

Cooper, F. T., *Word Formation in the Roman Sermo Plebeius*, New York, Trow Directory Company, 1895.

Corpus Inscriptionum Latinarum, 1863–1931.

Corssen, W., *Über Aussprache, Vokalismus und Betonung der lateinischen Sprache*, Leipzig, Teubner, 1868–1870.

Delehaye, H., *Les Légendes hagiographiques*, Bruxelles, Société des Bollandistes, 1905.

Diehl, E., *De "m" finali epigraphica*, Leipzig, Teubner, 1899.

Diez, F., *Grammatik der romanischen Sprachen*, Bonn, Weber, 1882.

Dottin, G., *La Langue gauloise*, Paris, Klincksieck, 1920.

Draeger, A., *Historische Syntax der lateinischen Sprache*, Leipzig, Teubner, 1878.

Dubois, A., *La Latinité d'Ennodius*, Paris, Klincksieck, 1903.

Du Cange, D. D., *Glossarium mediæ et infimæ latinitatis*, Paris, Didot, 1840.

Durel, J., *Commodien, Recherches sur la doctrine de la langue et le vocabulaire du poète*, Paris, Leroux, 1912.

Ebert, A., *Allgemeine Geschichte der Literatur des Mittelalters im Abendlande*, Leipzig, Vogel, 1880–1889.

Elss, H., *Untersuchungen über den Stil und die Sprache des Venantius Fortunatus*, Heidelberg, 1907.

Ernout, A., *Les Éléments dialectaux du vocabulaire latin*, Paris, Champion, 1909.

—— *Morphologie historique du latin*, Paris, Klincksieck, 1927.

von Ettmayer, K. R., *Vademecum für studierende der romanischen Philologie*, Heidelberg, Winter, 1919.

Faral, E., *La Légende arthurienne*, Paris, Champion, 1929.

Fisch, R., *Die lateinischen nomina personalia auf "o," "onis,"* Berlin, Gaertner, 1890.

Flach, J., *Les Origines de l'ancienne France*, Paris, Larose & Forcel, 1886–1917.

Foerster, W., *Die Appendix Probi*, in *Wiener Studien*, XIV, p. 278.

Fouché, P., *Le Verbe français*, Paris, Les Belles Lettres, 1931.

Foulet, L., *Petite Syntaxe de l'ancien français*, 2d. ed., Paris, Champion, 1923.

Fustel de Coulanges, *Histoire des institutions politiques de l'ancienne France*, III: *La Monarchie franque*, Paris, Hachette, 1888–1892.

Gamillscheg, E., *Etymologisches Wörterbuch der französischen Sprache*, Heidelberg, Winter, 1928.

Giry, A., *Manuel de diplomatique*, Paris, Hachette, 1894.

Godefroy, F., *Dictionnaire de l'ancien français*, Paris, Vieweg, 1880–1902.

Goelzer, H., *Étude lexicographique et grammaticale de la latinité de Saint Jérôme*, Paris, Hachette, 1884.

Gougenheim, G., *Études sur les périphrases verbales de la langue française*, Paris, Les Belles Lettres, 1929.

Grandgent, C. H., *An Introduction to Vulgar Latin*, Boston, D. C. Heath & Co., 1907.

—— *From Latin to Italian*, Cambridge, Harvard University Press, 1927.

Graur, A., *"I" et "U" en latin*, Paris, Champion, 1930.

—— *Les Consonnes géminées en latin*, Paris, Champion, 1929.

Grégoire, A., *Un Problème de latin vulgaire, "dicitus pour digitus,"* in *Mélanges Paul Thomas*, Bruges, Impr. Sainte Catherine, 1930.

Gröber, G., *Grundriss der romanischen Philologie*, Strassburg, Trübner, 1904–1906.

Gubian, P., *Le Formulaire de Marculfe, est-il lorrain?*, Nancy, Impr. Nancéienne, 1907.

Guérard, B. E. C., *Explication du Capitulaire "De Villis,"* in *Acad. des Inscrip. et Belles Lettres*, 1877, XXI, pp. 165–309.

Haag, O., *Die Latinität Fredegars*, Erlangen, Junge, 1898.

Hammer, M., *Die lokale Verbreitung frühester romanischer Lautwandlungen im alten Italien*, Halle, Wischan, 1894.

Hanotaux, G., *Histoire de la nation française*, Paris, Société de l'Histoire Nationale, Plon-Nourrit, 1920–1929.

Harper's Latin Dictionary, ed. by E. A. Andrews, revised by C. T. Lewis, and C. Short, New York, American Book Co., 1907.

Hauck, A., *Kirchengeschichte Deutschlands*, Leipzig, Hinrich, 1898–1920.

Heinrich, L., *Die Malbergische Glosse*, Halle, Anton, 1842–1845.

Heræus, W., *Die Sprache des Petronius und die Glossen*, Leipzig, Teubner, 1899.

Hetzer, K., *Die Reichenauer Glossen*, in *Zeitschrift für Romanische Philologie*, Halle, Niemeyer, 1898; Beiheft, 1906–1907.

Hofmann, J. B., *Lateinische Umgangssprache*, Heidelberg, Winter, 1926.

Imbart de la Tour, P., *Les Origines religieuses de la France: Les paroisses rurales du IVe au XIe siècle*, Paris, Picard, 1900.

Jacoby, E., *Zur Geschichte des Wandels von lat. "u" zu "y" im Gallo-romanischen*, Braunschweig, Westermann, 1916.

Jeanjaquet, J., *Recherches sur l'origine de la conjonction "que,"* Neuchâtel, Attinger, 1894.

Jullian, C., *Histoire de la Gaule*, Paris, Hachette, 1908–1926.

Kaulen, F., *Sprachliches Handbuch zur biblischen Vulgata*, 2d ed., Freiburg im Breisgau, Herder, 1904.

Kayser, J., *Beiträge zur Geschichte und Erklärung der ältesten Kirchenhymnen*, Paderborn, Schöningh, 1881–1886.

Keil, H., *Grammatici Latini*, Leipzig, Teubner, 1857–1880.

Koffmane, G., *Geschichte des Kirchenlateins*, Breslau, Koebner, 1879–1881.

Krafft, A., *Les Serments carolingiens de 842 à Strasbourg en roman et en tudesque*, Paris, Leroux, 1901.

Kurth, G., *Histoire poétique des Mérovingiens*, Paris, Picard, 1893.

Lear, F. S., *Blasphemy in the Lex Romana Curiensis*, in *Speculum*, VI, 1931, pp. 445–459.

Lesne, E., *Histoire de la propriété ecclésiastique en France*, Lille, Giard, 1910.

Levillain, L., *La Formule "quod ficit mensis n . . ." et ses variantes du VIe au IXe siècle*, in *Bibl. de l'École des Chartes*, 1912, LXXIII, pp. 409–435.

—— *Examen critique des Chartes mérovingiennes et carolingiennes de l'Abbaye de Corbie*, Paris, 1912.

Lindsay, W. M., *The Latin Language*, Oxford, Clarendon Press, 1894.

—— *Isidori Hispalensis*, Oxford, Clarendon Press, 1911.

Löfstedt, E., *Philologischer Kommentar zur Peregrinatio Ætheria*, Upsala, Almqvist & Wiksell, 1911.

Longnon, A., *Les Noms de lieu de la France*, Paris, Champion, 1920–1929.

—— *Polyptyque de l'Abbaye de Saint-Germain des Prés*, Paris, Champion, 1895.

Lot, F., *A quelle époque a-t-on cessé de parler latin*, in *Bulletin du Cange*, VI, 1931, pp. 97–159.

—— *La Fin du monde antique et le début du moyen âge*, Paris, Renaissance du livre, 1927.

Lot, F., *Encore la chronique du Pseudo-Frédégaire*, in *Revue Historique*, CXV, 1914, pp. 305–337.

Ludwig, E., *De Petronii sermone plebeio*, Marburg, Koch, 1869.

Manitius, M., *Geschichte der lateinischen Literatur des Mittelalters*, München, Beck, 1911–1931.

Marchot, P., *Petite Phonétique du français prélittéraire*, Fribourg, Veith, 1901–1902.

—— *Les Gloses de Cassel*, Fribourg, Libr. de l'Université, 1895.

Marignan, A., *Études sur la civilisation française*, I, Paris, Bouillon, 1899.

Marouzeau, J., *L'Ordre des mots dans la phrase latine*, Paris, Champion, 1922.

—— *La Prononciation du latin*, Paris, Les Belles Lettres, 1931.

Meader, C. L., *The Latin Pronouns "Is," "Hic," "Iste," "Ipse,"* New York, Macmillan, 1901.

Meillet, A., *Esquisse d'une histoire de la langue latine*, Paris, Hachette, 1928.

Meister, K., *Altes Vulgärlatein*, in *Indogermanische Forschungen*, XXVI, 1909, pp. 69–90.

Mélanges de Philologie et d'histoire offerts à Antoine Thomas, Paris, Champion, 1927, xcviii + 523 pp.

Menéndez-Pidal, R., *Orígenes del español; estado lingüístico de la Península Ibérica hasta el siglo XI*, I, Madrid, Hernando, 1929.

Meyer-Lübke, W., *Einführung in das Studium der romanischen Sprachwissenschaft*, 3d ed., Heidelberg, Winter, 1920.

—— *Romanisches Etymologisches Wörterbuch*, 2d ed., Heidelberg, Winter, 1924.

—— *Grammaire des langues romanes*, tr. by E. Rabiet, New York, Stechert, 1923.

Mohl, F. G., *Introduction à la chronologie du latin vulgaire*, in *Bibl. de l'École des Hautes Études*, CXXII, 1899.

Molinier, A., *Les sources de l'histoire de France des origines aux guerres d'Italie*, I, Paris, Picard, 1901–1906.

Monaci, E., *Testi basso-latini e volgari della Spagna, raccolti per un corso accademico*, Roma, Forzani, 1891.

Monceaux, P., *Histoire littéraire de l'Afrique chrétienne depuis les origines jusqu'à l'invasion arabe*, Paris, Leroux, 1901–.

Mone, F. J., *Hymni latini medii ævi*, Freiburg im Breisgau, Herder, 1853–1855.

Monod, G., *Études critiques sur les sources de l'histoire mérovingienne*, Paris, Franck, 1872–1885.

Muller, H. F., *A Chronology of Vulgar Latin*, in *Zeitschrift für Romanische Philologie*, Beiheft 78, 1929.

—— *Origine et histoire de la préposition "à" dans les locutions du type "faire faire quelque chose à quelqu'un,"* Poitiers, Masson, 1912.

—— *The Use of the Plural of Reverence in the Letters of Pope Gregory I*, in *Romanic Review*, V, 1914, pp. 68–89.

—— *When Did Latin Cease to Be a Spoken Language in France?*, in *Romanic Review*, XII, 1921, pp. 318–334.

—— *On the Use of the Expression "Lingua Romana" from the First to the Ninth Century*, in *Zeitschrift für Romanische Philologie*, XLIII, 1923, pp. 9–19.

—— *Concerning the Origin of Some Dialectal Features of the Romance Languages*, in *Todd Memorial Volumes*, II, New York, Columbia University Press, 1931, pp. 45–62.

Müller-Marquardt, F., *Die Sprache der alten Vita Wandregiseli*, Halle, Niemeyer, 1912.

Nicolau, M. G., *L'Origine du "cursus" rhythmique et les débuts de l'accent d'intensité en latin*, Paris, Les Belles Lettres, 1930.

Nyrop, K., *Grammaire historique de la langue française*, Copenhague, Bojeson, 1899–1930.

O'Brien, Sister M. B., *Titles of Address in Christian Latin Epistolography to 543 A.D.*, Washington, Catholic University, 1930.

Olcott, G. N., *Studies in the Word Formation of the Latin Inscriptions*, Rome, Sallustian Typography, 1898.

Page, R. B., *The Letters of Alcuin*, New York, Forest Press, 1909.

Pirson, J., *La Langue des inscriptions latines de la Gaule*, Bruxelles, Office de Publicité, 1901.

—— *Le Latin des formules mérovingiennes et carolingiennes*, in *Romanische Forschungen*, XXVI, 1909, pp. 837–944.

Pitra, J. B., *Histoire de Saint Léger*, Paris, Waille, 1846.

Plater, W. E. & White, J. J., *A Grammar of the Vulgate*, Oxford, Clarendon Press, 1926.

Potthast, A., *Biblioteca historica medii ævi*, Berlin, Weber, 1896.

Prou, M., *La Gaule mérovingienne*, Paris, May, 1898.

Quicherat, L. & Daveluy, A., *Dictionnaire latin-français*, Paris, Hachette, 1906.

Regnier, A., *De la latinité des sermons de Saint Augustin*, Paris, Hachette, 1886.

Rice, C. C., *The Phonology of Gallic Clerical Latin after the Sixth Century*, Harvard, 1902.

Richter, E., *"Ab" im Romanischen*, Halle, Niemeyer, 1904.

—— *Zur Entwicklung der romanischen Wortstellung aus der Lateinischen*, Halle, Niemeyer, 1903.

Rönsch, H., *Itala und Vulgata*, Marburg, Elwert, 1875.

Rydberg, G., *Zur Geschichte des französischen "ə,"* Upsala, Almqvist, 1906.

—— *Le Développement de "facere" dans les langues romanes*, Paris, Noblet, 1893.

Schönfeld, M., *Wörterbuch der altgermanischen Personen- und Völkernamen*, Heidelberg, Winter, 1911.

Schramm, F., *Sprachliches zur Lex Salica*, Marburg, Ebel, 1911.

Schuchardt, H., *Der Vokalismus des Vulgärlateins*, Leipzig, Teubner, 1866.

Schwan-Behrens, *Grammaire de l'ancien français*, tr. by O. Block, Leipzig, Reisland, 1922.

Sepulcri, A., *Le alterazioni fonetiche e morfologiche nel latino di Gregorio Magno*, in *Studi medievali*, I, Torino, Loescher, 1904–1905, pp. 171–234.

Sittl, K., *Die lokalen Verschiedenheiten der lateinischen Sprache*, Erlangen, Deichert, 1882.

Slijper, E., *De Formularum Andecavensium latinitate disputatio*, Amsterdam, Eisendrath, 1906.

Smith, W. & Wace, H., *A Dictionary of Christian Biography*, London, Murray, 1882.

Sofer, J., *Lateinisches und Romanisches aus den Etymologiæ des Isidorus von Sevilla*, Göttingen, Vanderhoeck & Ruprecht, 1930.

Sommer, F., *Handbuch der lateinischen Laut- und Formenlehre*, Heidelberg, Winter, 1914.

Spitzer, L., *Puxi: Eine kleine Studie zur Sprache einer Mutter*, München, Hueber, 1927.

Stolz, F., *Lateinische Grammatik*, 5th ed., München, Beck, 1928.

Strecker, K., *Einführung in das Mittellatein*, Berlin, Weidmann, 1929.

Tardi, D., l'abbé, *Les epitomæ de Virgile de Toulouse*, Paris, Boivin, 1928.

Taylor, P., *Bibliography of Vulgar and Medieval Latin*, in *Romanic Review*, XVII, 1926, p. 177; XVIII, 1927, pp. 281–284, 291; XIX, 1928, pp. 371–376.

—— *Birnam Wood: 700 A.D.–1600 A.D.*, in *Modern Language Notes*, XXXIX, 1924, pp. 244–247.

—— *The Construction "habere" and Infinitive in Alcuin*, in *Romanic Review*, XV, 1924, pp. 123–127.

—— *Fredegundis and Audovera*, in *Modern Language Notes*, XLII, 1928, pp. 94–95.

—— *The Latinity of the "Liber Historiæ Francorum,"* New York, Carranza & Co., 1924.

Taylor, P., *The Vocabulary and Style of the "Liber Historiæ Francorum,"* in *Todd Memorial Volumes*, II, New York, Columbia University Press, 1931, pp. 207–214.

Thesaurus Linguæ Latinæ, ed. auc. et cons. academiarum quinque Germanicarum, Berolinensis, Gottingensis, Lipsiensis, Monachensis, Vindobonensis, Leipzig, 1900–1927.

Thielmann, P., *"Habere" mit dem Infinitiv und die Entstehung des romanischen Futurums*, in *Archiv für lat. Lex.*, Leipzig, Teubner, 1885, II, pp. 48–89, 157–202.

—— *"Habere" mit dem Part. Perf. Pass.*, in *Archiv für lat. Lex.*, II, pp. 372–423, 509–549.

Thomas, A., *L'Évolution phonétique du suffix "-arius" en Gaule*, in *Bausteine zur Romanischen Philologie, Festgabe für Adolfo Mussafia*, Halle, Niemeyer, 1905, pp. 641–661.

Tobler, A. & Lommatzsch, E., *Altfranzösisches Wörterbuch*, Fasc. 1–14, Berlin, Weidmann, 1925–1931.

Traube, L., *Textgeschichte der Regula S. Benedicti*, München, Königlich Bayerische Akademie der Wissenschaften, 1910.

Turner, C. H., *The Oldest M.S. of the Vulgate Gospels*, New York, Oxford University Press, 1931.

Ullmann, K., *Die Appendix Probi*, in *Romanische Forschungen*, VII, 1893, pp. 145–226.

Vielliard, J., *Le Latin des diplômes royaux et chartes privées*, Paris, Champion, 1927.

von Wartburg, W., *Französisches Etymologisches Wörterbuch*, Lf. 1–20, Bonn, Klopp, 1927–1931.

Wattenbach, W., *Deutschlands Geschichtsquellen im Mittelalter*, Berlin, Hertz, 1873–1874.

Westholm, A., *Étude historique sur la construction du type "li filz le rei" en français*, Vesterås, Bergh, 1899.

Wölfflin, E., *Über die Latinität der "Peregrinatio ad Loca Sancta,"* in *Archiv für lat. Lex.*, Leipzig, Teubner, 1887, IV, pp. 259, etc.

Zauner, A., *Romanische Sprachwissenschaft*, Leipzig, Göschen, 1905.